Eutropius Presbyter und sein Traktat
„De similitudine carnis peccati"

REGENSBURGER STUDIEN ZUR THEOLOGIE

Herausgegeben von den Professoren
Dr. Karl Josef Benz, Dr. Wolfgang Nastainczyk,
Dr. Norbert Schiffers, Dr. Franz Schnider

Band 30

Verlag Peter Lang
Frankfurt am Main · Bern · New York

Hugo S. Eymann

Eutropius Presbyter und sein Traktat »De similitudine carnis peccati«

Verlag Peter Lang
Frankfurt am Main · Bern · New York

CIP-Kurztitelaufnahme der Deutschen Bibliothek

Eymann, Hugo S.:

Eutropius Presbyter und sein Traktat „De
similitudine carnis peccati" / Hugo S. Eymann,
— Frankfurt am Main ; Bern ; New York : Lang,
1985.
  (Regensburger Studien zur Theologie ; Bd. 30)
  ISBN 3-8204-8183-4
NE: GT

ISSN 0170-9151
ISBN 3-8204-8183-4

© Verlag Peter Lang GmbH, Frankfurt am Main 1985

Druck und Bindung: Weihert-Druck GmbH, Darmstadt

Herrn Erzabt Dr. Ursmar Engelmann OSB

Meiner Mutter Frau Anna H. Eymann

Dem Andenken meines Vaters
Herrn Siegfried A. Eymann
(gest. 3. März 1983)

VORWORT

Die hier vorgelegte Arbeit, die ihre eigene Vorgeschichte hat, wurde im Sommersemester 1983 von der Theologischen Fakultät der Albert-Ludwigs-Universität Freiburg i. Br. als Dissertation angenommen und für die Veröffentlichung geringfügig überarbeitet. Sie geht auf eine Anregung meines Lehrers der Patrologie, Prof. Dr. Basil Studer zurück, der mich schon vor über zehn Jahren, gegen Ende meiner theologischen Ausbildung am **Pontificium Athenaeum Anselmianum** zu Rom, auf den hier zu bearbeitenden Vätertext hinwies. Ihm gelte ein erster Dank.

Zu danken habe ich vor allem Prof. Dr. Karl Suso Frank, der den Fortgang der Arbeit mit großer Geduld begleitete und das Erstgutachten erstellte, sowie Prof. Dr. Helmut Riedlinger für die Erarbeitung des Zweitgutachtens.

Mein Dank gilt ferner kompetenten Fachleuten, ohne deren sachkundigen Rat diese Arbeit nicht zustandegekommen wäre: meinem Mitbruder Dr. Bonifatius Fischer, dem verdienten Forscher und langjährigen Leiter des Beuroner Vetus Latina Instituts, für zahlreiche Hinweise; Schw. Theresia Heither OSB, Abtei Mariendonk, für wertvolle Übersetzungshilfen zum schwierigen lateinischen Text; Prof. DDr. Hervé Savon, Paris, und Prof. Dr. Otto Wermelinger, Fribourg, für manche Belehrung und Förderung in Gesprächen.

Ganz besonders zu danken habe ich Prof. Dr. Norbert Brox, Regensburg, der mir mit außergewöhnlichem Interesse für die Materie und unermüdlichem Rat selbstlos zur Seite gestanden ist. Erst dies ermöglichte die Überwindung bestehender Schwierigkeiten und erbrachte den sachgerechten Zugang zum gestellten Thema, woraus mir am Schluß sogar eine Leidenschaft für Eutropius erwuchs.

Frau Luise Kaiser sei für die Reinschrift des Manuskriptes herzlich gedankt.

Dem Herausgebergremium danke ich für die Aufnahme der Arbeit in die Reihe der "Regensburger Studien zur Theologie".

Beuron, im August 1984   P. Hugo S. Eymann OSB

INHALT

ABKÜRZUNGEN

(Die Abkürzungen richten sich nach S. Schwertner, **Internationales Ab-
kürzungsverzeichnis für Theologie und Grenzgebiete**, Berlin/New York
1974.

Die Werke antiker Autoren werden nach den maßgeblichen Ausgaben
zitiert. Die Übersetzungen sind in der Regel erstmals vom Autor vorgelegte Übertragungen.

Die Abkürzungen der Schriften des Eutropius sind im Quellenverzeich-
nis vermerkt. **Perf** wird nach PL 30, **sim** nach den vom Autor im ersten Teil erarbeiteten Sinnabschnitten zitiert.

Die biblischen Abkürzungen im lateinischen Text sind H.J. Frede, **Kirchenschriftsteller 8** entnommen.

In den Anmerkungen wird bei den zitierten neueren Autoren durchweg
auf die Angabe des vollständigen Titels verzichtet, da er leicht im
Verzeichnis aufgefunden werden kann.)

AAWLM.G	Abhandlungen der Akademie der Wissenschaften und der Literatur in Mainz. Geistes- u. sozialwissenschaftliche Klasse. Mainz
ABAW	Abhandlungen der Bayerischen Akademie der Wissenschaften. Phil.-hist. Klasse. München
AM	Annales du Midi. Toulouse
AnCl	Antiquité classique. Bruxelles u.a.
AST	Analecta sacra Tarraconensia. Barcelona
Aug.	Augustinianum. Roma
BGBE	Beiträge zur Geschichte der biblischen Exegese. Tübingen
BiKi	Bibel und Kirche. Organ des katholischen Bibelwerkes. Stuttgart
BKP	Beiträge zur klassischen Philologie. Meisenheim
BLCR	Bollettino di Letteratura Critico-Religiosa
BTCon	Biblioteca di teologia contemporanea. Brescia
BThAM	Bulletin de Théologie Ancienne et Médiévale. Löwen
Cass	Cassiciacum. Würzburg
CC	Corpus Christianorum. Turnhout 1953 ff.
CD	La Ciudad de Dios. Madrid
Chalkedon	A. Grillmeier-H. Bacht (Hg.), Das Konzil von Chalkedon. Geschichte und Gegenwart. Bd. I-III. Würzburg 1951-54; ver- besserte Nachdrucke ²1959; ³1962; ⁴1973.

ChRE	Christus und die Religionen der Erde. ^{2}Handbuch der Religionsgeschichte I-III. Freiburg 1956.
CiW	Christ in der Welt. Eine Enzyklopädie. Aschaffenburg
CSEL	Corpus Scriptorum Ecclesiasticorum Latinorum. Wien 1866 ff.
DHGE	Dictionaire d'histoire et de géographie ecclésiastique. Paris
Did.	Didaskaleion. Torino
Dsp	Dictionnaire de spiritualité, ascétique et mystique. Paris
DThC	Dictionnaire de théologie catholique. Paris
ECatt	Enciclopedia Cattolica, 12 Bde. Rom 1949-54
EE	Estudios eclesiásticos. Madrid
EHS.T	Europäische Hochschulschriften. Reihe 23: Theologie
EKK	Evangelisch-katholischer Kommentar zum Neuen Testament. Neukirchen
EstOn	Estudios onienses. Madrid
ETD	Études, Textes, Découvertes. Paris 1913 ff.
EThL	Ephemerides Theologicae Lovanienses. Louvain u.a.
EUC	Estudis Universitaris Catalans
FChLDG	Forschungen zur christlichen Literatur- und Dogmengeschichte. Paderborn
Folia	Classical Folia. New York
FRLANT	Forschungen zur Religion und Literatur des Alten und Neuen Testaments. Göttingen
FzB	Forschung zur Bibel. Stuttgart-Würzburg
HAW	Handbuch der Altertumswissenschaft. München 1922 ff.
HDG	Handbuch der Dogmengeschichte, hg. v. M. Schmaus, J. Geiselmann, A. Grillmeier, Freiburg 1951 ff.
Helm.	Helmantica. Salamanca
HThK	Herders theologischer Kommentar zum Neuen Testament. Freiburg
JThSt	Journal of theological studies. Oxford u.a.
KEK	Kritisch-exegetischer Kommentar über das Neue Testament. Begr. v. H.A.W. Meyer. Göttingen
KGQS	Kirchengeschichtliche Quellen und Studien. St. Ottilien
KGS	Kirchengeschichtliche Studien. Münster
KlT	Kleine Texte für Vorlesungen und Übungen, hg. von H. Lietzmann. Berlin
Koin	Koinonia. Beiträge zur ökumenischen Spiritualität und Theologie. Essen

LThK	Lexikon für Theologie und Kirche. 10 Bde. und 1 RegBd. Freiburg [2]1957-1965
MBTh	Münsterische Beiträge zur Theologie. Münster
MGHConc.	Monumenta Germaniae Historica, Concilia. Hannover u.a. 1893 ff.
MMS	Münsterische Mittelalter-Schriften. München
Mn	Mnemosyne. Leiden
MTS	Münchener theologische Studien. München
NRTh	Nouvelle Revue Théologique. Tournai-Löwen-Paris
OA	Orbis academicus. München
Par.	Paradosis. Fribourg
PatSor	Patristica Sorbonensia. Paris
PatSt	Patristic Studies of the catholic university of America. Washington, D.C.
PG	Patrologia Graeca. Hg. von J.P. Migne. Paris 1857-1866.
PL	Patrologia Latina. Hg. von J.P. Migne. Paris 1878-1890.
PLS	PL, Supplementum. Hg. von A. Hamman. Paris 1958 ff.
PW	Pauly-Wissowa: Realencyclopädie der klassischen Altertumswissenschaft. Stuttgart 1893 ff.
RAC	Reallexikon für Antike und Christentum, hg. von Th. Klauser, Stuttgart 1941 ff.
RAM	Revue ascetique et de mystique, Toulouse
RBén	Revue bénédictine. Maredsous
RE	Realencyclopädie für protestantische Theologie und Kirche. 24 Bde. Leipzig [3]1896-1913.
REA	Revue des Études Augustiniennes. Paris
REByz	Revue des études byzantines. Paris
RechAug	Recherches Augustiniennes. Paris
REL	Revue des Études latines. Paris
RET	Revista Española de teología. Madrid
RevSR	Revue des Sciences Religieuses. Strasbourg u.a.
RGG	Religion in Geschichte und Gegenwart. Tübingen [3]1956-1965
RHE	Revue d'histoire ecclésiastique. Löwen
RHT	Revue d'histoire des textes. Paris
RPh	Revue de Philologie, de littérature et d'histoire anciennes
SA	Studia Anselmiana. Rom
Salm	Salmanticensis. Salamanca
SE	Sacris Erudiri. Brügge

StOR	Studies in oriental religions. Wiesbaden
SPS	Salzburger patristische Studien. Salzburg u.a.
SQS	Sammlung ausgewählter kirchen- und dogmengeschichtlicher Quellenschriften. Tübingen
ST	Studi e Testi. Città del Vaticano
StPatr	Studia patristica. Berlin = TU 63 u.a.
StTestAnt	Studia et Testimonia antiqua. München
ThH	Théologie historique. Paris
ThLZ	Theologische Literaturzeitung. Leipzig
ThQ	Theologische Quartalschrift. Tübingen
ThRv	Theologische Revue. Münster
ThWNT	Theologisches Wörterbuch zum Neuen Testament. Hg. v. Gerhard Kittel u.a. Stuttgart 1933 ff.
TLL	Thesaurus linguae latinae. Leipzig 1900 ff.
TTS	Tübinger Theologische Studien. Mainz
TU	Texte und Untersuchungen zur Geschichte der altchristlichen Literatur. Berlin (früher Leipzig)
VetChr	Vetera Christianorum. Bari
VL	Vetus Latina. Die Reste der altlateinischen Bibel. Freiburg 1949 ff.
VLH	Vetus Latina Hispana. Hg. von T. Ayuso Marazuela. Madrid
WdF	Wege der Forschung. Darmstadt
Zet.	Zetemata. Monographien zur klassischen Altertumswissenschaft. München
ZKTh	Zeitschrift der Katholischen Theologie. Innsbruck

EINLEITUNG

Der Traktat "De similitudine carnis peccati", um den es in der vorliegenden Monographie geht, wurde von G. Morin 1911 in der Pariser Nationalbibliothek entdeckt, ediert und Pacian von Barcelona zugeschrieben. Im übrigen ließ er den Text auf sich beruhen; und die Forschung schenkte ihm in der Folgezeit nur geringfügige Aufmerksamkeit (s.u.).

Dieser Fragestand hat sich geändert, als J. Madoz 1942 nachwies, daß der Autor jener Eutropius ist, den Gennadius von Marseille im 49. Kapitel seines Schriftstellerkataloges als Verfasser von zwei Briefen erwähnt, die heute als epistola II und epistola XIX im Corpus der pseudohieronymianischen Briefe zu finden sind.

Nachdem das Werk des Eutropius sich nun auf drei Schriften erhöht hatte, fügte ihnen 1954 P. Courcelle noch die epistola VI aus derselben pseudohieronymianischen Briefsammlung hinzu (s.u.).

Die folgende Studie will diesen status quaestionis aufarbeiten. Ihr Ziel ist die umfassende, erstmalige Interpretation des ganzen Traktates "De similitudine carnis peccati" aus der Feder des Presbyters Eutropius, der im spanisch-aquitanischen Raum des späten 4./frühen 5. Jahrhunderts beheimatet ist. Ihr Inhalt ist damit streng an den Traktat gebunden.

Ein besonderes Problem besteht in der Struktur des Traktates, der sich in einen Rahmen und ein Corpus aufteilt. Dies Strukturproblem ist so werkimmanent, daß es eigens erörtert werden muß. Da dies bislang nicht geschehen ist, liegt die Aufgabe innerhalb der folgenden Arbeit darin, den Aufbau des Traktates in sich plausibel zu machen, und ihn der Struktur nach zu analysieren. Nur dann entschlüsselt sich nämlich das Verständnis für "De similitudine carnis peccati" und werden Bezüge zur Tradition erkennbar.

Die so gestellte Aufgabe bedingt die Art der Darstellung: Am Anfang steht der Text nebst einer deutschen Übersetzung (Erster Teil). Nach den Einleitungsfragen, in denen es um die Person des Eutropius und sein Oeuvre (Zweiter Teil) sowie die bisherige Rezeption und eine erste Charakterisierung des zu untersuchenden Traktates geht (Dritter Teil), werden die Bedingungen der Interpretation des Textes aufgedeckt (Vierter Teil). Dies geschieht, indem nebst einer Skizzierung des kirchen- und theologiegeschichtlichen Hintergrundes das oben genannte Auslegungsproblem demonstriert und formuliert wird. Es folgt die Lösung des Problems durch die literar- und theologiehistorische Analyse von "De similitudine carnis peccati" (Fünfter und Sechster Teil). Aus ihr wird sich des Eutropius Aussageabsicht ergeben, welche wiederum die Eigenart seines Traktates erklärt (Siebter Teil).

Möge durch diese Arbeit die weitere Eutropiusforschung in Gang kommen; denn das hier Erarbeitete ist die Voraussetzung für die Placierung des Traktates "De similitudine carnis peccati" in der zeitgenössischen gallischen Literatur.

Erster Teil

LATEINISCHER TEXT

UND

DEUTSCHE ÜBERSETZUNG

Vorbemerkungen

1) Der lateinische Text ist aus der gängigen Edition übernommen.

An Ausgaben stehen bis jetzt zur Verfügung:

jene von G. Morin (1913), die er aus der Handschrift PARIS, BN, Lat. 13344, ff. 37^v -61^r (9./10. Jh.), transskribiert hat, und die in PLS I von A. Hamann (1958) besorgte (s.o.), welche den Text der Morin-Edition wiedergibt und im kritischen Apparat lediglich die Textverbesserungen, die Morin selber in ETD I, 503 machte, sowie die von G. Mercati in ThRv 15 (1915) 117 (s.o.) vorgelegten Korrekturvorschläge anbringt.

In der vorliegenden Textgestalt werden die textkritischen Anmerkungen - samt den in PLS I, 1746 f. aufgeführten Lesarten von G. Mercati und B. Fischer - aus der Edition von A. Hamann übernommen, wobei bisweilen G. Mercatis Korrektur so ausführlich wiedergegeben wird, wie sie in der genannten ThRv zu lesen ist.

2) Eine kritische Edition, die nicht Ziel der vorliegenden Arbeit ist (s.o.), wird in nächster Zeit von H. Savon vorbereitet werden (s.u.). Für sie stehen neben der schon genannten Pariser Handschrift noch folgende zur Verfügung:

1. PARIS, BN, Lat. 1688, f. 94 $^{r-v}$, 12. Jh., Fragment (Vgl. P. Courcelle, **Histoire littéraire** 305-313)

2. MÜNCHEN, Bayer. Staatsbibliothek, Clm 123, ff. 101^r -120^v, 16. Jh.,
Kopie der von Morin edierten Pariser Handschrift

3. VATICANO, BAV, Vat. Lat. 186, ff. 41^v -56^v, 15. Jh.

4. VATICANO, BAV, Vat. Lat. 303, ff. 66^r -77^v, Beg. 15. Jh.

Wesentliche Änderungen sind nach persönlicher Auskunft von H. Savon von der kritischen Ausgabe, die noch auf sich warten läßt, nicht zu erwarten, so daß die Interpretation des Traktates davon unberührt bleibt (s.u.).

3) Der folgende Textabdruck bringt eine durchgehende Strukturierung des Traktates, welche in den genannten Ausgaben fehlt. Durch diese Einteilung in fortlaufende Sinnabschnitte soll der schwierige Text lesbarer und verständlicher werden. Außerdem sind jeweils (möglichst) alle Schriftzitate und (erkennbaren) biblischen Reminiszenzen vermerkt worden, damit schon hier die Schriftnähe des Textes sichtbar wird und hernach die Art der Auslegung leichter nachvollzogen werden kann (s.u.).

4) Einige Teile des Traktates haben in der frühmittelalterlichen Theologiegeschichte eine Wirkung hinterlassen, da sie im spanischen Adoptianismusstreit des 8. Jahrhunderts als Argumentationsmaterial verwendet wurden. Es sind die Abschnitte **sim** 62-69;

67-68; bes. 68; 83-84, die in dieser Kontroverse von Agobard von Lyon, Elipandus von Toledo und Alkuin als Hieronymusworte zitiert werden (s.u.).

5) Für die deutsche Übersetzung, die erste eines Eutropiustextes, zeichnet der Autor verantwortlich. Dies gilt auch für die Übersetzung wörtlicher Bibelzitate, die dem von Eutropius benutzten altlateinischen Bibeltext (möglichst wortgetreu) gerecht zu werden versucht.

I.   1. Etiamne te ausus est spiritus infirmitatis adtingere? etiamne te vis febrium paene usque ad portas mortis inpegit? etiamne tuam animam torrens istius incommoditatis (1), quem vitiato caeli tractu infeliciter sensit tota provincia, transire conatus est?

2. Non illi fidelitatis tuae merita resultarunt? non ingruentibus malis opera sese tuae opposuere iustitiae, ac te in Domino viventem ipsa mortalitatis iura timuerunt?

3. O me miserum, o me infelicem (1)! **Si haec in ligno humido fiunt, in arido quid fiet (2)? Et si iustus vix salvus erit, peccator et impius ubi parebunt (3)?**

4. Terruerunt nos litterae vestrae, quae te per biduum exanimem iacuisse loquuntur: quibus lectis, immo per lacrimas paene deletis, nam et merebantur, statum meae conditionis ingemui, cogitans, ubi securitas suscepti, patrocinio turbato.

5. An propterea et vos vel quid sustinetis, ut magis timeant peccatores, et ut vestra tribulatio nostra sit castigatio (1), qui, dum infirmitatis etiam vestrae sorte turbamur, quid nos quoque maneat ammonemur, dicamusque compuncti in cubilibus nostris (2): Si deus filio suo unico non pepercit, ne forte nec nobis parcat (3); et illud: Si naturalibus ramis oliva truncata est (4), ne alienis per cultoris gratiam ad societatem pinguedinis admissis minore dolore viduetur (5); ut magis ad reformationem disciplinae iam pridem labentis obsolescentisque iustitiae parabola iuxta apostolum de tua anima sumpta videatur?

6. Quae dum ipsa carnaliter infirmatur, spiritaliter correxit infirmos, et in suo secura discrimine, tamen salutem timentibus adquaesivit, dum naturae praeiudicium in reditus conditione formidant, quod operari cernerent etiam contra bonorum privilegia meritorum.

7. Quis autem putaret extra praesentem lineam summi huiusce discriminis se futurum, praesertim quem bonae voluntatis dei clipeus non muniret (1), cum ea linea stringerentur etiam qui salutis galea (2) tegerentur? Aut quomodo non ex fructu operis sperarent, quod per carnalem substantiam sustinerent, qui de fructu operis non sperassent?

----

1.   (1) cf. Ps 123,5

3.   (1) cf. Rm 7,24
      (2) Lc 23,31
      (3) Pt 4,18 = Prv 11,31 (LXX)

5.   (1) cf. 2 Cor 4,8
      (2) cf. Ps 4,5
      (3) cf. Rm 8,32
      (4) cf. Rm 11,21
      (5) cf. Rm 11,24

7.   (1) cf. Ps 5,13
      (2) cf. Eph 6,17

I.   1. Hat auch dich der Geist der Krankheit anzugehen gewagt? Hat auch dich die Gewalt des Fiebers beinahe bis an die Pforten des Todes gedrängt? Hat auch deine Seele die Flut dieser Not zu überschwemmen versucht, die unglücklicherweise die ganze Provinz wegen der verpesteten Atmosphäre zu spüren bekam?

2. Hat dein treues Christsein sie nicht abprallen lassen? Haben die Werke deiner Gerechtigkeit dem hereinbrechenden Unheil keinen Widerstand geleistet und hat die todbringende Seuche nicht Angst gehabt, ihren Anspruch gegen dich geltend zu machen, da du im Herrn lebst?

3. O, ich Elender, ich Unglücklicher!
"Wenn man dies am grünen Holze tut, was wird an dem dürren geschehen?" "Und wenn der Gerechte kaum gerettet wird, wo soll dann der Gottlose und Sünder erscheinen?"

4. Euer Brief hat uns erschreckt; denn er sprach davon, du habest zwei Tage bewußtlos gelegen. Als ich ihn gelesen, als meine Tränen ihn fast ausgelöscht hatten – er verdiente es nicht anders –, da habe ich mein Los und die Umstände beklagt, und überlegte, wo die Sicherheit des Schutzbefohlenen bleibe, wenn die Schutzherrschaft erschüttert sei.

5. Oder ist es so, daß auch ihr wenigstens etwas ertragen müßt, damit die Sünder mehr Angst bekommen und damit eure Bedrängnis für uns Zurechtweisung sei? Es erschüttert uns, daß auch dich das Los der Krankheit getroffen hat; und so werden wir daran erinnert, was auch uns bevorsteht, und in Reue wollen wir deshalb auf unserem Lager sagen: Wenn Gott seinen Sohn nicht verschonte, wird er vielleicht auch uns nicht verschonen; und weiter: Wenn vom Ölbaum die Zweige, die von Natur zum edlen Baum gehören, abgehauen werden, muß ihm dann nicht der Verlust derjenigen Zweige weniger schwer fallen, die nicht zu ihm gehörten und nur durch die gütige Pflege des Gärtners am Fett der edlen Olive Anteil haben? So solltest du im Sinne des Apostels als Beispiel dienen, um die richtige Ordnung wiederherzustellen, die ins Wanken gekommen war und immer mehr abnahm.

6. Als du dem Fleisch nach krank warst, hast du doch dem Geiste nach die Schwachen zur Besserung angehalten; selber in Todesgefahr und doch ruhig und sicher hast du denen, die sich fürchteten, Genesung und Heil gebracht. Wo es um den Tod ging, erschreckte sie der Vorentscheid der Natur, der sich, wie sie sahen, auch gegen die Vorrechte durchsetzte, die auf guten Taten beruhen.

7. Wer könnte denn meinen, außerhalb des gegenwärtigen Wirkungsbereiches dieser äußersten Gefahr zu sein, besonders wenn ihn nicht Gottes Wohlwollen wie ein Schild umgibt? Denn von diesem Wirkungsbereich werden sogar die erfaßt, die der Helm des Heiles schützt. Oder wie sollten Menschen, die aufgrund ihres Tuns nichts erwarten konnten, nicht das als Lohn ihres Tuns erwarten, was sie schon wegen ihres irdischen Daseins zu ertragen hatten?

8. Facti sunt ergo aliqui, ut speramus, te aegrotante meliores, dum metuunt aegrotare de merito, et id conantur evadere per disciplinam, quod evadi non potest per naturam, castigationemque morum pro remediis infirmitatis utuntur, et humilitati se patientiae subdiderunt, ne extrema paterentur, atque ut ab apostolo non saepius audirent: **Ideo apud vos infirmi multi, et aegri multi, et dormiunt multi** (1), de timore febrium deum timere coeperunt, et miro modo mors operata est in salutem (2), dum per eam christiani fiunt, qui per vitam non erant christiani. Quid nostra, sive per simulationem, sive per veritatem (3), dummodo **omnis lingua confiteatur, quod dominus Jesus in gloria est dei patris** (4)?

9. O quam, inquam, febrem minime detestandam! O malus (a) calix tanta ammiratione proventus, si et bonos sustulit, et malos mutavit: si illos non fraudavit, nobis hos reddidit sanctiores!

10. Quamquam oportu (a) erat infirmitatis spiritum argumento divinae sapientiae sic punire, ut, dum piorum corpora conatur invadere, mentem amitteret impiorum, et dum terrificat quos terrere non valet, a suis quoque relinqueretur, dum satis timeatur eo instrumento se vacuans (b), quo in alienos tetendit.

11. Nec sane mireris, cur tantus error adfecerit iniustos, intellegens quod alia tua ratio in hac aegritudine fuit, alia peccantium: tibi dissolutio carnis sponsi tui erat reddnitura praesentiam, illis iudicis sui inlatura censuram. Tu ducendam te ad caelestes thalamos laetabaris, hii rapiendos se ad infernum carcerem suspirabant. Te loca siderea et lucis aeternitate radiantia provocabant, hos baratri tenebrarum et poenarum sine fine destinatio terrebat. Tibi dicendum erat: **Veni, proxima mea, columba mea, speciosa mea** (1); illis: **Discedite a me, operarii iniquitatis, quia non novi vos** (2). Et ideo in te erat exire velle, in illis autem exire non velle.

---

8. (1) 1 Cor 11,30
    (2) cf. Phil 2,12
    (3) cf. Phil 1,18
    (4) Phil 2,11

9. (a) malus] mali, **proposuerat** G. Morin, in: ETD I, 503.

10. (a) oportu] **lege** oportunum [B. FISCHER]
    (b) vacuans] **lege** vacuaret [B. FISCHER]

11. (1) Cant 2,10
    (2) Lc 13,27

8. Es sind also einige, wie wir hoffen, durch deine Krankheit besser geworden. Sie haben nämlich Angst, verdientermaßen krank zu werden und versuchen, dem durch Inzuchtnahme zu entgehen, was natürlicherweise unausweichlich ist. Darum wenden sie als Medizin für die Krankheit die straffe Zucht ihres Lebens an und unterwerfen sich der Demut des Leidens, um nicht das Äußerste erleiden zu müssen. Und um nicht dauernd die Worte des Apostels hören zu müssen: "Deswegen sind unter euch viele schwach und krank und gar viele sind entschlafen", haben sie aus Furcht vor dem Fieber angefangen, Gott zu fürchten, und wunderbarerweise hat der Tod zur Besserung und zum Heil geführt. Durch ihn, den Tod, wurden sie nämlich Christen, die ihr Leben lang keine Christen waren. Was kümmert es uns, ob es aus Heuchelei oder aus Überzeugung geschieht; wenn nur "jede Zunge bekennt: Herr ist Jesus Christus in der Herrlichkeit Gottes des Vaters".

9. Ich muß schon sagen: was für ein Fieber! Nicht zu verachten! Was für ein schädlicher Trank mit so erstaunlich guter Wirkung: die Guten hat er herausgestellt und die Bösen umgewandelt; die Bösen wurden nicht betrogen, die Guten für uns noch heiliger!

10. Es war freilich angebracht, daß die göttliche Weisheit den Geist der Krankheit als machtlos entlarvte und bestrafte. Während er versuchte, den Leib der Frommen anzugreifen, sollte er die Herrschaft über den Geist der Gottlosen verlieren. Während er die zu schrecken versuchte, die er nicht schrecken konnte, sollte er auch von den Seinen verlassen werden. Während er suchte, besonders gefürchtet zu werden, sollte er das Instrument verlieren, mit dem er seine Herrschaft auf Fremde ausdehnen wollte, die einem andern gehörten.

11. Wundere dich doch nicht darüber, daß ein so großer Schrecken die Ungerechten befallen hat. Begreife, daß diese Krankheit für dich einen ganz anderen Stellenwert hat als für die Sünder. Für dich hätte die Auflösung des Fleisches die Vereinigung mit deinem Bräutigam bedeutet, für sie das Strafurteil des Richters gebracht. Du solltest mit Frohlocken zum himmlischen Brautgemach geleitet, sie mit Stöhnen in das höllische Verlies weggeschleppt haben. Dich lockte das Sternenreich voll ewigen Lichtglanzes und sie schreckte die Haft in der finsteren Hölle zu endloser Strafe. Du hättest sicher gehört: "Meine Freundin, meine Taube, meine Schöne, komm!", sie dagegen: "Tretet weg von mir, alle Arbeiter der Ungerechtigkeit, denn ich kenne euch nicht!" Darum wolltest du sterben, sie aber wollten nicht.

II.   12. Sed ne aliqui infideliores ex eo, quod infirmata es, nullum meritorum putent esse discrimen, atque ut hic morbis aequaliter subiacemus, ita, cum exierimus, aequaliter quaecumque illa sunt sortiamur, in futuro meritis posse praescribere, nec temeritatem in hoc tempore praeiudicare naturae, maxime cum haec opinio etiam fidem deitatis excludat: quoniam ita demum conveniat, nullum futurum esse iudicium, si nullus est omnino qui iudicet.

13. Sed esse deum omnium conditorem, omnium retributoremque gestorum, apertius est quam ut demonstretur. Et ideo id potius explicemus, cur hic sancti in doloribus carnis cum poenalibus hominibus misceantur, si in resurrectionis beatitudine a poenalibus separantur.

14. Intellegant primum aliud iudicium, aliud esse naturam: iudicium distinctione constat, natura communione: illud legale est, hoc solitum; quoniam non de eo quod nati sumus, sed ex eo quod agimus est futurum.

15. Natura generat, ut vivamus; iudicium quid (a) vixerimus examinat. Natura omnes pari sorte emittit in lucem, iudicium quales simus inquirit. Iudicium ibi nos liberat a natura (1), hic etiam bonos implicat in natura. Postremo illud futuri est temporis, haec praesentis; et natura hominum est, iudicium morum.

16. Tum advertant quod iudicium naturalis non intrabit infirmitas, nisi ut ipsa forte iudicetur; quae etiam reddere cogitur ad iudicium, quod distraxisse visa fuerat per naturam, carnem dico, quae in statum suum ab ea, quae illam corrupit, infirmitate renovanda est.

17. Ibi ergo vitae nostrae merita pensanda, voluptatumque nostrarum rationes habendae; omnis in praesenti actus ex recordatione gestorum, omnis in praesenti mercis ex iustitia iudicantis.

----

15.   (1) cf. Rm 7,24; 8,21
      (a) quid] **lege** qui = quomodo [G. Mercati]

II.   12. Deine Krankheit soll aber nicht einige ganz Ungläubige zur Meinung verleiten, es gebe keine Unterscheidung der Verdienste. Wie wir hier in gleicher Weise den Krankheiten unterworfen sind, so würden wir, wenn wir scheiden, das gleiche Schicksal erfahren, was es auch sei. Somit könne man in Zukunft den Verdiensten die Rechtskraft absprechen und jetzt könne ein unbekümmertes Drauflosleben der Natur nicht vorgreifen. Diese Ansicht wäre glatter Atheismus; denn so wäre es folgerichtig: wo es überhaupt keinen Richter gibt, da gibt es auch kein Gericht.

13. Aber daß Gott der Schöpfer aller Dinge ist, der jedem nach seinen Werken vergilt, das ist so offenkundig, daß man es nicht erst zu beweisen braucht. Und darum wollen wir lieber erklären, warum hier die Heiligen mit den Menschen, die straffällig sind, die körperlichen Beschwerden ohne Unterschied teilen, wenn sie doch bei der seligen Auferstehung von ihnen getrennt werden.

14. Zuerst muß klar sein, daß Gericht und Natur nicht dasselbe sind. Gericht ist wesentlich Unterscheidung, Natur das Gemeinsame. Das Gericht wird bestimmt vom Gesetz, die Natur von der gewöhnlichen Erfahrung. Beim Gericht geht es nämlich nicht darum, daß wir geboren sind, sondern darum, was wir getan haben.

15. Die Natur bringt uns hervor und gibt uns das Leben, das Gericht untersucht, wie wir gelebt haben. Die Natur läßt alle zum gleichen Los das Licht der Welt erblicken, das Gericht erforscht unsere Beschaffenheit. Dort befreit uns das Gericht von der Natur, hier kettet es auch die Guten an die Natur. Schließlich gehört das eine zur Zukunft, das andere zur Gegenwart: und die Natur betrifft die Menschen, das Gericht den Lebenswandel.

16. Zweitens ist zu beachten, daß die durch die Natur bedingte Schwachheit (Krankheit) nur deshalb vor Gericht gezogen wird, damit sie gegebenenfalls selbst gerichtet werde. Das Gericht zwingt sie dann noch, das zu erstatten, was sie nach seiner Ansicht unter dem Vorwand der Natur verschleudert hatte: nämlich das Fleisch. Dieses muß wieder voll in den Stand versetzt werden, der ihm eigentlich zukommt; die Schwachheit und Krankheit muß den Schaden wiedergutmachen, den sie an ihm verursacht hat.

17. Beim Gericht geht es also darum, daß die Verdienste unseres Lebenswandels abgewogen werden und Rechenschaft gegeben wird über das, was uns Freude gemacht hat.

Dort wird jede Tat aufgrund des zur Kenntnis genommenen Tatbestandes beurteilt; dort die Gegenleistung nach der Gerechtigkeit des Richters zuerkannt.

18. Nullus infirmitati ad sanctos locus: quoniam hic eam in infirmitate vicerunt, gloriante apostolo: **Cum infirmor, tunc potens sum** (1); siquidem tunc ipsa infirmitas invenitur infirmior, cum dei famulos facere conatur infirmos, quibus **tribulatio patientiam operatur, patientia probationem, probatio spem. Spes autem non confundit** (2): quoniam per eam ad haec, quae loquimur, pervenitur, ut et de ipsa infirmitate iudicetur.

19. Unde, quod ad nostros pertinet, etiam gratiae habendae sunt infirmitati, si operatione mali fit ministra melioris, et probatiores reddit, quos morborum langore temptavit.

20. Restat ut, cur bonis malisque sors incommoditatum aequalis sit, eloquamur; quam nemo mirari debeat, cum mortem viderit esse communem. Quod si mortem, et ea utique quae operantur interitum. Sed et hoc constat; ergo de communione dicamus.

21. Substantia nostri corporis fragilis et caduca; ut mortalis quippe nulli valitudini excusatur, ex quo censum in se omnium infirmitatum vel dolorum per transfusionem seminis de transgressionis traxit auctore, cunctamque mortalitatis fecem morborum capax, dum generatur, excepit.

22. Sic facta est posteritati natura, quae fuerat culpa generanti; dum vitiato semini proles corrupta respondet, et originis fragilitatem reserat mortalis agnatio, non in praesenti vincens merito, quod hausit antequam mereretur.

23. Prius enim generamur, et sic vivimus, non prius vivimus, et sic generamur; licet etiam hinc aliqui schismatici renitantur, quibus interim relictis proposita prosequamur.

24. Una ergo omnium in fragilitate substantia est, una sors, et conditione mortis omnis adstringitur gens humana, auctoris offensam crepundiis quibusdam consignatae sibi mortalitatis adsignans; quam interim bona conversatione superat, quoniam in nobis anterior est natura quam meritum.

---

18. (1) 2 Cor 12,10
    (2) Rm 5,3-5

18. Die Schwachheit (Krankheit) hat bei den Heiligen keinerlei Befugnis; denn die Heiligen haben sie schon hier in der Schwachheit besiegt, wie der Apostel sich rühmt: "Wenn ich schwach bin, dann bin ich stark". Denn die Schwachheit erweist sich dann als zu schwach, wenn sie die Diener Gottes schwach zu machen sucht, in denen "Bedrängnis Geduld bewirkt, Geduld aber Bewährung, Bewährung Hoffnung. Die Hoffnung aber läßt nicht zuschanden werden". Durch sie gelangt man nämlich zu dem, wovon wir oben gesprochen haben, daß sogar die Schwachheit vor Gericht gestellt wird.

19. Also müssen wir, was uns Christen anlangt, der Schwachheit (Krankheit) sogar dankbar sein, wenn sie Böses tut und dadurch Besserung bewirkt. Sie war durch die Entkräftung der Krankheit eine Versuchung und wurde zu größerer Bewährung.

20. Jetzt müssen wir noch darüber reden, warum das Schicksal mit seinen Widerwärtigkeiten die Guten und Bösen in gleicher Weise trifft. Keiner sollte sich darüber wundern, da er sieht, daß der Tod allen gemeinsam ist; – wenn aber der Tod, dann auch alles, was den Untergang bewirkt. Aber auch das steht fest. Deshalb wollen wir von dem reden, was gemeinsam ist.

21. Die Substanz unseres Leibes ist gebrechlich und vergänglich. Denn weil sie sterblich ist, kann sie sich keinem Gesundheitszustand entziehen, – von dem Moment an, in dem sie das Erbgut aller Krankheiten und Schmerzen durch Weitergabe des Lebens vom Urheber der Sünde empfangen und seit der Zeugung die Sterblichkeit mit allen ihren Folgen mitbekommen hat und so für Krankheiten anfällig ist.

22. So wurde der Nachkommenschaft zur Natur, was für den Stammvater Schuld gewesen war. Dem geschädigten Lebenskeim entspricht die verdorbene Nachkommenschaft, die Gebrechlichkeit des Vaters wird erwiesen durch die Sterblichkeit der Kinder, die jetzt nicht durch sittliches Handeln rückgängig machen können, was sie mitbekommen haben, bevor sie überhaupt sittlich handeln konnten.

23. Zuerst werden wir gezeugt und dadurch leben wir. Wir leben nicht zuerst und werden dann gezeugt. Einige Schismatiker werden auch das freilich nicht zugeben. Aber übergehen wir sie einstweilen und setzen wir unser Thema fort.

24. Die Substanz aller ist also in der gleichen Weise gebrechlich, alle trifft das gleiche Los, und das ganze Menschengeschlecht unterliegt demselben Todesgeschick und macht auf das Vergehen des Stammvaters wie mit einer Kinderklapper durch die ihm zuerkannte Sterblichkeit aufmerksam. Ab und zu mag der Mensch dies Vergehen durch guten Wandel überwinden, sicher geht aber in uns die Natur dem sittlichen Handeln voraus.

25. Mortales gignimur, meritum gignimus; mortales nascimur, boni efficimur. Illud provenit sine sensu, hoc adripitur ex sensu. Et ideo unius materiae una conditio est.

26. Quae antiquior merito non mutatur ex opere; quoniam prius mortalis coepit esse quam bona, et ante hausit maledictionis elogium, quam suspiraret iustificata suffragium. Utrumque tamen suis temporibus, sive quod genita est, sive quod operatur, expungit; nam et gignentis debita dum moritur exsolvit, et sua consequitur dum resurgit.

27. Hac ratione iusti iniustique sub uno sole, sub una terra viventes, varietates causarum aequaliter sortiuntur. Hinc omnibus par conditio, ut una generatio; hinc necessitas, ut in cunctorum consortium tu quoque mortalitatis conditione socieris. Et cum hinc habeas de institutione iustitiam, trahis tamen de hereditate peccatum.

28. Quam rem nobiscum etiam dominus participare dignatus est, docente apostolo: **Misit deus filium suum in similitudine carnis peccati** (1). Aut quo iure hoc in carne famulus evadet, quod in eadem carne nec dominus evitavit?

III.   29. Et quoniam haec apostoli sententia (1), quod aiunt, in buccam cecidit, diligentius illam contra haereticos explicemus, ne post infirmitatem tuam litteras tibi sine caelesti antidoto misisse videamur, qui salutis tuae habentes curam ea, quae mentem confirment, quae animam sublevent, quae vitam faciant longiorem, suggerere debemus, monente Salomone: **Intellegere legem sensus est optimus; nam hoc modo multo vives tempore, et adicientur tibi anni vitae** (2). Et ideo te intellegentiam legis oportet intrare, per quam, ut credimus, es et futura longaevior.

---

28.   (1) Rm 8,3
29.   (1) cf. Rm 8,3
       (2) Prv 9,10s

32

25. Sterblich sind wir von unserem Ursprung her, das gute Handeln hat in uns seinen Ursprung. Als Sterbliche werden wir geboren, gut werden wir im Laufe des Lebens. Das eine geschieht ohne Einsicht, das andere wird durch Einsicht erworben. Und deshalb gilt für die gleiche Materie das gleiche Geschick.

26. Da dies Geschick vor dem sittlichen Handeln liegt, kann es durch das Tun nicht verändert werden; denn zuerst hat es angefangen, sterblich zu sein, dann erst hat es die Möglichkeit, gut zu werden. Zuerst zog es sich das Fluchurteil zu, ehe es, gerechtgesprochen, aufatmen soll wegen des Freispruches. Beides wird jeweils zur rechten Zeit erledigt: das Geborensein und sittliches Handeln; denn die Schulden dessen, der das Leben weitergibt, löst es ein mit seinem Tode und empfängt bei seiner Auferstehung das, was ihm zukommt.

27. Demgemäß erfahren Gerechte und Ungerechte, die unter der einen Sonne auf der einen Erde leben, in gleicher Weise die Wechselfälle der Lebensumstände. Daher trifft alle das gleiche Geschick, wie allen die Herkunft gemeinsam ist. Daher vereint notwendigerweise auch dich das Geschick der Sterblichkeit mit allen, die das gleiche Los haben. Und obwohl du daher aufgrund deines Verhaltens gerecht bist, unterliegst du doch der Sünde aufgrund der Vererbung.

28. Das wollte auch der Herr mit uns teilen, wie der Apostel lehrt: "Gott sandte seinen Sohn in der Gestalt des sündigen Fleisches".

Oder mit welchem Recht sollte der Diener dem im Fleische entgehen, dem nicht einmal der Herr im gleichen Fleisch ausgewichen ist?

III.   29. Und weil mir nun dies Apostelwort herausgerutscht ist, wie man so sagt, wollen wir es möglichst sorgfältig in der Auseinandersetzung mit den Häretikern erklären, damit es nicht so aussieht, als hätten wir dir nach deiner Krankheit einen Brief ohne himmlische Arznei geschickt. Weil wir die Sorge um dein Heil tragen, müssen wir dir übermitteln, was den Geist stärken, die Seele erheben sowie das Leben verlängern kann. Dazu mahnt Salomo mit den Worten: "Die Erkenntnis des Gesetzes ist die beste Einsicht; denn durch sie werden viel deine Tage und zahlreich die Jahre deines Lebens". Und darum mußt du in die Erkenntnis des Gesetzes eindringen, durch sie wirst du auch, wie ich glaube, länger leben.

30. Igitur ab eodem Salomone divitinus (a) edocti, quid sanare te possit, qui ait **Lingua sapientium sanat** (1), medicamentum tibi apostoli lingua confectum, quae etiam Timothei stomachum infirmitatesque curat, vino medico (2), ut nostrae vires patiuntur, ne dum ex praecepto medentis admixto, per eam fidem quae invicem est tuam atque meam (3), contra inimicorum venena transmisi (b): quae hoc magis sunt vitanda quam febres, quoniam illa animum labefactare nituntur, hae sanguinis epotata substantia corpus tantum viribus reddunt effetum.

31. Quod si tibi visum fuerit avarius temperatum, nostramque parsimoniam sitis ardore culpaveris, ipsa tu saporum nectar unde tibi adicitur non ignoras, quae Gedeonem illum virtutis virum et sacrae militiae principem etiam triticum non in horreo, quod consuetudo poscebat, sed in torculari extra communem usum condidisse (1) didicisti. Hinc ad opus domino volente promissae confectionis accingar.

IV. 32. Ait apostolus: **Misit deus filium suum in similitudine carnis peccati** (1). Hac sententia in destructionem carnis dominicae haereticorum et maxime Manichaeorum furor armatur; hac se iugulant imperiti, dum alios iugulare nituntur; ex hac illis in mortem odor mortis emanat, ex qua nobis odor vitae flagrat in vitam (2).

33. Similitudinem, clamant, carnis habuit salvatoris imago (1) non carnem (2). Et ad apostoli testimonium appellantes auctoritatem eius, qui illos etiam inpugnat, implorant.

34. Unde, oro, caecitas tam miseranda generata est, quae integram sententiam non valet intueri, quae intra duo propemodum verba tenebrescit, nec prosequitur clausulam, ne recipiat et lumen, et quasi eam infelicitas ipsa delectet, voto adiuvat casum, nolens de integro videre quod verum est, dum maluit ex decurtatione palpare quod falsum est?

----

30. (1) Prv 18,12
    (2) cf. 1 Tm 5,23
    (3) cf. Rm 1,12
    (a) divitinus] **lege** divinitus
    (b) transmisi [**lege** transmisi <mus> [G. Mercati]

31. (1) cf. Jdc 6,11

32. (1) Rm 8,3
    (2) cf. 2 Cor 2,16

33. (1) cf. 1 Cor 11,7; 2 Cor 4,4; Col 1,15
    (2) cf. Rm 8,3

30. Gott lehrt uns durch Salomo, was dir Heilung bringen kann; denn er sagt: "Die Zunge der Weisen bringt Heilung". Also habe ich dir ein Heilmittel von der Zunge des Apostels zusammengestellt, die auch die Magenkrankheiten des Timotheus heilt, mit etwas Wein vermischt, genau nach Vorschrift des Arztes, damit unsere Kräfte nicht überfordert werden. Aufgrund unseres gemeinsamen Glaubens, des deinen wie des meinen, habe ich dir dieses Heilmittel gegen das Gift der Feinde übersandt. Dagegen müssen wir uns nämlich mehr wehren als gegen das Fieber; denn es will den Geist zugrunde richten, das Fieber - nachdem es das Blut ganz aufgesogen hat - erschöpft nur die Leibeskräfte.

31. Wenn dir aber unser Heilmittel für allzuknapp bemessen scheint und du in deinem brennenden Durst auf meine Sparsamkeit schimpfst, so weißt du ja selbst, woher du noch mehr wohlschmeckenden Nektar bekommen kannst. Denn du hast ja gelernt, daß Gideon, der starke Held und Führer der Heerscharen Gottes, den Weizen nicht in der Scheune, wie es der Gewohnheit entsprochen hätte, sondern entgegen dem normalen Brauch in der Kelter versteckt hat. Daher will ich mich nun, wie Gott will, anschicken, das Versprochene zusammenzustellen.

IV.   32. Der Apostel sagt: "Gott sandte seinen Sohn in der Gestalt des sündigen Fleisches". Übrigens: dieser Satz wird zur Waffe im wütenden Kampf der Häretiker, vor allem der Manichäer, gegen das wahre Fleisch des Herrn. Damit rennen die Dummköpfe in ihr eigenes Messer, mit dem sie andere umbringen wollen. Daraus entsteigt für sie der Todesgeruch, der Tod bringt, und aus dem gleichen duftet für uns der Lebensgeruch, der Leben verheißt.

33. Die Erscheinung des Erlösers hatte nur die Gestalt des Fleisches, so schreien sie, und nicht das Fleisch selber. Sie berufen sich auf das Zeugnis des Apostels und beschwören seine Autorität, wo er sie doch in Wirklichkeit bekämpft.

34. Woher, so frage ich, kommt diese klägliche Verblendung, die es nicht fertigbringt, den ganzen Satz anzuschauen, schon bei zwei Wörtern versagt und daher nicht bis zum Schluß kommt, so daß ihr auch kein Licht aufgehen kann. Wie wenn sie an ihrem unglückseligen Zustand noch Freude hätten, tragen sie mit ihrem Willen noch zum Untergang bei; sie wollen nicht aus dem ganzen Text die Wahrheit sehen, sondern lieber aus dem verkürzten nach Falschem tasten.

35. Non enim apostolus ait 'misit deus filium suum in similitudine carnis', sed 'misit filium suum deus in similitudine carnis peccati' (1). Quod si tantum 'in similitudine carnis' scriptum esset, nihil prorsus ab illis intellegentia discreparet, nec sentire extra apostolum aliquis auderet.

36. Sed cum in integrum sensum catholicae veritatis sermo sese praedicatoris effuderit dicendo 'in similitudine carnis peccati' (1), non mirandum est si in domino peccati similitudinem ignorarunt, in quo nec carnem hominis quae peccati similitudinem inbiberat susceperunt.

37. Carnem itaque dominum habuisse consentiant, ut et peccati in ipso similitudinem recognoscant, quam sine carne spiritalis in se natura non recipit, quae incorrupta inmutabilisque fuco labis non tinguitur alienae, suique vindex inflecti enervarique etiam interrupta non novit.

38. Et ideo ne similitudinem quidem peccati habere poterit sine carne, quae etiam cum carne numquam erit ministra peccati, confirmante Salomone, qui dicit: **Effugiet fictum** (1). Caro autem, quae semel per transgressionem legem ad se mortis admisit, similitudinem peccati velut insculptam sibi oblitterare non poterit, et si peccati a se repudiaret affectum.

39. Quamquam in nullum alium hominem absque domino ista poterit convenire sententia (1); quoniam nemo est qui habeat quod non acceperit, aut, cum acceperit, possit quasi non acceperit gloriari (2).

---

35. (1) Rm 8,3

36. (1) Rm 8,3

38. (1) Sap 1,5

39. (1) cf. Rm 8,3
    (2) 1 Cor 4,7

35. Der Apostel sagt nämlich nicht: "Gott sandte seinen Sohn in der Gestalt des Fleisches", sondern: "Gott sandte seinen Sohn in der Gestalt des sündigen Fleisches". Wenn nur geschrieben stünde: "in der Gestalt des Fleisches", könnte man den Satz gar nicht anders als sie verstehen und keiner würde es wagen, eine andere Meinung zu haben als der Apostel.

36. Aber der Apostel stimmt in seiner Verkündigung voll und ganz mit der allgemein geglaubten Wahrheit überein und formuliert: "in der Gestalt des sündigen Fleisches". Wenn sie trotzdem beim Herrn die Gestalt der Sünde nicht erkannt haben, so ist das kein Wunder; denn sie haben auch das Fleisch des Menschen bei ihm nicht angenommen, die Grundlage für die Gestalt der Sünde.

37. Sie sollen daher zugeben, daß der Herr das Fleisch getragen hat, damit sie dann auch in ihm die Gestalt der Sünde erkennen können. Denn eine geistige Natur kann ohne Fleisch die Gestalt der Sünde nicht aufnehmen, da sie ja unvergänglich und unveränderlich ist und somit nicht durch fremden Schmutz befleckt wird. Da sie sich behauptet, kann keine Störung sie verdrehen oder lähmen.

38. Und darum kann sie nicht einmal die Gestalt der Sünde ohne Fleisch haben, wo sie doch sogar mit dem Fleisch niemals der Sünde dient, wie uns Salomo mit den Worten bestätigt: "Sie flieht vor der Falschheit". Das Fleisch aber, das sich einmal durch die Übertretung unter das Gesetz des Todes gestellt hat, kann die Gestalt der Sünde, die ihm gleichsam eingemeißelt ist, nicht mehr tilgen, auch wenn es das Streben nach der Sünde abweisen würde.

39. Freilich auf keinen anderen Menschen als auf den Herrn dürfte dieser Satz zutreffen; denn es gibt keinen, der etwas hätte, das nicht empfangen wäre, oder wenn er es empfangen hat, sich rühmen könnte, als hätte er es nicht empfangen.

40. Solus dominus venit in similitudine carnis peccati (1): solus peccatoribus similis natura carnis adsumptae, non tamen conversatione peccator; solus novam carnis gloriam, sicut vas electionis (2) indicat, adquisivit, ut aliquando non delinquens, sed delinquenti similis haberetur (3), et naturalibus officiis respondendo, non ea quae peccaret, sed ea quae peccasset esse crederetur; id est, iam domini, non Adae, et si domini per Adam.

41. 'Misit deus filium suum in similitudinem carnis peccati' (1). Ergo sine carne non misit, ut per similitudinem carnis peccati (2) vera carnis substantia probaretur.

42. Nulla siquidem species similitudinem propriae naturae gestat alienam. Nam etsi angeli saepe in hominum specie sese videntibus temperant, ut Abrahae ad ilicem (1), ut Loth in Sodomis (2), ut Jacob in lucta (3), ut Tobiae ad itineris societatem (4), ut multis aliis saepe, non tamen in similitudinem carnis peccati (5).

43. Aliud est enim adsumpsisse formam, aliud suscepisse naturam: ac perinde non habuerunt corpus humanum, quam peccati similitudine caruerunt. Eius est autem habere peccati similitudinem, qui habeat et peccati substantiam subiacentem.

44. Addo amplius: ipsae illae spiritales nequitiae cum peccent, similitudinem tamen peccati carnis adsumere non possunt, quoniam illas ab ea natura spiritalis excludit, per quam inpossibile habent similitudinem carnis peccati sibi advocare de carne, cum tamen participent delictum omne cum carne; sed extra positae, non infusae, inlecebras suggerentes, non corpora sustinentes.

---

40. (1) cf. Rm 8,3
    (2) Act 9,15
    (3) cf. Rm 8,3; 2 Cor 5,21

41. (1) Rm 8,3
    (2) cf. Rm 8,3

42. (1) cf. Gn 18,1s
    (2) cf. Gn 19,1
    (3) cf. Gn 32,25
    (4) cf. Tb 5,4-15
    (5) Rm 8,3

40. Allein der Herr kam in der Gestalt des sündigen Fleisches. Allein er war den Sündern ähnlich durch die Natur des angenommenen Fleisches, keinesfalls aber in seinem Lebenswandel ein Sünder. Allein er hat für das Fleisch neue Herrlichkeit erworben, wie der Apostel, das auserlesene Werkzeug, andeutet. In ihm sollte das Fleisch nicht als sündig, sondern dem sündigen ähnlich erfunden werden. Wenn es in ihm den Verpflichtungen der Natur nachkam, sollten wir nicht das Fleisch erkennen, das (weiterhin) sündigt, sondern vielmehr das Fleisch, das gesündigt hat (und darum ein Sündenfleisch ist), d.h. das Fleisch des Herrn, nicht mehr das des Adam, allerdings das des Herrn durch Adam.

41. "Gott sandte seinen Sohn in der Gestalt des sündigen Fleisches". Er sandte ihn also nicht ohne Fleisch, damit nämlich durch die Gestalt des sündigen Fleisches die Wirklichkeit seines Fleisches erwiesen werde.

42. Bekanntlich trägt kein Wesen eine Gestalt, die der eigenen Natur artfremd ist. Mögen auch Engel oft als Menschen zu denen in die angemessene Beziehung treten, denen sie erscheinen, – wie dem Abraham bei der Steineiche, dem Loth in Sodoma, dem Jakob im Kampf, dem Tobias als Weggefährte, und vielen anderen so oft, – aber nie heißt es von ihnen "in der Gestalt des sündigen Fleisches".

43. Es ist nämlich etwas anderes, sich die Erscheinungsform äußerlich zuzulegen oder die Natur innerlich anzunehmen. Und darum kann man nicht sagen, daß sie einen menschlichen Leib hatten, weil die Gestalt der Sünde bei ihnen nicht vorhanden war. Nur der kann die Gestalt der Sünde haben, der auch die Substanz der Sünde (nämlich das Sündenfleisch) hat.

44. Ja, noch mehr: selbst die bösen Geistmächte können, auch wenn sie sündigen, nicht die Gestalt des sündigen Fleisches annehmen, weil ihre Geistnatur sie davon ausschließt. Sie macht es ihnen nämlich unmöglich, sich die Gestalt des sündigen Fleisches vom Fleische her anzueignen, auch wenn sie an jeder Sünde mit dem Fleisch mitwirken, allerdings von außen her und nicht von innen, durch die Verführung und nicht als die Kraft, die den Leib trägt.

45. Denique et cum in corpora mortalium violenter invadunt, et ab ipsis animas nituntur excludere, membrorum officia in usum proprium per astutiam simulationis, quippe indebite usurpata, nec substantiae suae cognata, modulantur; quamquam, etsi hoc consequi aliqua ratione praevalerent, similitudinem tamen peccati carnis non consequerentur, quae absque peccato esse non possent. Eius est enim peccati carnis similitudo, qui peccati nesciat veritatem, id est, qui non sit ipse peccator, qui in carne similitudinem peccati referat per naturam, non materia carnis utatur ad ministerium delinquendi.

46. Quod cum ita sit, unus et solus est dominus noster, qui et carnem cum spiritu pro carnis salute coniunxit, et similitudinem carnis peccati inlaesa inviolataque spiritus sanctitate gestavit; apud quem nec caro naturam obsolefecit alienam, et spiritus clarificavit adsumptam.

V. **47.** Exigit tractatus ipse propositae quaestionis, ut, quoniam similitudinem carnis peccati nec natura spiritalis recipit, nec imaginis alicuius simulata concretio, cuius caro a domino et quae fuerit suscepta videamus, priusquam de peccati carnis ipsa similitudine, per quam vera caro est probanda, tractemus, ut tunc et an potuerit et an debuerit peccati similitudine signari liquido perpatescat; quoniam absurdum fuit aut contra naturam sibi advocasse, aut contra utilitatem gestasse, quod et substantia respuebat, et ratio non quaerebat, eiusque similitudinem deus sua ferret in carne, cuius ipsi homines, qui sine peccato esse non possunt, meritis erubescunt.

48. Cuius ergo habuit, et quam habuit, est quaerendum, ut anne et origini responderit, et speciem eius reddiderit, contemplemur. Ac ne sensum utraque simul argumentatio intromissa confundat, sequestrata interim qualitate carnis de eius proprietate dicemus.

49. De qua puto ambigendum non esse, si carnis ipsius repetamus auctorem. Proprietas quidem carnis ad patrem carnis est reducenda; ipsius enim summa carnis est, a quo ea in omnes gentes nationesque descendit, cui donatum crescere (1), cunctasque latebras seminis sui multiplicatione complere.

50. Hic erit Adam, sine cuius carne, quamvis deo formante, nec mulier; quam etiam ex se genuit, manu licet dei, ex qua erat generaturus.

---

49. (1) cf. Gn 1,28

45. Sogar dann noch, wenn sie mit Gewalt in den Leib der Menschen eindringen und versuchen, die Seele hinauszudrängen, nehmen sie die Glieder zu beliebigen Dienstleistungen mit verschlagener Vortäuschung in eigenen Gebrauch, obwohl es ihnen nicht zusteht und sie mit der Substanz nichts gemein haben. Wenn sie sogar auf irgendeine Weise das zu erreichen vermöchten, könnten sie trotzdem nicht die Gestalt des sündigen Fleisches erreichen, weil sie ja gar nicht sündelos sein könnten. Nur dem kommt nämlich die Gestalt des sündigen Fleisches zu, der die Wirklichkeit der Sünde nicht kennt, d.h. der selbst kein Sünder ist, der im Fleisch die Gestalt der Sünde trägt aufgrund der Natur, aber nicht das Fleisch als Werkzeug der Sünde benützt.

46. Da dem so ist, ist unser Herr der einzige, der das (menschliche) Fleisch mit dem (göttlichen) Geist zum Heil des Fleisches verbunden hat. Er hat die Gestalt des sündigen Fleisches in der ganz unversehrten Heiligkeit des Geistes getragen. Bei ihm hat das Fleisch die andersartige Natur nicht beeinträchtigt, sondern der Geist hat das angenommene Fleisch verherrlicht.

V.   47. Führen wir unsere Untersuchung logisch weiter. Eine geistige Natur kann, wie wir festgestellt haben, nicht die Gestalt des sündigen Fleisches annehmen. Ebensowenig kann es irgendein Bild, das nur zum Schein zusammengefügt ist. Daher müssen wir jetzt sehen, wessen Fleisch der Herr angenommen hat und was für ein Fleisch das war. Und dann werden wir die Gestalt des sündigen Fleisches selbst behandeln, die den Beweis für die Wirklichkeit des Fleisches liefern soll. So muß sich schließlich ganz klar herausstellen, ob das Fleisch des Herrn als Gestalt der Sünde bezeichnet werden kann bzw. muß. Es wäre absurd gewesen, sich naturwidrig auf die Sünde einzulassen oder sie zweckwidrig zu übernehmen; sie war mit der Substanz nicht vereinbar und aus keinem vernünftigen Grund erforderlich. Wozu sollte Gott im Fleisch die Gestalt von etwas tragen, dessen sich die Menschen, die ja ohne Sünde nicht sein können, mit Recht schämen.

48. Es ist also zu untersuchen, wessen Fleisch er hatte und was für ein Fleisch es war. Wir müssen sehen, ob es seinem Ursprung entsprach und auch dessen Eigenart aufwies oder nicht. Aber wenn wir beides zugleich beweisen wollten, würde der Sinn unklar und deshalb wollen wir zunächst einmal die Frage, wie das Fleisch beschaffen war, beiseite lassen und erst sagen, wem es zugehört.

49. Darüber kann es meines Erachtens keinen Zweifel geben, wenn wir darauf zurückgehen, von wem das Fleisch stammt. Denn wem das Fleisch zugehört, ist vom Stammvater des Fleisches abzuleiten. Genau dem entspricht nämlich die Gesamtheit allen Fleisches, von dem es zu allen Völkern und Nationen gekommen ist und dem geschenkt wurde zu wachsen und sich zu vermehren, bis er mit seiner Nachkommenschaft den letzten Winkel der Erde bevölkert hatte.

50. Und das ist Adam; an dessen Fleisch auch die Frau Anteil hat, obwohl Gott sie bildete. Freilich griff Gott ein, aber auch die Frau stammt von ihm, durch die er Stammvater werden sollte.

51. Quod si socia seminandae posteritatis Adae carnem habuit, quid ipsa posteritas? Ac si ad Evam formandam non iterum a tanto opifice limus libatus est, et terra praesumpta est, in filiis eorum nova est forsitan creatura quaesita? Aut non id ab utroque soboles propagata duxisset, quod ab uno ante sobolem sobolis ipsius traxisset et mater?

52. Quod si omnis eorum posteritas in carne, etiam dominus, quia filius hominis. Et si omnes homines ex Adam, ex quibus Christus secundum carnem (1), etiam dominus ex Adam. Et cum secundus Adam esse dicatur, quis audebit ei carnis auferre veritatem; quem in carnales homines venisse sonat et nomen? Si enim primus Adam sine carne, sequitur ut et secundus sine carne teneatur; quod si prior cum carne, secundus quoque cum carne (2).

53. Nam cur in ordinem carnalium redigatur, si censu carnis alienus est? Cur illius nomine signatur, cuius substantia non tenetur? Aut quid conparantur, si natura dividuntur? Quid etiam evangelistae volunt, cum rivum sanguinis, qui esse non potest sine carne, per patriarchas, utique homines, utique carnem habentes, ad dominum usque libellant (1)? Qui si vere per ipsorum traduces transfusionesque descendit, quis illum in carne genitorum substantiae neget heredem, quem non neget fluxisse per carnem?

VI.   54. Hic tibi forsitan sensus aliquis submusitanti cogitatione suggerit, quod spectat ordinis privilegium, quod secundus ab Adam dominus designatur (1), cum, si ad carnem refertur, generalitas passivitate diffusa discretionem specialitatis excludat, nec in domino sit mirandum ad solius designationis notam, quod dedit mortalibus natura commune.

55. Habuit, credo, aliquid peculiare, quod illi post tot milia annos et plurimas generationes subito ab omnium hominum sorte semotum, et velut a plebe discretum, inoblitteratum paene obrutumque vetustate saeculorum nomen adsereret; cum praesertim si ad lapsum referas, non Cain Adam secundus a patre, sed dominus (1):

---

52.   (1) cf. Rm 9,5
      (2) cf. 1 Cor 15,45.47

53.   (1) cf. Mt 1,1-17; Lc 3,23-38

54.   (1) cf. 1 Cor 15,45.47

55.   (1) cf. 1 Cor 15,45.47

51. Wenn also Adams Gefährtin, mit der er Nachkommenschaft zeugen sollte, das Fleisch Adams hatte, was hatte dann die Nachkommenschaft selber? Wenn der große Schöpfer, um Eva zu bilden, nicht noch einmal den Lehm berührte und Erde in die Hand nahm, war dann bei ihren Kindern etwa eine neue Schöpfung notwendig? Und wenn sie dann Kindern das Leben schenkten, mußte ihre Nachkommenschaft nicht von den beiden das gleiche empfangen, was schon die Mutter der Nachkommenschaft vor der Nachkommenschaft von dem einen erhalten hatte?

52. Wenn also all ihre Nachkommenschaft im Fleische lebt, dann auch der Herr, weil er Menschensohn ist. Und wenn alle Menschen, von denen Christus dem Fleische nach abstammt, von Adam abstammen, dann stammt auch der Herr von Adam ab. Und wenn es von ihm heißt, daß er der zweite Adam sei, wer kann es da wagen, ihm die Wirklichkeit des Fleisches abzusprechen, wenn schon sein Name bezeugt, daß er zu den Menschen kam, die im Fleische leben? Wenn nämlich der erste Adam ohne Fleisch ist, dann muß man das auch folgerichtig für den zweiten Adam gelten lassen. Wenn aber tatsächlich der erste im Fleische lebt, dann lebt auch der zweite im Fleisch.

53. Denn wieso könnte er zum Stand der fleischlichen Menschen gehören, wenn er nicht das steuerpflichtige Vermögen des Fleisches aufweisen könnte? Warum wird er mit dem Namen dessen bezeichnet, in dessen Substanz er nicht eingeschlossen ist? Oder wie ist ein Vergleich zwischen ihnen möglich, wenn sie ihrer Natur nach verschieden sind? Was wollen denn die Evangelisten, wenn sie die Blutsverwandtschaft, welche es ohne Fleisch nicht geben kann, durch die Linie der Patriarchen, die selbstverständlich Menschen waren, selbstverständlich Fleisch hatten, bis zum Herrn urkundlich festhalten? Wenn der Herr also tatsächlich von dieser Abstammungslinie herkommt, wer könnte dann bestreiten, daß er im Fleisch die Substanz seiner Eltern geerbt hat, wo er doch seine fleischliche Abstammung nicht zu bestreiten wagt?

VI.   54. Hier kommt dir vielleicht beim Überlegen irgendwie der Gedanke, es ziele auf eine bevorzugte Stellung, daß der Herr als der Zweite nach Adam bezeichnet wird. Denn, wenn man das Fleisch berücksichtigt, ist bei der passiven Weitergabe dessen, was die ganze Gattung betrifft, eine Unterscheidung nach spezifischen Merkmalen ausgeschlossen und man darf auch beim Herrn das, was die Natur den Sterblichen gemeinsam zugeteilt hat, nicht so auffallend finden, daß man ihm zum Unterschied von allen andern eine besondere Bezeichnung zuerkennt.

55. Tatsächlich hatte er, wie ich glaube, etwas Besonderes, was ihm nach so viel tausend Jahren und vielen Generationen überraschend den Anspruch auf einen Namen verlieh, der dem Geschick aller Menschen entrückt, gleichsam aus dem gewöhnlichen Volk herausgehoben, beinahe ganz ausgelöscht und jahrhundertelang verschüttet war. Denn zumal, wenn man den Sündenfall berücksichtigt, ist nicht Kain der Zweite nach seinem Vater Adam, sondern der Herr.

56. quae ita (a) sit cunctis negata, soli domino in vocabulum proto-
plasti delata successio. Grata quaestio, et quae disputationem merebatur
tur habere copiosam, si non pendentibus adhuc propositionibus paene
in locis aliis obpignerati incurisset angustias; quibus quamlibet velut
cuneis coartetur, non omnino exclusa remanebit, ut et tibi obtemperasse, et coeptum sermonem non penitus reliquisse nos constet, si modo
tuis quoque orationibus adiutus, cui ista conpono, eos sensus a domino per spiritum eius accipiam, qui et gracilentia commendent, et
prolixius disputata evangelici salis adspersione concilient, illa de
macie, haec de rancido vindicantes, ut nec illis plenitudo, nec istis
modus defuisse videatur.

57. Digeramus, si placet, ipsas ante sententias, quas apostolus uno
posuit loco, in quibus dominum nunc Adam novissimum, nunc secundum
hominem praedicavit (1) hoc modo: **Factus est primus Adam in animam
viventem, novissimus autem Adam in spiritum vivificantem (2). Et**
infra: **Primus homo de terra terrenus, secundus e caelo caelestis (3);**

58. quarum utramque (1), et cum Adam dominus exprimitur (2), et cum
homo dicitur (3), de carne non dixit. Sed nunc, ut diximus, specialitas quaeritur, ut (a) cur homo secundus (4) post homines (b), aut
cur Adam novissimus (5) tam multis post ipsum generationibus succe-
dentibus; ut et secundus (6) non possit esse post multos, et novissimus (7) dici non debeat post quem multi.

59. Ratio hic, non carnis, sed operationis est intuenda, quam apostolus non humanis sensibus explicavit, dum Adam veterem et dominum
nostrum ad primitias rerum malarum bonarumque revocat ac reducit,
duas formas vitales collocans in duobus, ut primus Adam (1) habeatur, quisquis per vestigia eius erroris incesserit, postremus (2) ille
sit, qui dominum fuerit imitatus.

----

56. (a) ita] ista   [B. Fischer]
57. (1) cf. 1 Cor 15,45.47
     (2) 1 Cor 15,45
     (3) 1 Cor 15,47
58. (1) cf. 1 Cor 15,45.47
     (2) cf. 1 Cor 15,45
     (3) cf. 1 Cor 15,47
     (4) cf. 1 Cor 15,47
     (5) cf. 1 Cor 15,45
     (6) cf. 1 Cor 15,47
     (7) cf. 1 Cor 15,47
     (a) ut] aut, **ut recte proposuit** G. Morin
     (b) post homines] **lege** post <tot> homines [G.Mercati]
59. (1) cf. 1 Cor 15,45
     (2) cf. 1 Cor 15,45

56. Was könnte das bedeuten, daß der Herr ganz allein wieder den Namen des Urvaters trägt, was allen versagt war? Eine schöne Frage, die eigentlich eine ausführliche Erörterung verdient hätte, wenn sie nicht beinahe in Bedrängnis gekommen wäre, wie einer, der sich anderswo verschuldet hat, weil nämlich einige Sätze in der Luft hängen. Aber wenn sie auch davon wie von Kriegshaufen in die Enge getrieben wird, wird sie doch nicht ganz aufgegeben. So bleibt es dabei, daß wir dir willfahren und zugleich die begonnenen Gedanken nicht ganz abbrechen. Nur mußt du mir auch mit deinen Gebeten helfen, da ich diese Abhandlung ja für dich verfasse. Der Herr möge mir durch seinen Geist jene Gedanken eingeben, die das Dürftige annehmbar und die zu langen Erörterungen durch das Salz des Evangeliums genießbar machen. Dann wird alles richtig, nicht zu mager, aber auch nicht ranzig, so daß man weder die Fülle noch das Maß vermißt.

57. Erklären wir zunächst der Reihe nach, falls du einverstanden bist, die Sätze, die beim Apostel an einer einzigen Stelle stehen, worin er den Herrn bald als den Letzten Adam, bald als den Zweiten Menschen verkündet hat. Sie lauten: "Adam, der Erste Mensch, wurde lebendige Seele, der Letzte Adam wurde lebendigmachender Geist". Und weiter unten: "Der Erste Mensch stammte von der Erde und war irdisch, der Zweite Mensch stammte vom Himmel und war himmlisch".

58. Im ersten Satz nennt er den Herrn "Adam", im zweiten "Mensch", aber in keinem von beiden hat er etwas vom Fleisch ausgesagt. Jetzt wird vielmehr, wie gesagt, nach den spezifischen Merkmalen gefragt, nämlich warum er als der "Zweite Mensch" nach so vielen Menschen oder warum er als der "Letzte Adam" bezeichnet wird, wo doch so viele Generationen noch nach ihm kommen. Es kann doch nach vielen keiner Zweiter sein und es kann doch niemand "Letzter" heißen, wenn noch viele folgen.

59. Hier ist der entscheidende Gesichtspunkt nicht das Fleisch, sondern das Tun. Das hat der Apostel mit übermenschlichen Gedanken erklärt, wenn er im alten Adam und in unserem Herrn die Erstlinge des Bösen bzw. des Guten sieht. Die zwei stehen nach seiner Ansicht für die zwei Arten des Lebens. Als Erster Adam gilt jeder, der ihm auf seinem Irrweg nachfolgt, als Letzter, wer den Herrn nachahmt.

60. Unde et Jacob patriarcha, qui in forma domini benedictus audire meruit **Ecce odor filii mei sicut odor agri pleni** (1), interpretato nomine 'postrema tenens' appellatus est; quod exequi plenius instantia non admittit.

61. Interim novissimus de primo ex eo dicitur dominus, quod usque ad ipsum mors ab illo primo inventa descendit, quod usque crucem domini lapsus pristini hominis habuit potestatem, quem postremus dominus dum per mortem expungit oblitterat. Et ideo morti novissimus, non saluti (1): qui solus chirographum illum adversarium nobis (2) et protoplasto (a) per omnes generationes hereditario iure saevientem, ut moriendo solvit, sic resurgendo delevit.

62. Denique hoc confirmat proposita ipsa sententia, quae primum Adam in animam viventem factum esse testatur, novissimum in spiritum vivificantem (1).

63. Ecce cur post tam innumeros annos et inconprehensa curricula saeculorum ab omnibus mortalibus, a quibus utique secundum carnem natus (1) est, separatur, quod ille primus vivens hic novissimus vivificans (2), ille sibi data vix possidens, hic possidenda condonans.

64. Quod et psalmista duobus versiculis explanavit, dicens: **Quid est homo quod memor es eius, aut filius hominis quoniam visitas eum** (1)? Homo Adam accipiendus est, filius hominis dominus intellegendus est, qui in memoriam veteris visitatur, et in defuncti reconciliatione (a) spiritu salvationis impletur:

65. quod ipsa verba sic exprimunt, ut rem planam videre non mirum sit, dum et homini memoria coniungitur, et filio hominis visitatio copulatur. Illi mortali quid aliud poterat superesse? huic vivificanti quid aliud oportebat infundi? Nam defunctis memoria debetur, visitatio viventibus exhibetur; quod utrumque in domino per incarnationem constat impletum: ob primi commemorationem novissimus visitatur, et per novissimi visitationem salvatur et primus (1).

----

60. (1) Gn 27,27
61. (1) cf. 1 Cor 15,45.47
    (2) cf. Col 2,14
    (a) et protoplasto] ex protoplasto, **rectius proposuit** G. Morin
62. (1) cf. 1 Cor 15,45
63. (1) cf. Rm 1,3; 9,5
    (2) cf. 1 Cor 15,45
64. (1) Ps 8,5; Hbr 2,6
    (a) reconciliatione] recordatione, **melius apud Agobardum**, in: PL 104, 65C [B. Fischer]
65. (1) cf. 1 Cor 15,45

60. Darum hat auch der Patriarch Jakob, der als Typus des Herrn den Segen hören durfte: "Siehe, der Duft meines Sohnes ist wie der Duft eines fruchtbaren Feldes", seinen Namen; er heißt nämlich übersetzt 'der das Letzte festhält'!. Das können wir im Augenblick nicht näher ausführen.

61. Zunächst ist zu sagen, daß der Herr deswegen der Letzte Adam vom ersten heißt, weil bis zu ihm der Tod weiterging, den es seit dem Ersten Adam gab; weil bis zum Kreuzestod des Herrn der Fehler des Ersten Menschen seine Macht ausübte, den der Herr als der Letzte Adam austilgte durch seinen Tod. Und daher ist er der Letzte in Bezug auf den Tod, nicht in Bezug auf das Heil. Er allein hat jenen Schuldschein, der gegen uns vom Stammvater her durch alle Geschlechter hindurch ein grimmiges Erbrecht garantierte, durch seinen Tod eingelöst und durch seine Auferstehung vernichtet.

62. Genau das bestätigt der oben angeführte Satz, da er bezeugt, daß der Erste Mensch lebendige Seele wurde, der Letzte lebendigmachender Geist.

63. Sieh, das ist der Grund, warum er nach so unzähligen Jahren und unfaßlich vielen Zeitabläufen von allen Sterblichen unterschieden ist, von denen er doch dem Fleische nach abstammt: der Erste lebt, der Zweite gibt das Leben. Der Erste besitzt das ihm Gegebene nur mit Mühe, der andere verschenkt es zum Besitz.

64. Dies hat auch der Psalmist mit zwei Versen deutlich gemacht: "Was ist der Mensch, daß du an ihn denkst, der Menschensohn, daß du ihn heimsuchst?". Mit 'Mensch' ist Adam gemeint, unter 'Menschensohn' ist der Herr zu verstehen, der zum Gedenken des alten Menschen heimgesucht wird und zu Versöhnung des Gestorbenen mit heilbringendem Geist erfüllt wird.

65. Das drücken die Psalmworte so aus, daß die Sache wunderbar klar vor Augen liegt, insofern nämlich dem Menschen das Gedenken zugeordnet wird und dem Menschensohn die Heimsuchung. Was konnte von einem Sterblichen auch anderes übrigbleiben? Was sollte den Lebenspendenden auch anderes erfüllen? Denn den Toten schuldet man das Gedenken, die Lebenden sucht man auf. Beides, so steht fest, hat sich im Herrn durch die Menschwerdung erfüllt: weil des Ersten Adam gedacht wird, wird der Letzte heimgesucht und durch die Heimsuchung des Letzten wird auch der Erste gerettet.

66. Huic sensui germana est illa sententia: **Prior homo de terra terrenus, secundus e caelo caelestis** (1). Quis est ille caelestis? Ille sine dubio qui eum quem gestabat in baptismate fecit audire quod ante ipsum nullus audierat: **Filius meus es tu, ego hodie genui te** (2).

67. Et qualiter dicitur 'hodie', si 'in principio verbum, et verbum apud deum, et deus erat verbum' (1)? Quia non istud verbum quod semper in patre, et apud patrem, et cum patre fuisse et esse credendum est, sed homo, quem in gratiam salutis deus verbum susceperat, audivit.

68. Hic filius hominis per dei filium dei esse filius in dei filio promeretur; nec adoptio a natura seiungitur, sed natura cum adoptione coniungitur, quoniam cum verbum caro factum est (1), non per adsumptam decrevit adsumptor, sed in adsumente crevit adsumptio. Creaturae enim poterat per creatorem infirmitatis substantia commutari; creatoris autem in creaturam non poterat aeternitatis natura converti.

69. Et ideo cum dicitur, 'prior homo de terra terrenus, secundus e caelo caelestis' (1), non corporis materia separatur, sed forma vitalis; nec caro tollitur, sed carnis susceptor ostenditur: ille, inquam, qui in evangelio dixerat: **Vos de inferioribus estis, ego de superioribus** (2). 'De superioribus' ait, non utique carne siderea, sed virtute divina: carne nostra, potestate non nostra.

70. Prior ergo de terra terrenus, secundus e caelo caelestis (1). Hoc cum docet apostolus, quis non videt quod suo more priori adsignat quidquid posteritas per Adae transgressionem passa sortitur;

---

66. (1) 1 Cor 15,47
    (2) Ps 2,7; cf. Mt 3,17 9,6 17,5 cf. Mc 1,11 cf. Lc 9,35 3,22
        cf. Act 13,33 cf. Hbr 1,5 cf. 2 Pt 1,17
67. (1) Jo 1,1
68. (1) Jo 1,14
69. (1) 1 Cor 15,47
    (2) Jo 8,23
70. (1) 1 Cor 15,47

66. Und diesem Verständnis entspricht genau der zitierte Satz: "Der Erste Mensch stammte von der Erde und war irdisch, der Zweite Mensch stammte vom Himmel und war himmlisch". Wer ist dieser, der vom Himmel stammt? Zweifellos kein anderer als jener, der den Menschen, den er trug, bei der Taufe hören ließ, was vor ihm keiner gehört hatte: "Mein Sohn bist du, heute habe ich dich gezeugt".

67. Und was heißt 'heute', wenn "im Anfang das Wort war und das Wort bei Gott war und Gott das Wort war"? Denn nicht dieses Wort, das gemäß unserem Glauben immer im Vater, beim Vater und mit dem Vater war und ist, sondern der Mensch hörte es, den das göttliche Wort angenommen hat, um in Gnade das Heil zu wirken.

68. Dieser Menschensohn verdient, durch den Sohn Gottes im Sohne Gottes Gottes Sohn zu sein. Die Annahme an Sohnes statt ist nicht von der Natur zu trennen, sondern die Natur ist mit der Annahme an Sohnes statt zu verbinden. Denn als das Wort Fleisch wurde, wurde der Annehmende durch das Angenommene nicht kleiner, sondern das Angenommene (die Annahme) wurde im Annehmenden größer. Die schwache Substanz des Geschöpfes konnte nämlich durch den Schöpfer geändert werden, die ewige Natur des Schöpfers jedoch konnte sich nicht zum Geschöpf verkehren.

69. Wenn es heißt: "Der Erste Mensch stammte von der Erde und war irdisch, der Zweite Mensch stammte vom Himmel und war himmlisch", so bedeutet das daher nicht eine materielle Verschiedenheit des Körpers, sondern eine andere Art des Lebens. Das Fleisch wird nicht aufgehoben, sondern auf den, der das Fleisch annahm, wird hingewiesen; auf den nämlich, der im Evangelium gesagt hatte: "Ihr seid von unten, ich bin von oben". 'Von oben', damit meint er freilich nicht Fleisch vom Sternenhimmel, sondern Gottes Kraft, das Fleisch ist das unsere, nicht die Macht.

70. "Der Erste Mensch stammte also von der Erde und war irdisch, der Zweite stammte vom Himmel und war himmlisch". Wer sieht nicht angesichts dieser Lehre des Apostels, daß Paulus auf seine Art dem Ersten Menschen all das zuschreibt, was die Nachkommenschaft durch Adams Übertretung erleiden muß.

71. unumque Adam, quamlibet per agnationis multitudinem sparsum populis, humanum genus pro conditionis aequalitate constituit; secundum vero, a veteribus hominibus meriti fruge discretum, in semen a se generandae iustificationis elicit; ut perspicue duo videantur, unus in mortem generis, alius in salutem, ipso apostolo Romanis quoque sic interpretante: Sicut per unius delictum in omnes homines in condempnationem, sic et per unius iustitiam in omnes homines in iustificationem vitae (1)?

72. Accedit et illud, ut ex eo secundum a priore dictum (1) possit intellegi, quod dominus noster secundus ab Adam sine mortali patre generatus est, et quam Adam primus habuerat ex deo – carnem loquor – eam habuit et secundus ex deo; et propterea, quod Adam dicitur carnis est, quod secundus, auctoris.

VII. 73. Habes specialitatem vel novissimi Adae vel secundi hominis (1) non tam plene dictam quam res ipsa quaerebat, ut eam vel brevitas commendaret, quam inportunitas fecisset ingratam.

74. Licet ex eo, si bene te novi, maiorem apud te mereatur offensam, quodque (a) in alienum locum esse nec usurpator diligenter implevit, ut haec sit vere neque calida neque frigida: nam nec exsuperavit vaporis accentu, nec conpressa est rigoris hebetatu, tepidumque nescio quid et molle horrorem tibi factura formavit. Quam oportunum magis est omittere quam excusare, ne, cum plena non est, esse incipiat et prolixa.

VIII. 75. Adae carnem dominum nostrum intulimus habuisse, qui secundum Lucam educitur ad Adam (1), nec sine mysterio: vide ut sicut deus in hominem Matthaeo scribente descendit (2), sic Adam per dominum in deum Luca docente conscendat (3), apostolo idipsum praedicante cum dicit: Qui fecit utraque unum (4).

---

71. (1) Rm 5,18

72. (1) cf. 1 Cor 15,47

73. (1) cf. 1 Cor 15,45.47

74. (a) quodque] quod [que]= "ex eo...quod" [G. Mercati]

75. (1) cf. Lc 3,23-38
    (2) cf. Mt Ante I,1; 1,1.16
    (3) cf. Lc 3,23-38
    (4) Eph 2,14

71. Den Einen Adam nimmt er als das Menschengeschlecht, weil es, wenn auch durch seine zahllose Nachkommenschaft in Völker aufgeteilt, doch unter dem einen Geschick steht. Den Zweiten Adam jedoch, der sich von den alten Menschen durch sittliches Handeln vorteilhaft unterscheidet, stellt er auf das Ursprung der Rechtfertigung, die von ihm ausgeht. Offensichtlich gibt es also zwei Stammväter; der eine bewirkt den Tod seines Geschlechtes, der andere das Heil. So erläutert es auch der Apostel selber den Römern folgendermaßen: "Wie es also durch die Übertretung eines einzigen für alle Menschen zur Verurteilung kam, so wird es auch durch die gerechte Tat eines einzigen für alle Menschen zur Gerechtsprechung kommen, die Leben gibt".

72. Es kommt noch ein weiterer Grund hinzu, warum unser Herr als der Zweite nach dem Ersten Adam bezeichnet werden kann. Er ist als Zweiter nach Adam ohne menschlichen Vater gezeugt. Das Fleisch, das der Erste Adam von Gott hatte, das hatte auch der Zweite von Gott. Und deswegen heißt er 'Adam' wegen seines Fleisches, und der 'Zweite', weil auch er Schöpfer und Stammvater ist.

VII. **73.** Damit sind nun die spezifischen Merkmale des Letzten Adam bzw. des Zweiten Menschen dargelegt, nicht so ausführlich, wie die Sache eigentlich erfordert hätte. Wenigstens die Kürze soll dir an meiner Erörterung angenehm sein, damit nicht ihre Zudringlichkeit dir lästig falle.

74. Freilich wird sie infolgedessen, wie ich dich kenne, bei dir noch mehr Anstoß erregen, und das auch, weil der tollkühne Autor es nicht einmal richtig fertiggebracht hat, daß sie ganz danebon ist.. Sie schäumt nicht über durch feurigen Vortrag und sie kriecht nicht in sich zusammen duch starre Kälte. So ergab sich irgendetwas unbestimmtes Laues und Zerfließendes, was dich abstoßen wird. Doch ist es eher geraten, darüber hinwegzusehen als es zu entschuldigen, damit der Darlegung nicht, wenn sie schon nicht abgerundet ist, auch noch anfange, langatmig zu sein.

VIII. **75.** Wir haben gesagt, daß unser Herr Adams Fleisch besaß. Lukas führt seine Abstammung bis zu Adam zurück, und das nicht ohne tieferen Sinn. Vielleicht soll nach Lukas Adam durch den Herrn zu Gott aufsteigen, weil nach Matthäus Gott zum Menschen herabsteigt. Dasselbe verkündet der Apostel, wenn er sagt: "Er hat aus den beiden eins geschaffen".

76. Eorum ergo carnem indubitanter adsumpsit, quorum fluxit ex carne; nec erit alienae substantiae, ne non sit hominis filius, si natura vacuetur humana, si in alienum aliquod corpus dissimile humano advenisse credatur: quia nec hominis filius sine carne hominis erit, nec caro hominis nisi in filio hominis esse non poterit.

IX.   77. Hactenus de proprietate carnis, quae domino, velut per rubricarum notas lineasque descendens, tamquam legitimo debebatur heredi; sequitur iuxta promissam divisionem, ut etiam qualitati eius carnis, quam Adam habuit, successisse videatur.

78. Quam cur proponam aliquis forte mirabitur, quoniam non putet qualis fuerit posse dubitari, cum cuius fuerit suffecerit ostendi. Verum est, si non et eam carnem Adam, qualem nos nunc habemus, habuisset.

79. Quod si aliquando dissimilem nostrae sortis, nec in fragilitate communem, rudis ille mundo homo solusque in carne terrena, sicut peccati nescius et mortis, divina dispositione possedit; recte ego quaeram, qualem dominus carnem induit, cum Adae non simplicem formam, nec carnem eius unius qualitatis, Genesim replicans, id est, ianuam mundi ingressus inspiciam.

80. Video namque Adam ante transgressionem inmortalem, cerno ante lapsum cunctis benedictionibus exornatum, cerno post lapsum cunctis maledictionibus deformatum; ac prius paradisi hominem, post exilii; prius in Edem, post Edem extra viventem.

81. Utra sit harum a Domino suscepta, non frustra inquirendi diligen-tiam catholicus pulsat affectus; quando quidem non otiosum est, quod in uno Adam caro ipsa non est conditionis unius, quae substantiam sui vertit et mutavit ex merito, et in deteriorem formam lapsu de-clinante descendit.

76. Ohne Zweifel hat er also das Fleisch derer angenommen, von deren Fleisch er abstammte. Er kann keine andere Substanz aufweisen, sonst wäre er nicht mehr Menschensohn, wenn wir die menschliche Natur ihrer Wirklichkeit berauben würden und wenn wir glaubten, daß er in irgendeinem anderen als einem menschlichen Leib gekommen wäre. Denn es gibt keinen Menschensohn ohne das Fleisch des Menschen noch gibt es das Fleisch des Menschen außer in einem Menschensohn.

IX.   77. Bisher haben wir gesprochen, wem das Fleisch zugehört, das dem Herrn als dem rechtmäßigen Erben zukam; denn er empfing es ja durch rechtmäßige Abstammung laut Ahnentafel. Gemäß unserer versprochenen Einteilung kommt jetzt, daß der Herr auch die Beschaffenheit des adamitischen Fleisches geerbt hat.

78. Es mag sich jemand vielleicht wundern, warum ich darüber sprechen will, und das, weil er glaubt, es könne bezüglich der Beschaffenheit des Fleisches keinen Zweifel mehr geben, da es doch genügt, geklärt zu haben, von wem das Fleisch stammt. Das wäre wichtig, wenn Adam nicht auch das Fleisch gehabt hätte, wie wir es jetzt haben.

79. Wenn nun Adam zu einem gewissen Zeitpunkt, solange er noch unerfahren und allein da war, ganz allein im irdischen Fleisch lebte, die Sünde und den Tod nicht kannte, damals aufgrund der Fügung Gottes ein Fleisch hatte, das sich von unserem Schicksal abhob und mit Hinfälligkeit nichts gemein hatte, dann muß ich mit Recht fragen, mit welchem Fleisch der Herr sich umkleidete. Ich sehe doch, wenn ich die Genesis aufschlage und somit Zugang zum Weltverständnis bekomme, daß Adams Gestalt nicht ein und dieselbe war, noch sein Fleisch stets von der gleichen Beschaffenheit.

80. Ich beobachte nämlich, daß Adam vor der Übertretung unsterblich war, ich sehe, daß er vor dem Fall mit allem Segen geschmückt war und nach dem Fall von allem Fluch entstellt. Zuerst war er ein Mensch im Paradies, nachher in der Verbannung, zuerst lebte er in Eden, nachher fern von Eden.

81. Für den katholischen Glauben ist es nicht wertlos zu erforschen, welches Fleisch der Herr angenommen hat, ob das Fleisch vor oder nach der Sünde. Es ist nun einmal nicht unerheblich, daß in dem einen Adam das Fleisch selbst nicht immer die gleiche Lebensbedingung hatte. Es hat sein Wesen geändert nach Verdienst und sich gewandelt, und ist durch den Fall, der es herabzog, zu einer niedrigeren Daseinsform gekommen.

82. Obstructuros hic aures suas Manichaeos esse non dubito, cum humilius aliqua de carne domini dicere coeperimus, quoniam id carnis ipsius probamenta desiderant, et ratio nostrae salutis expostulat: verum enim videbitur illam, ut volunt, et imaginariam fuisse, si infirma non erit, nec nos salvasse, si nostra non fuit.

Quid autem mirum facient, postquam **ab utero erraverunt** (1) ut propheta ait, si aspidum more surdarum sapientiam incantatoris audire declinent (2), ne de tenebris suis antrisque producti, in quibus illis terra pro cibo est (3), cum per inpuritates quae vocant sancta conficiunt, nobiscum aliquando et veram lucem videant, et panem illum qui vere est caelestis accipiant?

83. Sed Arrianus adplaudet, et deum per haec quae dicturi sumus minorem facturus adridet, nosque velut ad suum dogma descendisse gaudebit; quasi vero de una substantia specialiter disputantes, ac non deum hominemque iungentes, et filium hominis in Jesu, et filium dei teneamus in Christo.

84. **Hic sapientia vertitur** (1), ut Apocalypsis ait, hic promissi antidoti aperienda virtus; hic Manichaeorum virus terrestri germine, Arrianorum divino, si fas est dici, semine superandum est. Ille veteranus per ea, quae non credit, in lapidem illum ducendus est angularem, quo repudiato templum Israhelita non fecit (2); quem si et isti conectente novo foedere mortalia immortaliaque non viderint (a), frustra oleum a sapientibus sub nuptiarum tempore postulabunt, quod servare post sponsalia noluerunt (3).

X.   85. Sed ad coepta redeamus. Adae carnem dominus induit: eamne quae audivit **Terra es, et in terram ibis** (1), an illam quae necdum istud audierat?

Res indicat silentibus nobis, nec verba requiruntur, ubi ipse gestorum tenetur effectus.

----

82.   (1) Ps 57,4
      (2) cf. Ps 57,5-6
      (3) cf. Gn 3,14

84.   (1) Apc 13,18
      (2) cf. Ps 117,22
      (3) cf. Mt 25,8
      (a) quem si et isti conectente novo foedere mortalia immortalia-
          que non viderint] quem (lapidem) si et isti conectente< m >no-
          vo foedere mortalia immortaliaque non viderint [G. Mercati]

85.   (1) Gn 3,19

82. Ohne Zweifel werden, wenn wir in so erniedrigender Weise etwas über das Fleisch des Herrn auszusagen beginnen, sich hier die Manichäer taub stellen. Die Wirklichkeit des Fleisches selbst, um die es hier geht, verlangt danach als auch ist es vom Grund unseres Heiles gefordert. Gewiß, wenn das Fleisch nicht mit Schwäche versehen wäre, wäre es nur, wie sie es ja wollen, zum Schein Fleisch; und wenn es nicht unser Fleisch gewesen wäre, wären wir auch nicht erlöst. Nachdem sie ohnehin schon, wie der Prophet sagt, "vom Mutterschoß an irrige Wege gegangen sind", ist es nicht zu verwundern, wenn sie wie taube Nattern auf die Weisheit des Beschwörers nicht hören wollen, damit sie nicht aus ihren finsteren Höhlen hervorgelockt werden, in denen ihnen nur der Staub zur Speise ist, indem sie nämlich mit ihrer Unreinheit das vollbringen, was sie heilig nennen. So wollen sie auch verhindern, daß sie einst mit uns das wahre Licht erblicken und jenes Brot empfangen, das wahrhaft vom Himmel gekommen ist.

83. Aber auch der Arianer klatscht Beifall und findet Gefallen daran, Gott durch unsere Worte kleiner machen zu können, und freut sich, daß wir scheinbar zu seiner Lehre herabgestiegen sind. Jedoch sprechen wir gleichsam nur von seiner Substanz besonders und vermischen nicht Gott und Mensch. Dabei wollen wir in Jesus den Menschensohn und in Christus den Gottessohn festhalten.

84. "Hier ist Weisheit", wie die Apokalypse sagt, hier muß sich die Kraft des versprochenen Gegengiftes erweisen; hier ist der Virus der Manichäer durch die irdische Abstammung des Herrn und der Virus der Arianer sozusagen durch seine himmlische Herrschaft zu überwinden.

Jener alte Feind ist durch das, was er nicht glaubt, in jenen Eckstein überzuführen, aus dem, da er verworfen wurde, der Israelit den Tempel nicht erbauen konnte.

Wenn aber auch die Arianer ihn, – da doch der Neue Bund Sterbliches und Unsterbliches vereint –, nicht erkannt haben, werden sie vergebens zur Zeit der Hochzeit die Weisen um Öl bitten; denn sie wollten es ja nach der Verlobung nicht aufbewahren.

X. **85.** Kehren wir jedoch zum Ausgang zurück! Der Herr umkleidete sich mit Adams Fleisch. Nahm er dabei etwa jenes Fleisch an, welches hören mußte: "Staub bist du, und zum Staub mußt du zurück", oder das andere, das diese Worte noch nicht vernommen hatte?

Auch wenn wir schweigen, – die Tatsache selber erklärt es uns, noch sind dann Worte erforderlich, wenn die Ereignisse selber uns in ihrer Wirkung deutlich werden.

86. Nam mortuus et sepultus est, quod Adam de transgressione promeruit: quia si vitale custodisset edictum, mortuus non fuisset; si mortuus non fuisset, nec dominus veniendi causam habuisset in carnem, quoniam nec patrono indigebat integritas, nec medico aeternitas, nec redemptore libertas. Quae ubi per transgressionem cuncta mutata sunt, necessarium fuit, ut reatui indulgentia, et mortalitati vita, et captivitati redemptio subveniret.

87. Subvenit ergo per eam carnem, in qua de peccato posset damnare peccatum (1), in qua maledictionis chirographum per formam maledictionis deo in ligno pendente aboleret (2).

Nam si eam suscepisset dominus, quam Adam habuit ante peccatum, nihil nobis prodesse potuisset.

88. Novam igitur suscepit carnem, fragilem, infirmam, postremo maledictam, atque exinde mortalem. Suscepit autem carnem eorum certe, pro quibus suscipiebat: non enim sibi suscipiebat, sed nobis, ut per ipsum melior fierit in secundis, quae per nos quod optimum habuerat perdidisset in primis. Atque ita in domino non carnis fuit substantia melior, sed carnis ipsius susceptor augustior.

XI.   89. Ac ne sine testimoniis reloquamur (a), rivum idipsum dominici sanguinis per anfractus genealogiae Matthaeo monstrante cernamus; tum ut ipse dominus natus sit, postremo quae gesserit, contemplemur, ut aliquando peccati carnis similitudo, quae nobis hanc disputationem fecit, eluceat; quae ut ante transgressionem esse non potuit, ita post transgressionem in eo esse debuit per naturam carnis, qui in ipsa carne peccata nesciit, et cum propria illi esset innocentia, tamen ei similitudo peccati esset adsumpta (b).

90. Mattheaus refert: **Abraham genuit Isaac. Isaac genuit Iakob, Iakob genuit Iudam et fratres eius. Iuda genuit Phares ex Thamar** (1). Item infra: **Boos genuit Obed ex Ruth. Obed genuit Iesse! Iesse genuit David regem. David genuit Salomonem ex ea quae fuit Uriae** (2).

---

87.   (1) cf. Rm 8,3
       (2) cf. Col 2,14, cf. Gal 3,13

89.   (a) reloquamur] eloquamur, **proposuerat** G. Morin in: ETD I,503.
       (b) esset adsumpta] es [se] t adsumpta [G. Mercati]

90.   (1) Mt 1,2-3
       (2) Mt 1,5-6

86. Christus starb doch und wurde begraben, weil Adam das durch die Sünde verdient hat. Hätte er nämlich das lebenspendende Gebot beobachtet, wäre er nicht gestorben. Wenn er nicht gestorben wäre, hätte auch der Herr keinen Grund gehabt, im Fleische zu kommen; denn in unversehrter Unschuld bedarf es keines Anwalts, im ewigen Leben keines Arztes, in der Freiheit keines Erlösers.

Da aber all dies durch die Sünde verändert wurde, war es notwendig, daß man Hilfe empfing als Vergebung der Schuld, als Leben in der Sterblichkeit, als Erlösung in der Gefangenschaft.

87. Der Herr kam also zu Hilfe. Und das tat er, indem er genau das Fleisch annahm, in welchem er an der Sünde die Sünde verurteilen konnte. Er vernichtete nämlich den Schuldschein und nahm so den Fluch hinweg: Gott selber hing als Verfluchter am Kreuz. Wenn nämlich der Herr das Fleisch angenommen hätte, das Adam vor der Sünde hatte, hätte er uns gar nichts nützen können.

88. Er hat also das Fleisch in der neuen Gestalt angenommen, d.h. das schwache, schließlich verfluchte und deshalb sterbliche Fleisch.

Ganz sicher aber nahm er das Fleisch derer an, für die er es annahm. Nicht für sich nahm er es nämlich an, sondern für uns, damit das Fleisch durch ihn zum Besseren gewandelt würde im zweiten Menschengeschlecht, nachdem es durch uns im ersten Menschengeschlecht seinen Wert eingebüßt hatte.

Und so war im Herrn nicht die Substanz des Fleisches besser, sondern er, der das Fleisch annahm, war der Größere.

XI. 89. Damit wir aber nicht ohne das Zeugnis der Schrift daherreden, wollen wir die Abstammungslinie des Herrn selbst betrachten, indem wir der Weitschweifigkeit der Genealogie im Matthäusevangelium folgen. Dann wollen wir sehen, wie der Herr geboren wurde, danach, was er getan hat, damit wir endlich Klarheit erlangen über die Gestalt des sündigen Fleisches, um die es uns bei dieser Ausführung geht. Diese Gestalt konnte es vor der Sünde nicht geben und nach der Sünde mußte sie aufgrund der Natur des Fleisches in dem sein, der in diesem Fleische völlig sündelos war und, obwohl ihm die Unschuld zueigen war, dennoch die Gestalt der Sünde annahm.

90. Matthäus berichtet: "Abraham zeugte den Isaak, Isaak zeugte den Jakob, Jakob zeugte den Juda und seine Brüder. Juda zeugte den Perez aus der Thamar".

Und weiter unten heißt es: "Boas zeugte den Obed aus der Ruth. Obed zeugte den Isai, Isai zeugte den König David. David zeugte den Salomo aus der Frau des Uria".

91. Quid sibi volunt per tam multas generationes gradus suprascripti, talium feminarum quoque nomina sociata? aut quid est quod evangelista electionem demonstrans pudenda non tacuit? Ducit enim stemmata sacrosancta per alienigenas, per adulteras, nec tantae permistioni cavet, nec metuit ne quid indecens, pollutum, aut ne quid fastidiose vel etiam cum horrore pudicis accipiendum auribus tantus evangelii auctor incurrat.

Non plane horum aliquid reformidat, sed filium per vera ducit securus et mystica.

92. Ostensurus enim virtutum eius qui nos < sus> cepit, quales susceperit ostendit; tum ne soli sancti spem in domino habuisse credantur, praeiudicatumque peccatoribus foret, si electior patriarcharum illa rubrica nullis vitiorum maculis usque ad dominum pervenisset. Aut quid novum reservaretur heredi, si esset in auctore iustitia?

93. Sed quoniam, ut diximus, nos suscipiebat et nostra, iuncta (a) in dominum vitiorum nostrorum sentina per transfusionem sanguinis, non ipsum pollutura, sed per ipsum purganda defluxit: purganda autem per mortem, quae in domino fuit similitudo peccati, qui cum peccatum non fecisset, mortuus est (1).

94. At vero Adam si peccatum non admisisset, fuisset aeternus: cur id dominus peccatum non faciens obtinere non potuit? Quoniam iuxta censum susceptae carnis de mortalibus nascebatur, et necesse erat, ut quidquid per auctores debebat expungeret, novoque genere eos per resurrectionem suam heredes faceret ad vitam, per quorum inoboedientiam heres fuisset ad mortem.

XII.   95. Quamquam nimis celeriter ad ista descenderim, cum ante nobis ut natus fuerit sit dicendum, quando a quibus natus sit iam fuerit ostensum; ut etiam et ipsa (a) nativitate peccati carnis similitudo monstretur, quae tunc apparebit, si despecta, si humilis, si nihil in se ad tempus gloriae habens fuerit inventa.

---

93.   (1) cf. 2 Cor 5,21; Hbr 4,15; 1 Pt 2,22; 1 Jo 3,5
      (a) iuncta] cuncta [G. Mercati]

95.   (a) etiam et ipsa] etiam ex ipsa [G. Mercati]

91. Was soll es bedeuten, daß er durch so viele Generationen hindurch genau die Reihenfolge von Vater und Sohn angibt und auch die Namen von derartigen Frauen damit verknüpft? Oder was bedeutet es, daß der Evangelist beim Aufzeigen der Erwählung das Schändliche nicht verschwiegen hat?

Er führt nämlich in seiner Ahnenreihe Frauen aus fremden Völkern und Ehebrecherinnen auf und er scheut sich nicht, solches zusammenzufügen. Auch fürchtet sich der so bedeutende Evangelist nicht, den Ohren seiner Zuhörer Unziemliches, Lasterhaftes oder gar etwas, was nur mit Widerwillen oder beschämter Abscheu aufgenommen wird, zuzumuten.

Ganz bestimmt vor nichts von all dem scheut er zurück, sondern unbeirrt zeigt er den Stammbaum des Sohnes auf, der die Wirklichkeit mit ihrer tieferen Bedeutung in sich birgt.

92. Weil er nämlich die Kraft dessen aufzeigen will, der uns angenommen hat, zeigt er, was für welche er angenommen hat. Somit wird die Ansicht zuschanden, nur Heilige hätten auf den Herrn ihre Hoffnung gesetzt und es sei für die Sünder eine Vorentscheidung getroffen worden, wenn die erlesene Patriarchenreihe ohne Makel der Schuld bis zum Herrn fortgesetzt worden wäre. Oder was würde an Neuem für den Erben aufgespart, wenn im Ahnherrn Gerechtigkeit gewesen wäre?

93. Aber weil er, wie gesagt, uns und das unsrige annahm, ist der Pfuhl unserer Laster durch die Weitergabe des Blutes bis zum Herrn gelangt, nicht um ihn zu beflecken, sondern um durch ihn gereinigt zu werden; und zwar gereinigt zu werden durch den Tod, der im Herrn die Gestalt der Sünde aufwies. Und so ist der Herr gestorben, obwohl er keine Sünde beging.

94. Fürwahr, hätte Adam sich auf die Sünde nicht eingelassen, wäre er ewig gewesen. Warum vermöchte aber der Herr, da er doch keine Sünde beging, das nicht zu erreichen?

Weil er nun mal Fleisch annahm und damit durch seine Geburt in der Bürgerliste der Sterblichen eingetragen wurde, war es auch notwendig, daß er die Schuld der Ahnen tilgte und durch seine Auferstehung in einem neuen Menschengeschlecht diejenigen zu Erben des Lebens machte, durch deren Ungehorsam er selber Erbe des Todes geworden war.

XII.   95. Im Grunde bin ich nur allzu schnell auf dies zu sprechen gekommen. Zunächst steht nämlich noch aus zu erwähnen, **wie** er geboren worden ist, nachdem wir jetzt gesehen haben, **von wem** er abstammt.

Selbst durch seine Geburt wird die Gestalt des sündigen Fleisches aufgewiesen; und das ganz bestimmt, wenn wir erkennen, daß sie sich unter armseligen Umständen, unscheinbar und zeitweilig ganz ohne Herrlichkeit vollzogen hat.

96. Loquitur ad David regem deus, Christum dominum repromittens:
Ex fructu ventris tui ponam super sedem meam (1).

Nimium, inquam, gloriosa est ista promissio: quando credi poterit
abiecta susceptio? Certum est, si non Joseph faber, censu etiam sub
Quirino habito, David filius invenitur (2).

O Mysterium! de fabro creditur generatus, qui de rege promissus est.
Non illum secundum illum censum Herodes, non Archelaus generat, sed
despectus opifex tamen pater putatur. Adeo perstruitur similitudo
carnis peccati, ut iam futurae disputationi materia praeparetur, per
quam dominum necesse erat audire: **Nonne hic est fabri filius** (3)?
quando per antiquitatem fide sanguinis obscurata remanet in sola
persona sancti Joseph fastidiosa despectio, qua rex dominus Iesus
Christus, non de plebeio homine, sed de rege oboriri debuisse videatur.

97. Iam quid de incunabulis loquar? quid his non abiectius modo, sed
paene turpius?

Pastores ab angelo moniti salvatorem in civitate David natum, cur-
runt, introeunt, offendunt; non eum tamen in aula regali inter ostrum
gemmasque reperiunt, quod utique ad David filium, id est, stirpem
regiam debebatur. Nulla postremo vel pauperculae humanitatis circa
parvulum officia blandiuntur; sed in praesepe ponitur, in quo utique
per figuram iacebat nostra cibatio, iuxta illud: **Caro mea vera est
esca** (1).

Quid autem est, quod ipse non angelos, non milites aliquos aut tri-
bunos ad attestandam subolem David, sed pastores maluit commonere?
Videlicet quibus visitanda praesepia non horrerent, quorum vilitas
iuxta carnem demonstrati loci congrueret vilitati. Postremo propterea
pastores, quoniam cuncta figuraliter gesta significabantur ab eo, qui
primo discipulorum esse dicendum (a) **Pasce oves meas** (2), eumque de
piscatore hominum in custodem ovium noverat transcribendum.

----

96. (1) Ps 131,11
    (2) cf. Mt 13,55; Mc 6,3; Lc 2,2 3,23
    (3) Mt 13,55

97. (1) Jo 6,55
    (2) Jo 21,17
    (a) cuncta figuraliter gesta significabantur ab eo, qui primo
        discipulorum esse dicendum] <per> cuncta figuraliter gesta
        significaba<n>tur ab eo [qui] primo discipulorum esse dicen-
        dum [G. Mercati]

96. Gott verheißt den Herrn und Gesalbten, als er zu König David sagt: "Deines Leibes Sproß will ich setzen auf meinen Thron".

Wunderbar herrlich, sage ich, ist diese Verheißung: Wie könnte man da an so armselige Menschwerdung glauben? Und Joseph, der Zimmermann, war doch ganz sicher entsprechend der Schätzung unter Quirinius ein Sohn Davids.

O, welch tiefer Sinn! Von einem Zimmermann hält man ihn gezeugt, der doch von einem König verheißen war.

Jener Schätzung zufolge ist er nicht Sohn des Herodes oder des Archelaus, sondern ein armseliger Handwerker wird indessen als sein Vater angesehen. So sehr wird hier die Gestalt des sündigen Fleisches schon im Anfang grundgelegt, daß bereits für das künftige Streitgespräch der Stoff bereitet wird, dementsprechend der Herr hören mußte: "Ist er nicht der Sohn des Zimmermanns"? Der Glaube an die Abstammung von David war nämlich durch das Alter dunkel geworden; so blieb für die Person des hl. Joseph nur spröde Verachtung, womit aufscheinen will, daß der Herr und König Jesus Christus nicht von einem Mann aus dem Volk, sondern von einem König hätte hervorgehen müssen.

97. Und was soll ich von den Windeln sagen? Gibt es etwas, das noch verächtlicher, ja geradezu noch abscheulicher wäre als dies? Dann die Hirten! Nun, sie werden vom Engel belehrt, daß in der Stadt Davids der Erlöser geboren sei. Daraufhin eilen sie, treten ein und werden abgestoßen. Sie finden ihn nun mal nicht an einem Königshof, unter Purpur und Edelgestein, wie es sich für den Sohn Davids, einen Königssproß ziemen würde. Nicht einmal die Erweise der geringsten Menschlichkeit umschmeicheln den Kleinen; vielmehr wird er in eine Krippe gelegt, in welcher er, – das sollte es bedeuten –, als unsere Nahrung lag, gemäß dem Wort des Evangeliums: "Mein Fleisch ist wahrhaft eine Speise". Was bedeutet es aber, daß er nicht Engel, nicht irgendwelche Soldaten oder Tribunen, sondern lieber Hirten dazu heranziehen wollte, den Sohn Davids zu bezeugen? Ganz einfach: sie würden nämlich vor der Krippe nicht zurückschrecken; denn ihre Bedeutungslosigkeit – rein menschlich gesehen – entspräche der Bedeutungslosigkeit des angegebenen Ortes. Schließlich waren es deshalb Hirten, weil vom Herrn alles zeichenhaft vollzogen wurde. Er wußte ja, daß er dem Ersten seiner Jünger einmal sagen würde: "Weide meine Schafe!", um ihn sodann vom Menschenfischer zum Hüter der Schafe zu machen.

98. Ne historia praedestinato vacuaretur effectu, magi etiam, qui, quamlibet regem caeli et terrae natum sideribus credidissent, tamen tantorum ignari sacramentorum, ubi Hierosolimam venerunt, iuxta sensum saeculi incunabula regis parvuli ab Herode rege velut a pueri parente perquirunt; quo nun in palatio, non in augustis penetralibus invento - adeo velabatur salutis nostrae sub despectione maiestas - Bethleem ire praecepti sunt, ubi in gremio Mariae regium puerum deus fulgenti stella velut digito monstravit. Quo adorato, Herodem iterum non viderunt, per historiam significationem non vacuam demonstrantes, nullum regem adorandum esse post Christum.

99. Quorsum haec? Ut ostenderem despectam imaginem similitudinem carnis habuisse peccati, praesertim in Iudaea, apud quam divitiis abundare summa iustitia est.

100. Descendit ergo vere, ut propheta ait, **tamquam pluvia in vellus** (1), id est, sine strepitu, sine gloria, et paene sine censu (a). Nec sane erat sine vellere, de quo dicebatur: **Ecce agnus qui tollit peccata mundi** (2). Advenit nempe, ut legimus, ignobiliter (3), advenit obscure, adeo ut Ioseph, qui pater interim putabatur, quod deferret in censum praeter virginem et uterum virginis nihil haberet.

101. O si et nostra talis professio teneretur in saeculo! conservaremus plane in corde nostro universa quae dominus aut dixit aut gessit, sicut illo tempore Joseph Mariaque faciebant (1). Sed ista excedunt, quando census est alius, ille qui de templo, ne orationis locus spelunca latronum fiat, excluditur (2); qui denique nummo Caesaris, non piscis aperto ore dissolvitur (3). Quod si ille sancti Ioseph census esset in nobis, pro quo tributum reges saeculi huius a filiis exigunt semper alienis (4), qui census pro domino digne solus expenditur, essemus sine dubio iam pridem Stephani virtute, non nomine.

---

100. (1) Ps 71,6
     (2) Jo 1,29
     (3) Is 53,3
     (a) sine censu] sine sensu [G. Mercati]

101. (1) cf. Lc 2,19.51
     (2) cf. Mt 21,12-13
     (3) cf. Mt 17,24.27
     (4) cf. Mt 17,25-26 (22,17.19).

98. Die Geschichte sollte von vornherein in bestimmter Richtung ver-
laufen. Das sehen wir auch an den Magiern. Sosehr sie nämlich aufgrund des Gestirns auch an die Geburt des Königs Himmels und der Erden geglaubt hatten; den Sinn solcher Zeichen haben sie freilich nicht
erkannt. Wie anders hätten sie sonst auch, nach Jerusalem gekommen,
den König Herodes nach der Wiege des Königssohnes fragen können,
wie wenn er der Vater des Knaben sei; und zwar ganz im Sinn rein
weltlichen Verständnisses.

Er war jedoch nicht im Palast und in königlichen Gemächern zu finden; sosehr wurde die Größe unseres Heiles unter Unscheinbarkeit ver-
borgengehalten. Darauf bekamen sie die Weisung, nach Bethlehem zu
gehen, wo Gott durch einen leuchtenden Stern wie mit einem Finger
den königlichen Knaben im Schoß Mariens anzeigte. Nachdem sie ihn
angebetet hatten, suchten sie Herodes nicht wieder auf. Somit erhielt
die Geschichte eine nicht unwesentliche Sinndeutung: nach Christus
darf kein anderer König mehr angebetet werden.

99. Wozu all dies? Nun, um zu zeigen, daß das Bild Gottes in der
Niedrigkeit die Gestalt des sündigen Fleisches hatte, vor allem in
Judäa, wo Leben im Überfluß als Zeichen höchster Gerechtigkeit gilt.

100. Seine Herkunft war also wirklich nach dem Prophetenwort "wie
der Tau herab auf das Vlies", d.h. ohne Lärm, ohne Ehre und nahezu
ohne Besitz. Allerdings war er doch anderseits nicht ohne Vlies, da
von ihm ja gesagt wurde: "Seht das Lamm, das auf sich nimmt die
Sünden der Welt". Er kam nämlich in die Welt, wie wir es lesen,
schmählich und unbemerkt; so sehr, daß Joseph, der einstweilen als
sein Vater galt, nichts besaß, was er als steuerpflichtiges Vermögen
angeben konnte außer der Jungfrau und ihrem Mutterschoß.

101. O, wenn doch auch unser öffentliches Bekenntnis vor der Welt so
sein könnte. Dann würden wir sicher in unserem Herzen all das bewahren, was der Herr gesagt und getan hat, wie es zu jener Zeit
Joseph und Maria taten. Aber es geht über das Maß hinaus, wenn es
sich um ein anderes Vermögen handelt; wenn wir Besitz haben, der
nicht in den Tempel gehört, damit das Haus des Gebetes nicht zur
Räuberhöhle werde. Für solchen Besitz muß man schließlich die Steuer
bezahlen mit der kaiserlichen Münze, nicht mit der aus dem Maul des
Fisches.

Wenn aber das steuerpflichtige Vermögen des hl. Joseph in uns wäre
anstatt desjenigen, für welches die Könige dieser Welt von den ihnen
nicht hörigen Söhnen den Tribut fordern, - jenes Vermögen, für das
allein dem Herrn zu Recht Steuern bezahlt werden -, dann wären wir
ohne Zweifel schon längst nicht nur mit dem Namen, sondern auch mit
der Kraft des Stephanus ausgezeichnet.

XIII.   102. Offenderim forte, quoniam me a coepto longius dulcedo parabolae latae lectionis eduxit; sed da veniam, quaeso, conpensabimus alia, si iusserit dominus. Haec interim liberius meo more tua permissione percurram, ut praeter amaritudinem certaminis aliquid etiam laetius admixto interpretationum melle sapiat oratio.

103. Restat ut similitudo carnis peccati, quae in domino per originem, per educationem (a) deducta est, etiam per actus domini demonstretur; quae tamen in hoc apertius quam in superioribus apparebit. Illic enim tantum humilis et despecta (1), hic egena sanctificationum, hic pavida, hic trepida, plena doloribus et reis similis invenietur (2); ut manifeste liqueat Adae carnem in domino fuisse post culpam, quoniam dominus nec mortuus esset, si aliam suscepisset.

Omnem itaque actum domini repetam, ut ex eo quam carnem habuerit adprobemus.

104. Circumciditur a matre, baptizatur a Johanne, spiritu etiam columba monstrante perfunditur.

105. Quid est quod totiens innovatur, totiens diluitur, totiens expiatur? Certe non ipse peccaverat: cui tanta sanctificationum argumenta providentur, si ea erat, quae maledictioni, quae morti, quae terrae denique de qua sumpta fuerat (1), nihil debebat?

Habetne similitudinem peccati, dum in se sucipit ista mysteria, dum his sanctificandus creditur, quae ut sanctificaret implebat? Quis enim crederet, aut circumcisum non legi esse debitorem, aut baptizatum in remissionem peccatorum, praesertim, ut scriptum est, cum progenie viperarum (2), remittere ipsum aliis posse peccata illo verbo: **Fili, remissa sunt peccata tua** (3), aut eum qui descensione sancti spiritus eguisset debere dicere: **Ego et pater unum sumus** (4)?

----

103.   (1) cf. Is 53,3
        (2) cf. Is 53,3
        (a) edicationem] educ [a]tionem [G. Mercati]

105.   (1) cf. Gn 3,19
        (2) cf. Mt 3,7
        (3) Mt 9,2
        (4) Jo 10,30

XIII.   102. Vielleicht habe ich Anstoß erregt, weil mich die Bildhaf-
tigkeit einer ausgedehnten Lesung bezauberte und mich so vom Begonnenen wegführte. Aber, bitte, verzeih mir, so der Herr will, werden wir
es durch anderes wieder gut machen. Unterdessen werde ich es meiner
Gewohnheit gemäß, und deine Erlaubnis vorausgesetzt, etwas freier behandeln, damit die Rede außer der Bitterkeit des Streites auch einen
etwas freudigeren Anstrich bekomme, indem etwas vom Honig der Auslegung von Schriftstellen beigemischt wird.

103. Es steht noch aus, daß die Gestalt des sündigen Fleisches, die
wir beim Herrn von seinem Ursprung und seiner ersten Kindheit abgeleitet haben, nun auch in seinen Taten aufgewiesen werde.

Sie wird indessen dabei noch offener zutage treten als in dem oben
Genannten. Dort war sie nämlich nur erkennbar an Niedrigkeit und Unscheinbarkeit, hier daran, daß sie der Heiligungen bedarf; hier erkennen wir sie an der Furcht und Angst, dem Ausmaß der Schmerzen
und der Gleichstellung mit den Verbrechern. So sollte ganz offenbar
werden, daß der Herr Adams Fleisch hatte, und zwar das nach der
Sünde; denn der Herr wäre nicht gestorben, wenn er ein anderes
Fleisch angenommen hätte.

Ich werde daher auf alles zu sprechen kommen, was der Herr getan
hat, damit wir dann daraus erkennen, welches Fleisch er hatte.

104. Er wird von der Mutter beschnitten, von Johannes getauft und
auch vom Geist überströmt, wie die Taube anzeigt.

105. Was bedeutet es, daß er so oft ein neues Leben beginnt, so oft
reingewaschen, so oft entsühnt wird?

Sicherlich hatte er selbst nicht gesündigt.

Warum wird er dann mit so großen Heiligungsmitteln bedacht, wenn
sein Fleisch dem Fluch, dem Tod, schließlich der Erde, von der es
genommen war, nichts schuldete?

Hat er etwa die Gestalt der Sünde, wenn er diese Zeichen selbst empfängt und anscheinend dabei zu heiligen war, während er sie anderseits doch vollzog, um ihnen heiligende Kraft mitzuteilen? Wer würde
nämlich glauben, daß ein Beschnittener dem Gesetz nicht verpflichtet
sei? Wer würde ferner glauben, daß einer, der die Taufe zur Vergebung der Sünden empfangen hat, – zumal noch, wie es in der Schrift
heißt, zusammen mit dem Natterngezücht, anderen Sünden nachlassen
könne mit dem Wort: "Mein Sohn, deine Sünden sind dir vergeben"?
Oder wer würde schließlich glauben, daß einer, der die Herabkunft
des hl. Geistes nötig hatte, sagen dürfte: "Ich und der Vater sind
eins"?

106. His ille rebus similitudinem peccati carnis ingressus (1), in casum et ruinam positus est aliquorum (2), qui pro cunctorum redemptione descenderat. Haec est peccati carnis similitudo (3), quae dominum nostrum et Arrianis minorem, et Iudaeis fecit esse dispectum.

Nos tamen, cum peccatum ipse non fecerit, nec dolus inventus sit in ore eius (4), qui cum ipso circumcidantur, qui baptizentur, qui spiritus sancti infusione donentur, revolventes historias retexamus. Quae etsi praesenti materiae superflua sunt, animam tamen lectoris pascit rerum divinarum sacrosancta cognitio. Postremo et superflua scribere mihi, iuxta apostolum, non pigrum, tibi necessarium iudicavi (5).

XIV. 107. Diximus dominum circumcisum, diximus baptizatum, diximus sancto spiritu quoque perfusum; quae superflue in eo qui non peccaverat gesta sunt, si non materia adsumpta, si non auctorum proauctorumve fetulentia (a) velut trans cola per tot innovationum officia purgabatur, si non per dominum intemerata sanctitas hisdem paene vestigiis in eos homines qui illam vitiaverant recurrebat.

Etenim cum peccatum per peccatum damnaretur in carne (1), quare non sanctificationum virtus per easdem sanctificationes in Christo revocata vivesceret; et cum substantia carnis infirmitatem suam in infirmitate calcaret (2), cur non spiritus potentiam suam in suae potentia divinitatis adsereret?

108. Circumciditur in domino, sed incestum Iudae, et circumcisi peccatum dominica, ut oportebat, circumcisione mundatur.

Baptizatur aeque in domino, sed coniugium Moabitae, et expiatio aque iam etiam alienigenis et incircumcisis per dominum donanda providetur.

Unguitur etiam, sed David, in domino, et adulterium uncti regis, quod nullus aboleret, sancti spiritus, non confecta per mandatum sed naturali per potentiam pinguedine sepelitur, dicente ad eum propheta, cum se peccasse cognosceret: **Dominus abstulit peccatum** (1), non lex certe, quae capitaliter persequebatur.

----

106. (1) cf. Rm 8,3
      (2) cf. Lc 2,34
      (3) cf. Rm 8,3
      (4) cf. 1 Pt 2,22
      (5) cf. Phil 3,1

107. (1) cf. Rm 8,3
      (2) cf. Rm 8,3
      (a) fetulentia] faeculentia [G. Mercati]

108. (1) 2 Rg 12,13

106. Durch all das trat er in die Gestalt des sündigen Fleisches ein. Er wurde so zum Fall und Untergang für einige, der doch zur Erlösung aller herabgestiegen war. Dies ist die Gestalt des sündigen Fleisches, um deretwillen die Arianer unseren Herrn geringer einschätzten und die Juden ihn verachteten. Wir hingegen wollen, da er selbst doch keine Sünde tat und kein Trug sich in seinem Munde fand, die geschichtlichen Ereignisse noch einmal aufrollen und bedenken, wer denn da beschnitten, wer getauft und wer mit ihm die Gabe des hl. Geistes empfing. Auch wenn dies für das vorliegende Thema an sich überflüssig ist, so nährt dennoch die Seele des Lesers die Kenntnis göttlicher Dinge.

Auch Überflüssiges zu schreiben, erachte ich schließlich gemäß des Apostels Wort als für mich nicht müßig und für dich als notwendig.

XIV.   107. Wir haben gesagt, daß der Herr beschnitten, getauft und auch vom hl. Geist überströmt worden sei.

Das wäre alles für ihn, der ja keine Sünde begangen hatte, überflüssig gewesen, wenn er nicht unser Fleisch angenommen hätte und somit die Verdorbenheit und Schlechtigkeit der Ahnen und Urahnen wie durch ein Sieb mit Hilfe sovieler Erneuerungsriten gereinigt worden wäre und wenn nicht durch den Herrn die unversehrte Heiligkeit geradezu auf dem gleichen Weg zu den Menschen, die sie befleckt hatten, zurückgekehrt wäre.

Wenn nämlich die Sünde um der Sünde willen im Fleisch verurteilt werden sollte, warum sollte dann nicht Christus diesen Heiligungsriten, indem er sie vollzog, ihre heiligende Kraft zurückgeben und sie zu neuem Leben erwecken? Und wenn die Substanz des Fleisches in Schwachheit ihre Schwachheit überwand, warum sollte da nicht Gottes Geist seine Macht eben durch seine göttliche Macht in Anspruch nehmen?

108. Im Herrn wird demnach die Unzucht Judas beschnitten und die Sünde des Beschnittenen wird durch die Beschneidung des Herrn gebührend getilgt.

In gleicher Weise wird im Herrn durch die Taufe die eheliche Verbindung mit den Moabitern rein erklärt und so wird die Reinigung im Wasser durch den Herrn hinfort auch als Gabe für Fremdlinge und Unbeschnittene vorgesehen.

Im Herrn wird auch David gesalbt; und der Ehebruch des gesalbten Königs, den niemand aufheben konnte, wird durch das Salböl des hl. Geistes getilgt, das nicht nach Gesetzesvorschrift hergestellt wurde, sondern in sich die Kraft zu dieser Salbung hatte. Die Sünde wurde getilgt, als der Prophet zu David, der seine Sünde einsah, sagte: "Der Herr hat dir deine Schuld vergeben". Somit ist die Vergebung vom Herrn gegeben worden, keinesfalls durch das Gesetz, das für solches Vergehen ja die Todesstrafe vorsah.

109. Haec crimina non propheta, qui increpabat admissum, sed dominus, qui pinguius adundantiusque unctus a ceteris vel consortibus vel particibus suis (1), qui etiam cornum David domus dictus est, et illos veteres in se, et nos venturos perfudit ex se. Ad quem ipse David, ut spiritus sanctus in eo innovaretur, orabat his versibus: **Cor mundum crea in me, deus, et spiritum rectum innova in visceribus meis** (2). Innovari sibi certe spiritum sanctum expetit, non infundi, quoniam fuerat infusus: pristinum reformari, non novum donari (3): unus enim spiritus (4), et merito innovari petit, quem antiquaverat per delictum.

110. Sic dum suis sibi singuli ministeriis repugnant, dominus peccator pro omnibus invenitur, et novo genere officit donatori, quod proficit munerato.

111. Quod si tantum illis donatum est, qui a Christo sunt innovati (1), quantum his qui a Christo sunt generati? Et si tantum parentibus, quid filiis, quibus secundum apostolum parentes servant iure thesauros (2)? Et si tam uberis in praeteritos sanctificatio velut retrocessim missa conscendit, quam affluens in venturos antecessim, si dici potest, declinavit atque defluxit? Et ideo vas electionis (3): **Si qua**, inquit in **Christo nova creatura** (4): per quam stirpe (a) antiquae illius olivae, veterno mortiferae sterilitatis eraso, nova in succidaneam pinguedinem oleastrorum plantaria pullularunt.

112. Sed gesserit pro patriarchis ista, gesserit et pro nobis: illos in mysteriis sanctificans, nobis sanctificans ipsa mysteria: illos in se diluens, nobis per quae dilueremur emudans;

tamen intellectu fidelium sequestrato, nonne per similitudinem peccati exsequens ista currebat? Aut quis non peccatorem putaret, cui totiens purgationes necessarias esse vidisset?

---

109. (1) cf. Ps 44,8; Hbr 1,9
      (2) Ps 50,12
      (3) cf. Eph 4,22.23.24
      (4) cf. Eph 4,4

111. (1) cf. Ps 50,12
      (2) cf. 2 Cor 12,14
      (3) cf. Act 9,15
      (4) 2 Cor 5,17
      (a) per quam stirpe] <e> stirpe [G. Mercati]

109. Nicht der Prophet, der David der Schuld anklagte, sondern der Herr, der in reicher Fülle mehr als alle seine Gefährten gesalbt und selbst auch als Horn aus dem Hause Davids bezeichnet wurde, hat für die Alten diese Vergehen in sich, für uns Zukünftige aber aus sich mit der Salbung hinweggenommen. Zu ihm hat doch David selbst gebetet, der hl. Geist möge ihm neu geschenkt werden, und zwar mit dem Vers: "Erschaffe mir, Gott, ein reines Herz, einen festen Geist erneuere in meinem Innern". Gewiß bittet er darum, daß der hl. Geist in ihm erneuert, nicht aber ihm überhaupt neu eingegossen werde; denn er war doch vorher schon in ihm. Er wollte nur, daß der frühere Zustand wiederhergestellt, nicht aber eine neue Gabe gegeben werde. Es gibt nämlich nur einen Geist, und mit Recht bittet er, daß er in ihm erneuert werde; denn er hatte ihn durch die Sünde veralten lassen.

110. Während sich so die einzelnen mit ihren Mitteln des Heiles zur Wehr setzten, wurde der Herr um aller wegen als Sünder befunden, und auf neue Weise schadet dem Geber, was dem Beschenkten zum Nutzen gereicht.

111. Wenn aber denen soviel geschenkt wurde, die von Christus erneuert wurden, wieviel mehr dann denen, die von Christus gezeugt worden sind? Und wenn soviel den Eltern schon geschenkt wurde, wieviel dann erst den Kindern, denen nach dem Wort des Apostels die Eltern mit Recht ihren Reichtum aufsparen? Und wenn gar so reichlich auf unsere Vorfahren die Heiligung zukam, wie wenn sie zurückgesandt worden sei, wie ergiebig muß sie dann auf die kommenden Geschlechter, sozusagen im voraus schon, herabgekommen bzw. herabgeströmt sein? Und daher sagt Paulus, das auserwählte Werkzeug: "Wenn also jemand in Christus ist, dann ist er eine neue Schöpfung". So sind aus der Wurzel des alten Ölbaums neue Setzlinge gesproßt, die fortan die fette Ölfrucht tragen sollen, nachdem alles Träge und todbringend Unfruchtbare entfernt worden ist.

112. Nun, der Herr hat das alles sicher für die Patriarchen wie auch für uns getan. Er heiligte nämlich jene durch diese Heilszeichen und verlieh diesen Mitteln im Hinblick auf uns die heiligende Kraft. Und das tat er, indem er seine Vorfahren in sich reinigte und zugleich für uns die wirksamen Mittel bereitstellte, auf daß auch wir gereinigt werden können. So weit, so gut! Sehen wir aber von diesem gläubigen Verständnis ab, bleibt die Frage, ob er dies alles nicht in der Gestalt der Sünde vollzogen und durchlaufen hat. Wer würde nämlich den nicht für einen Sünder halten, der offensichtlich so viele Reinigungen braucht.

XV. 113. Etiam maiora proponamus. Per peccati meritum, ut disputavimus, legio certe in nos morborum et infirmitatum incubuit: Inde pavidi, inde trepidi, inde in doloribus eiulantes, inde etiam mortales facti sumus. Quibus si affectibus ostenderimus et dominum fuisse perculsum, nempe vel sic apostoli sententia adsensum Manichaeorum (a) reclamare crederetur, quae dicendo **"misit deus filium suum in similitudine carnis peccati"** (1) non exinanire carnem voluit, sed probare.

114. Adpropinquante, dixit, non tantum die, sed hora etiam passionis dominus discipulis suis ait: **Tristis est anima mea usque ad mortem** (1). Quis est iste qui trepidat? quis est iste qui pavet (2)? quis est iste qui, ut ipsius verbis utar, mortem patitur ante mortem?

Illene qui publicata passione sua discipulorum moestitiam solabatur (3) dicens: **Si diligeretis me, gauderetis, quoniam vado ad patrem** (4)? Qualiter modo ipse non gaudet, qui alios amore sui gaudere cupiebat! An et ipse non amat, qui suo contristatur in gaudio, cui mortem ipsam formidare iam mors est (5)?

An quid docuerit ignorat, et tantae auctoritatis oblitus alium subito gestat affectum?

Minime: sed ne illum Manichaeus filium hominis esse non crederet, nec passum iudicaret, quem nec timere vidisset.

115. Homo noster est ergo dum metuit, ut sit noster homo cum patitur, nostramque in se naturam gerens, extra nostram non possit esse formidinem, si metus in eum mortis intravit, qui erat utique moriturus; nam inmortalitas, ut mortem non recipit, nec timorem.

116. Mori ergo, non solum quasi homo, sed quasi et peccator pavet (1): ut mortem non modo ipsa sua publica conditione, verum etiam peculiari conscientia, quasi non iturus ad patrem (2), videatur horrere.

Et ideo mirum fuit hunc deum credere, quem in similitudinem carnis peccati suscepti hominis natura deduceret.

----

113. (1) Rm 8,3
      (a) adsensum Manichaeorum] ad sensum Manichaeorum [G. Mercati]

114. (1) Mt 26,38
      (2) cf. Mt 26,37; Mc 14,33; Jo 12,27
      (3) cf. Mt 26,38
      (4) Jo 14,28
      (5) cf. Mt 26,37

116. (1) cf. Mt 26,37; Mc 14,33
      (2) cf. Jo 14,12.28

XV.   113. Noch größere Beweise wollen wir vortragen. Aufgrund der Sünde ist, wie wir dargelegt haben, sicher Krankheit und Schwäche vielfältig in uns eingedrungen. Daher sind wir voll Angst und Unsicherheit, stöhnen in unseren Schmerzen und sind sogar dem Tod verfallen.

Wenn wir aufgezeigt haben, daß auch der Herr in dieser Weise erschüttert wurde, sollte man doch wohl meinen, die Manichäer müßten dann dem Satz des Apostels zustimmen, da er doch mit den Worten "Gott sandte seinen Sohn in der Gestalt des sündigen Fleisches" das Fleisch nicht seiner Wirklichkeit berauben, sondern diese gerade erweisen wollte.

114. Als nicht nur der Tag, sondern sogar die Stunde seines Leidens nahte, sagte der Herr zu seinen Jüngern: "Meine Seele ist zu Tode betrübt".

Wer ist es, der da zittert, der sich da entsetzt? Wer ist es, der, um seine eigenen Worte zu gebrauchen, den Tod vor dem Tode erleidet?

Ist es nicht jener, der sein Leiden offenbarte und die deswegen traurigen Jünger tröstete mit den Worten: "Wenn ihr mich liebtet, würdet ihr euch freuen, daß ich zum Vater gehe"? Als wenn er selbst sich nicht freuen würde, der doch von anderen wünschte, sich zu freuen aus Liebe zu ihm!

Oder hat er etwa keine Liebe, weil er in seiner Freude so traurig ist, daß für ihn die Todesangst schon den Tod bedeutet? Oder weiß er vielleicht nicht mehr, was er gelehrt hat; hat er gar seine Unerschrokkenheit vergessen und plötzlich andere Gefühle?

Keineswegs! Vielmehr sollten die Manichäer an ihn als den Menschensohn glauben und nicht zu der Meinung kommen, er habe nicht gelitten, wenn sie ihn ohne Angst sähen.

115. Ein Mensch wie wir ist er also, wenn er Angst hat, wie er auch ein Mensch wie wir ist, wenn er leidet. Unsere Natur trägt er in sich; denn Angst gibt es sonst nicht.

Und so hat er Todesangst erlebt, weil er bestimmt dem Tod unterworfen war; denn ein Unsterblicher kann wie den Tod so auch die Angst davor nicht kennen.

116. Er hat also Angst vor dem Tod nicht nur als Mensch, sondern gleichsam auch als Sünder. Wie es scheint, erschauert er vor dem Tode nicht bloß aufgrund seiner mit allen gemeinsamen Lage selbst, sondern auch ganz persönlich, vor seinem eigenen Gewissen, – so daß man meinen könnte, er stünde nicht im Begriff zum Vater zu gehen.

Und darum ist es wahrscheinlich etwas Großartiges, an solchen Gott zu glauben, den die angenommene Menschennatur ganz in die Niedrigkeit der Gestalt des sündigen Fleisches führen sollte.

117. Adcumulat tamen adhuc pleniora, cum ista non parva sint. Nam cum magnam fidem humani in eo sensus cogitatio incumbentis mortis tam tristifica fecisset (1), etiam preces ad deum patrem pro calicis ipsius translatione mittuntur (2): adeo parum fuit prodere discipulis quod timebat (3), nisi et patri easdem trepidae mentis confiteretur angustias, nisi et illi se filium hominis adprobaret, qui eum et filium suum esse novisset; ut magis rei essent, qui illum et hominem non credidissent, quem etiam deus pater non in hac confessione reprobasset.

118. Sed audiamus orationem, ut recognoscamus orantem. Ait: **Pater, si fieri potest, transfer calicem hunc** (1). Ubi est tanti doctoris ad exhortationem passionis illa libertas, qua dixerat paulo ante: **Qui amat animam suam, perdet eam: qui vero odit animam suam in hoc saeculo, in vita aeterna inveniet eam** (2)? Iamne animam suam amare coepit et dominus, qui magno ambitu supplicationis ne eam perdat invigilat? Nam id non semel orasse traditur in nocte (3). Numquidnam timet, ne eam in vita aeterna invenire non possit, si illam non oderit ad tempus (4)? Et ubi est illud: **Potestatem habeo ponendi eam, et potestatem habeo resumendi eam** (5)? Cur in hac hora eius non meminit potestatis, qua resumptionem sibi animae intrepidam promittebat?

119. Credo ut homo noster appareret in domino: atque ita illic susceptor, hic infirmitas adsumpta; illic cirographum quod contra nos erat deleturus, hic cirographi debita soluturus; postremo ibi resuscitator, hic moriens, et, ut ad hereticos veniamus, ibi deus verus, quem fastidit suscipere Arrianus, hic homo verus, quem non audet suscipere Manichaeus.

Et cum scriptum sit **Nemo dicit dominum Iesum nisi in spiritu sancto** (1), et **Qui Christum non credit in carne venisse, hic antichristus est** (2): cui non perspicuum est, quod, quae singulis a vitali concretione divulsa operantur interitum, ea nobis fidem faciunt in antidoti speciem coagmentata vitalem?

---

117. (1) cf. Mt 26,37 par
     (2) cf. Mt 26,39
     (3) cf. Mt 26,37

118. (1) cf. Mt 26,39; Mc 14,36
     (2) Jo 12,25
     (3) cf. Mt 26,39-42
     (4) cf. Jo 12,25
     (5) Jo 10,18

119. (1) 1 Cor 12,3
     (2) 1 Jo 4,3; 1 Jo 2,22

117. Er fügt aber noch Schwerwiegenderes hinzu, obwohl jenes schon nicht geringfügig ist. Obwohl bereits die Traurigkeit beim Gedanken an den bevorstehenden Tod sein menschliches Empfinden erwiesen hatte, bittet er jetzt auch noch Gott den Vater, den Kelch an ihm vorübergehen zu lassen. Den Jüngern kundzutun, wovor er Angst hatte, war ihm so noch zu wenig; auch dem Vater wollte er dieselbe Bedrängnis seines geängstigten Geistes bekennen; auch für ihn sollte er sich als Menschensohn erweisen, der doch wußte, daß er sein Sohn war. Diejenigen sollten so sich noch mehr Schuld zuziehen, die an seine Menschheit nicht glauben wollten, obwohl sogar Gott ihn bei diesem Bekenntnis nicht verworfen hatte.

118. Hören wir aber das Gebet, damit wir erkennen, wer da betet. Es lautet: "Vater, wenn es möglich ist, nimm diesen Kelch hinweg".

Wo ist da der Freimut dieses großen Lehrers, mit dem er zum Leiden ermahnt hatte? Er selber hatte doch kurz vorher noch gesagt: "Wer sein Leben liebt, verliert es; wer aber sein Leben in dieser Welt haßt, wird es bewahren bis ins ewige Leben"? Hat auch der Herr schon angefangen, sein Leben zu lieben, weil er so flehentlich darauf bedacht ist, es nicht zu verlieren? Es wird nämlich berichtet, er habe dies nicht nur einmal in jener Nacht gebetet.

Ob er etwa fürchtet, es nicht bis ins ewige Leben bewahren zu können, wenn er es nicht vorübergehend haßt? Und wo bleibt das Wort: "Ich habe Macht es zu geben, und Macht, es wieder zu nehmen"? Warum erinnert er sich in dieser Stunde nicht an seine Macht, mit der er verheißen hatte, er werde sein Leben ganz ruhig wieder an sich nehmen?

119. Ich glaube, im Herrn sollte offenbar werden, daß er ein Mensch wie wir war.

Und so sollte in ihm beides sein: derjenige, der die menschliche Schwachheit annahm und die angenommene Schwäche selbst; der Schuldschein gegen uns, der getilgt werden mußte sowie derjenige, der die Schulden des Schuldscheins einlösen würde; schließlich derjenige, der stirbt, wie auch derjenige, der auferweckt wurde; und um zu den Häretikern zu kommen, sowohl der wahre Gott, den der Arianer auf keinen Fall anerkennen will, und der wahre Mensch, den der Manichäer nicht anzuerkennen den Mut hat.

Und wenn geschrieben steht: "Keiner kann sagen: 'Jesus ist der Herr!' außer im Heiligen Geiste", sowie "Wer nicht bekennt, daß Christus im Fleische gekommen ist, dieser ist ein Antichrist", wem ist da nicht einsichtig, daß all das, was den einzelnen, die sich vom lebendigen Leibe abtrennen, zum Untergang dient, uns Glauben schenkt an die wahre, dem Irrtum entgegengesetzte Gestalt, in deren Gemeinschaft uns das Leben zuteil wird?

XVI.   120. In ista quidem sequentia, sed adhuc ipsa loquamur: ut magis confundantur, quos pudet in deo hominem confiteri, cum illum pro nobis, dum nos ubique circumfert, et sic timuisse et sic orasse non pudeat. Quid repetere dubitamus, quod legimus frequentatum, ut nobis ad hanc rem de eo sit auctoritas adtributa, qua loquimur?

121. Ait: Si fieri non potest, ut transeat a me calix iste, nisi illum bibam, fiat voluntas tua (1).

Vult nempe non pati, si possit hoc fieri: vult calicem a se transire, si liceat; adeo ut spondeat, tum subdendum se necessitati, cum eius non adsensum fuerit voluntati, et suscipiat iussa, si non obtineat postulata, dicens: Si fieri non potest, ut transeat calix iste, nisi ego illum bibam, fiat voluntas tua (2).

122. Conditio praecedit officium, et oboedientiam similitudo peccati carnis antevenit, quando mirabili ratione promittit obnitendo, et obnititur promittendo; precari desinit, et precatur, dum pati metuit, et contraire formidat: et ideo ad statum (a) transit deiectus a precibus. Fit velle quod noluit postquam non valuit obtinere quod voluit; in optionem formido mutatur, quando vota sua formidabilia perdiderunt.

123. Sic metuitur adhuc passio, non optatur, cum ita demum inplenda praesumitur, si eam non liceat non impleri; ut verum sit timuisse, quem pro eadem re iterum videas sic orasse. Non cessat et tertio ad roborandam fidem infirmitatis humanae, similitudinemque peccati carnis pervigil sub trepidatione non refugit: nam eundem sermonem supplex mittit ad patrem.

124. Illene, oro, ne patiatur tam multiplici fatigat prece genitorem, qui Petrum, quia se in eadem passione revocaverat, ariete quodam durissimae increpationis elisit dicens: Vade retro post me, satanas, scandalum mihi es, quia non sapis quae dei sunt, sed quae hominum (1)? Quis, rogo, infregit illam nova infirmitate censuram? quis illum ad mortales revocavit affectus? unde aut tunc tam interritus remorantum retinacula rumpebat, aut nunc tam pavidus subtrahi se divina intercessione poscebat?

----

121.   (1) Mt 26,42
        (2) Mt 26,42
122.   (a) statum] statu <tu͞ m? [G. Mercati]
124.   (1) Mt 16,23

XVI.   120. Über diesen Gedanken wollen wir freilich noch ein wenig reden, damit noch mehr jene zuschanden werden, die sich schämen, den Menschen in Gott anzuerkennen, der seinerseits sich ja nicht schämt, um unseretwillen, – da er doch genau uns überall mit sich herumträgt –, solche Angst gehabt und so gebetet zu haben.

Es braucht uns dabei nicht der Überdruß der Wiederholung befallen, zumal wir aus der Schrift ja ersehen können, wie oft er selbst dieselben Worte hervorbrachte. Damit wird von ihm ja auch schon das Recht erteilt, es ebenso zu tun.

121. Er sagt: "Wenn dieser Kelch an mir nicht vorübergehen kann, ohne daß ich ihn trinke, geschehe dein Wille". Er will nämlich nicht leiden, wenn es möglich ist; er will, daß der Kelch an ihm vorübergehe, falls es dem Willen Gottes entspricht. Darum gelobt er, sich der Notwendigkeit zu unterwerfen, wenn der Vater seinem Willen nicht zustimmt; er gelobt, den Auftrag anzunehmen, falls er nicht das Erbetene erreicht. Das tut er mit den Worten: "Wenn dieser Kelch nicht vorübergehen kann, ohne daß ich ihn trinke, geschehe dein Wille".

122. Zuerst ist die Gebundenheit an das menschliche Los, dann das freiwillige Dienen; zuerst die Gestalt des sündigen Fleisches, dann der Gehorsam; da er auf wunderbare Art und Weise das Versprechen gibt, indem er Widerstand leistet, und er sich sträubt, indem er das Versprechen gibt.

Er hört auf zu bitten und er bittet doch, solange er sich vor dem Leiden fürchtet und ihm entgegenzugehen sich scheut. Und so, entmutigt von den Bitten, gewinnt er seine Fassung wieder. Was er nicht wollte, wird sein Wille, nachdem er nicht zu erreichen vermochte, was er wollte. Die Angst wandelt sich zum freiwilligen Wählen, da seine ängstlichen Wünsche dahin sind.

123. So besteht die Angst vor dem Leiden noch, sie wird nicht zum Verlangen danach. Erst wenn es unbedingt vollzogen werden muß, nimmt er es so schließlich im voraus auf sich als absolute Notwendigkeit. Es soll Wirklichkeit bleiben, daß der Angst gehabt hat, den du noch einmal beim Bitten um dasselbe siehst. Er läßt nicht nach, zum drittenmal unseren Glauben an seine menschliche Schwäche zu bekräftigen. Schlaflos ob der Unruhe flieht er nicht vor der Gestalt des sündigen Fleisches; denn flehend richtet er dieselbe Bitte an den Vater.

124. Ich bitte dich–, plagt etwa jener, um nicht leiden zu müssen, den Vater mit dieser wiederholten Bitte, der den Petrus, als dieser ihm ob desselben Leidens Vorwürfe machte, mit starkem Widerstand durch das harte, tadelnde Wort erledigte: "Weg mit dir, Satan!, ein Ärgernis bist du mir; denn du hast nicht das im Sinn, was Gott will, sondern was die Menschen wollen"? Wer, so frage ich, hat diesen Tadel durch ein neues Schwachsein entkräftet? Wer hat ihn zu den Gefühlen der Sterblichkeit zurückgeholt? Wie kommt es, daß er zuvor so unerschrocken die Zügel derer, die ihn zurückhalten wollen, zerriß und jetzt so ängstlich verlangte, daß Gott ihn durch sein Eingreifen all dem entziehen möge?

125. Verum non necesse est dominicum sensum extra domini ipsius verba rimari: ipse exponit, dum loquitur ad Petrum, quis nunc infirmetur in domino. Ait apostolo: **Scandalum mihi es, quia non sapis quae dei sunt, sed quae hominum** (1). Ergo istam orationem "**Pater, si fieri potest, transfer a me calicem hunc**" (2) susceptus homo sapit in domino. **Non sapis**, ait, **quae dei sunt, sed quae hominum** (3).

Ecce et nunc dominus sapit ipsa quae hominum, ne sic deus et non homo crederetur, quem etiam, quod homo esset, sapientia vitandae passionis arguerit.

126. Quamquam nec deo patri quis transferri calicem postularet occuluit, addens **non sicut ego volo, sed sicut tu vis** (1). Cum patris et filii una voluntas sit, ut una natura, unde hic diversitas voluntatum?

Credo, unde illam ipse sensit emanare, cum dicit: **Spiritus promptus, caro autem infirma** (2).

Cuius caro? nempe hominis. Et cuius hominis? illius, credo, qui redarguitur, quod quae dei sunt sapere non norit (3), qui etiam nunc voluntatis suae pudibundus condemnator adiecit: **Non sicut ego, sed sicut tu vis** (4).

Quis es tamen qui dicis, Ego? Ille qui non sapis quae dei sunt, sed quae hominum: qua (a) ostendis te aliud velle, quam deus (5). Cum enim dicis "**non sicut ego volo, sed sicut tu vis**" (6), quis non intellegit, eum te esse, cuius voluntas per infirmitatem naturae cum divinitatis voluntate non congruit?

Denique te ille pati vult propter resurrectionem: tu propter sensum amarae mortis refugis passionem.

---

125. (1) Mt 16,23
    (2) Mt 26,39
    (3) Mt 16,23

126. (1) Mt 26,39
    (2) Mt 26,41
    (3) cf. Mt 16,23
    (4) Mt 26,39
    (5) Mt 16,23
    (6) Mt 26,39
    (a) qua] quia? [G. Mercati]

125. Wahrlich, es ist nicht notwendig, den Sinn, den der Herr ausdrücken will, außerhalb seiner Worte selbst zu erforschen. Er selbst legt in seinen Worten an Petrus dar, wer jetzt schwach wird im Herrn. Er sagt zum Apostel: "Ein Ärgernis bist du mir; denn du hast nicht das im Sinn, was Gott will, sondern was die Menschen wollen".

Das Gebet also: "Vater, wenn es möglich ist, nimm diesen Kelch von mir", das empfindet kein anderer als der vom Herrn angenommene Mensch. "Du hast nicht das im Sinn", so sagt er, "was Gottes ist, sondern was die Menschen wollen". Siehe, auch der Herr hat jetzt im Sinn, was die Menschen wollen, damit man nicht glaube, er sei nur Gott und nicht auch Mensch. Daß er Mensch sei, dessen überführt ihn ja auch sein Empfinden, das dem Leiden entgehen wollte.

126. Indessen hat er auch Gott Vater nicht verheimlicht, wer da die Bitte stellte, der Kelch möge vorübergehen; denn er fügte hinzu: "Aber nicht wie ich will, sondern wie du willst".

Wenn Vater und Sohn **einen Willen** haben wie auch **eine Natur**, woher kommt dann dieses verschiedene Wollen?

Ich glaube, er hat selbst gefühlt, woher das kam; denn er sagte: "Der Geist ist willig, aber das Fleisch ist schwach". Wessen Fleisch wohl? Das des Menschen natürlich. Und was für eines Menschen? Jenes Menschen, so glaube ich, der beschuldigt wird, daß er sich nicht darauf versteht im Sinn zu haben, was Gott will, und der auch jetzt, weil er sich seines Wollens schämt und es anklagt, hinzufügt: "Aber nicht wie ich will, sondern wie du willst".

Wer bist du also, der du 'Ich' sagst? Wer bist du, der du nicht im Sinn hast, was Gott will, sondern was die Menschen wollen, wodurch du zeigst, daß du etwas anderes willst als Gott? Wenn du nämlich sagst: "Nicht wie ich will, sondern wie du willst", wer erkennt da nicht, daß du der bist, dessen Wille aufgrund der Schwachheit der Natur mit dem göttlichen Willen nicht übereinstimmt?

Schließlich will er dein Leiden um der Auferstehung willen, du fliehst vor dem Leiden im Wissen um den bitteren Tod.

127. Quid ad haec, Manichaee? fidemne tibi non facit totiens per passionis metum deprecatio expressa, quod homo est, quod in similitudinem peccati carnis advenit? Ter non credis confitenti, quod semel etiam credere deberes; ille totiens se tibi vult adprobare quod tuus est, et tu in sua non vis suscipere venientem (1). Sed non putas sua: alterum facturae suae commentaris auctorem.

Et ideo dicitur tibi: Ego veni in nomine patris mei, et non suscepistis me; alius veniet in nomine suo, illum suscipietis (2). Quis ille sit ostenditur per Iohannem superius sententia proleta: Qui Christum non credit in carne venisse, hic antichristus est (3).

En cui sociaris, dum non vis te domini esse facturam, qui dicit cum de populo suo quasi de ovium grege loqueretur: Ego novi meas, et noverunt me meae (4): ac perinde recognoscere eos dignabitur, ut promisit, qui se eius esse noverant (5).

Quod si non timuisset, non trepidasset, non etiam sic orasset (6), quis crederet illum habuisse carnem, cum per haec, quae similitudo peccati carnis sunt, hodie illum, Manichaee, carnem habuisse non credas?

128. Pater, si fieri potest, transfer a me calicem hunc: sed non sicut ego volo, sed sicut tu vis (1).

Audio plane et hominem orantem, et carnem trepidantem. Nam cum dicit "non sicut volo" (2), hominem se fatetur; non enim est dei infirmo cedere, sed hominis est deo cedere, cui dicit "sed sicut tu vis" (3), qui utique vis meliora quam sapio. Deinde cum dicit "caro infirma" (4), caro ergo est, cuius in homine oratio; in quibus pavoribus, titubationibus, sollicitudinibus meum hominem, meos gestat affectus, me quandoque simili passionis necessitate non aliter anhelaturum, dum implet, excusat: et etiam negatio <ni > Petri beati hac domini videatur praecedenti de trepidatione defensa a multis quaesita, nec mirandum sit, si ad horam per metum discipulus peccat in homine, cum ipse magister sub passionis tempore transferri a se calicem non semel optarit (5).

---

127. (1) cf. Jo 1,11
    (2) Jo 5,43
    (3) 1 Jo 4,3; cf. 1 Jo 2,22
    (4) Jo 10,14
    (5) cf. Jo 10,14
    (6) cf. Mt 26,37 par

128. (1) Mt 26,39
    (2) Mt 26,39
    (3) Mt 26,39
    (4) Mt 26,41
    (5) cf. Mt 26,39.42

127. Was sagst du dazu, Manichäer? Bewirkt bei dir das aus Furcht vor dem Leiden so oft herausgepreßte Flehen nicht den Glauben daran, daß er Mensch ist, und daß er in der Gestalt des sündigen Fleisches zu uns kam? Du glaubst nicht, wenn er es dreimal bekennt, wo du doch bei einem Mal schon glauben müßtest.

Er will dir sooft beweisen, daß er zu dir gehört, und du willst ihn nicht aufnehmen, wenn er in sein Eigentum kommt. Aber du meinst, es sei nicht sein Eigentum; du betrachtest einen anderen als Urheber seiner Schöpfung.

Und darum ergeht das Wort an dich: "Im Namen meines Vaters bin ich gekommen und doch lehnt ihr mich ab; wenn ein anderer in seinem eigenen Namen kommt, den werdet ihr annehmen". Wer das ist, wird von Johannes weiter oben gesagt mit dem Satz: "Jeder, der nicht bekennt, daß Christus im Fleische gekommen ist, ist ein Antichrist".

Sieh, mit wem du in Gemeinschaft trittst, wenn du nicht die Schöpfung des Herrn sein willst, der sagte, als er von seinem Volke als einer Schafherde sprach: "Ich kenne die meinen, und die meinen kennen mich".

Und daher wird er, wie er verheißen hat, geruhen, jene als Eigentum wiederzuerkennen, die wußten, daß sie sein sind. Wenn er aber keine Angst gehabt hätte, nicht gezittert und nicht solchermaßen gebetet hätte, wer würde dann von ihm glauben, er habe Fleisch gehabt, wo du doch, Manichäer, heute nicht durch all das, was die Gestalt des sündigen Fleisches ausmacht, zum Glauben kommst?

128. "Vater, wenn es möglich ist, nimm diesen Kelch von mir, aber nicht wie ich will, sondern wie du willst". Deutlich höre ich den Menschen beten wie auch das Fleisch in Furcht und Zittern. Denn wenn er sagt: "Nicht wie ich will", bekennt er sich als Menschen. Es ist nämlich nicht Gottes Art, der Schwachheit nachzugeben, sondern des Menschen, Gott nachzugeben, zu dem er sagt: "sondern wie du willst", der du gewiß besseres willst als ich im Sinn habe. Wenn er darauf sagt: "Das Fleisch ist schwach", ist es also das Fleisch, das im Menschen das Gebet formt. Mit all diesen Ängsten, Unsicherheiten, Sorgen trägt er mein Menschsein, meine Gefühlsäußerungen. Wenn er das alles vollbringt, entschuldigt er mich, der ich irgendwann einmal in ähnlicher Bedrängnis genauso stöhnen werde.

So scheint sogar die Verleugnung des hl. Petrus durch das vorausgehende Schwankendwerden des Herrn verteidigt zu sein, was für viele eine Frage war. Man braucht sich auch nicht zu wundern, daß aus Furcht der Jünger zeitweilig als Mensch in die Sünde fällt, wenn selbst der Meister zur Zeit des Leidens nicht nur einmal gefleht hat, daß der Kelch von ihm genommen werde.

XVII.   129. Haec de oratione dominica Manichaeis: verum de eadem oratione peculiarius nobis ista quae sequuntur. Cunctus licet motus dominus susceperit animorum, et in omnes flexus nostri sensus non alienum incurrat, tamen ad formandos nos non solum divinitas laborat in Christo, verum etiam communis et nostra mortalitas;

ut si caelestem naturam sequi arduum quis putaret, vel in suo homine dum agnoscit instruere <t> (a), et qui superiorem illam substantiam recusaret imitari, hic erubesceret, si non te-< ne> - retur implere vel suam. Et ideo dominus: **Iugum meum suave est, et sarcina mea levis est** (1).

Quam ad sufferendum blandius natura suscepti hominis temperavit, quae legem nobis in se constituens id praecepit sufferri, quod sustulit in ipsa qui praecepit.

130. Sed iam orationis ipsius verba ponam.

Pater, si fieri potest, transfer a me calicem hunc: verum non sicut ego volo, sed sicut tu vis (1).

O preces mirandas, et non inmerito ter intergestas! o hominem, et suae naturae non nescium, ne dei voluntatis oblitum! o infirmitatem in timore supplicem, et in supplicatione consultam! Novo enim genere passionem recusat et recipit, refundit et retinet; et transferri non patitur, quam transferri, ne pateretur, optavit.

131. **Pater, si fieri potest, transfer a me calicem hunc: verum non sicut ego volo, sed sicut tu vis** (1).

Docemur in summis discriminibus quid oremus: quoniam **quid oremus, sicut oportet, nescimus: sed ipse spiritus postulat gemitibus inenarrabilibus** (2).

Quis spiritus ille? sine dubio qui hanc ipsam orationem usque ad sudorem sanguinis, ut Lucas tradidit, gemebat in Christo (3); quae enim a magistro vitae acta sunt ut gerantur, exemplum divinum est, etsi actus secundum tempus videtur humanus.

---

129.   (1) Mt 11,30
      (a) instruere ◁ >]instrueretur, **corr.** B. Fischer

130.   (1) Mt 26,39

131.   (1) Mt 26,39
      (2) Rm 8,26
      (3) cf. Lc 22,44

XVII. 129. Soviel für die Manichäer über das Gebet des Herrn. Aber von dem gleichen Gebet gilt besonders für uns das, was folgt.

Auch wenn der Herr sämtliche Seelenregungen angenommen hat und alle Formen unseres Denkens genau kannte, so wirkt dennoch, um uns zu gestalten, nicht nur die Gottheit in Christus, sondern auch die mit uns gemeinsame sterbliche Natur.

Wer also trotzdem meint, es sei hart, der himmlischen Natur zu folgen oder sich selbst seiner Erkenntnis gemäß das beizubringen, und sich gar noch weigern sollte, das höhere Wesen in Nachahmung anzunehmen, der sollte sich schämen müssen. Und darum sagt der Herr: "Mein Joch ist sanft und meine Last ist leicht". Weil der Herr die Natur des Menschen angenommen hat, hat er die Schwere der Last so angenehm gemildert. In sich hat er uns ein Gesetz gegeben, in dem er befohlen hat, das zu ertragen, was er in der Natur selbst ertrug, in der er ja den Befehl gab.

130. Noch einmal will ich die Worte seines Gebetes vortragen! "Vater, wenn es möglich ist, nimm diesen Kelch von mir; aber nicht wie ich will, sondern wie du willst".

Eine wunderbare Bitte, mit Recht dreimal vorgetragen! Ein Mensch, der um seine Natur weiß und Gottes Willen nicht vergißt.

Eine Schwachheit, die in Ehrfurcht um Hilfe fleht und ihre Bitte mit Bedacht ausspricht!

In neuer Art und Weise weist er das Leiden zurück und nimmt es an, schüttelt es ab und behält es. Schließlich duldet er nicht, daß vorübergehe, was seinem Wunsch gemäß vorübergehen sollte, damit er es nicht erleiden müsse.

131. "Vater, wenn es möglich ist, nimm diesen Kelch von mir; aber nicht wie ich will, sondern wie du willst". So werden wir belehrt, was wir in der größten Not beten sollen; "denn wir wissen nicht, wofür wir in rechter Weise beten sollen; jedoch der Geist selber tritt für uns ein mit unaussprechlichem Seufzen".

Welcher Geist ist das? Ohne Zweifel ist es jener Geist, der – wie Lukas überliefert – in Christus dieses Gebet voll Qual bis zum Blutschweiß zum Ausdruck brachte. Was nämlich der Lehrer des Lebens getan hat, damit es so vollzogen werde, das ist ein göttliches Beispiel, auch wenn das Tun selbst zeitweilig menschlich zu sein scheint.

132. Pater, si fieri potest, transfer a me calicum hunc: verum non sicut ego volo, sed sicut tu vis (1).

Cerne, oro te, diligentius, ut hominem nostrum dominus deo patri, dum excusat, ingerat, dum subducit, et reducat; quem ubi usque ad postulationem transferendi calicis relaxavit; ibi eum tamen in patria voluntate frenavit (2), sicque humanae legationis adsertor fuit, ut divini esset famulus sacramenti. Denique illius tantum voluntatem prodidit, istius fecit: ut manifestum sit, non illum propterea ad tempus subcubuisse formidini, ut nos licito trepidaremus, sed ne ultra licitum per timorem – quoniam sine timore esse non possumus – exiremus.

133. Nam subdit: **Non sicut ego volo, sed sicut tu vis** (1). Principium infirmitas inchoavit, clausulam obsecundatio terminavit: illic recusat imposita, hic suscipit quae recusat: pati abnuit, oboedire non abnuit: formidinem non suscipit ut exerceat, sed ut circumcidat exercet, nec ut in ipso succumberet caro nostra formidini, sed ut per ipsum nobis carnis formido succumberet.

134. Pater, si fieri potest, transfer a me calicem hunc; verum non sicut ego volo, sed sicut tu vis (1).

Passionem timere fas est, sed vitare non fas est: possumus translationem calicis postulare, sed a patris voluntate declinare non possumus (2). infirmitatis quidem nostrae illi deponenda testatio est, sed decreti illius nobis non fugienda perfectio est.

Sic passione non solvimur, sed ligamur, cum intra cancellos divinae voluntatis inclusis non est liberum sperare, quod fuit liberum supplicare.

135. Pater, si fieri potest, transfer a me calicem hunc; verum non sicut ego volo, sed sicut tu vis (1).

En forma precis humanae, en pavoris nostri circumcisio sacrosancta, divinitus rerum probata mensura, ac vere brevians verbum, quod per unam paene sententiam naturam mortalem divinamque libravit.

---

132. (1) Mt 26,39
      (2) cf. Mt 26,39

133. (1) Mt 26,39

134. (1) Mt 26,39
      (2) cf. Mt 26,39

135. (1) Mt 26,39

132. "Vater, wenn es möglich ist, nimm diesen Kelch von mir; aber nicht wie ich will, sondern wie du willst". Betrachte, ich bitte dich, ganz genau, wie der Herr unsere Menschennatur Gott dem Vater zuführt, während er sie gleichzeitig rechtfertigt, und sie zurückführt, indem er sie seinem Zugriff zu entziehen sucht. Wo er dem Menschen soweit nachgegeben hat, daß er die Bitte aussprach, der Kelch möge vorübergehen, dort hat er ihm dennoch durch den Willen des Vaters Zügel angelegt; und so hat er als Gesandter den Anspruch der Menschen vertreten, um dadurch der Heilstat Gottes zu dienen. Den menschlichen Willen hat er schließlich nur zum Ausdruck gebracht, den göttlichen aber erfüllt. Es sollte uns klar werden, daß er nicht deswegen zeitweilig der Furcht unterlag, damit wir das Recht hätten in Angst zu sein, sondern damit wir nicht durch die Angst – ohne Angst können wir ja nicht sein – über das erlaubte Maß hinausgehen.

133. Er fügt hinzu: "Nicht wie ich will, sondern wie du willst". In Schwachheit hat er angefangen, im Gehorsam hat er das Gebet beendet. Zuerst weist er das ihm Auferlegte zurück, dann nimmt er auf sich, was er zurückgewiesen hatte. Das Leiden hat er abgelehnt, den Gehorsam hat er nicht abgelehnt. Er hat die Angst nicht auf sich genommen, um Angst zu haben, sondern er hat Angst, um sie ihrer Furchtbarkeit zu berauben. In ihm sollte auch unser Fleisch nicht der Furcht unterliegen, sondern durch ihn sollte die Angst des Fleisches uns unterliegen.

134. "Vater, wenn es möglich ist, nimm diesen Kelch von mir; aber nicht wie ich will, sondern wie du willst". Es ist recht, sich vor dem Leiden zu fürchten, aber ihm auszuweichen ist nicht in der Ordnung. Wir können um den Vorübergang des Kelches bitten, aber vom Willen des Vaters abweichen können wir nicht. Wir dürfen ihm freilich unsere Schwachheit bezeugen, aber wir dürfen nicht davor fliehen, seinen Beschluß vollkommen auszuführen.

So macht uns das Leiden nicht unbeschränkt, sondern bindet uns; denn wenn wir in den Schranken des Willens Gottes eingeschlossen sind, steht es uns nicht mehr frei, das zu erhoffen, was zu erbitten uns frei stand.

135. "Vater, wenn es möglich ist, nimm diesen Kelch von mir; aber nicht wie ich will, sondern wie du willst". Da hast du die Form einer menschlichen Bitte; so wird unsere Angst von Gott in Besitz genommen. Da hast du den von Gott anerkannten Maßstab für alles; wahrlich ein kurzes und bündiges Wort, das in fast nur einem Satz den Bogen schlägt von der menschlichen zur göttlichen Natur.

136. **Pater, si fieri potest, transfer a me calicem hunc.** (1) Et addendo **"verum non sicut ego volo, sed sicut tu vis"** (2) quis oret ostendit, dum quem oret agnoscit.

Ex se infirmatur, sed convalescit ex deo: voluntatem prodere non erubescit humanam, sed voluntatem dei docet esse faciendam: suam promit, ut deserat, divinam advocat, ut sequatur: illam, dum conmendat, extenuat, hanc, dum orat, adsumit. Nam quod volebat omittit, et sequitur quod nolebat, ut nostra infirmitas dei fierit fortitudo, quantumque trepidantes subiremur (a), tantum, ne ultra voluntatem ipsius trepidatio procederet, muniremur: velle de deo existeret, quoniam de nobis nihil potest alius esse quam nolle.

Sic inter infirmitatem supplicantis et spondentis adsensum, inter formidinem morituri et oboedientiam suscitandi, deo omnipotenti gloria plena servatur: ne aut per metum diffugiat, aut per rapinam sibi promittat humanitas, quod habet repositum in sua voluntate divinitas.

XVIII.   137. Latius evagatus sum, dum delector ad vivum, si dici potest, enucleatos sensus inter ‹nos › (a) dominicae orationis expromere; quibus intellegeres infirmitatem nostram in supplicatione liberam, et libertatem regalem, et hoc esse, quod apostolus, in quo Christus loquebatur (1), dixit: **Omnia licent, sed non omnia expediunt** (2).

Quid licuerit proditum est, quid expedierit non est celatum: licentiam verba testata sunt, utilitatem opera signarunt: illud dictum est, istud vero, ne libertas in occasionem carnis daretur, impletum.

138. Nunc, quod ad mensuram propositi vel promissi restat, addendum, passioque dominica proferenda, quae similitudinem peccati carnis verius manifestiusque possit adprobare; qua vel sola proditur dominus et tenetur,

---

136.   (1) Mt 26,39
        (2) Mt 26,39
        (a) subiremur] subiremus [G. Mercati]

137.   (1) cf. 2 Cor 13,3
        (2) 1 Cor 6,12; 10,23
        (a) inter< nos >] inter< im> [G.Mercati]

136. "Vater, wenn es möglich ist, nimm diesen Kelch von mir". Und weil er hinzufügt: "Aber nicht wie ich will, sondern wie du willst", zeigt er, wer da betet, weil er erkennt, zu wem er betet.

Aus sich ist er schwach, aber aus Gott gewinnt er Kraft. Er scheut sich nicht, den menschlichen Willen kundzutun, aber er lehrt, den Willen Gottes zu erfüllen. Seinen eigenen Willen bringt er vor, um davon abzulassen, Gottes Willen ruft er zu Hilfe, um ihm zu folgen.

Seinem Willen nimmt er die Kraft, während er ihn Gott anvertraut; den Willen Gottes nimmt er an, während er betet. Denn was er wollte, läßt er beiseite, und folgt dem, was er nicht wollte, damit unsere Schwachheit zur Kraft Gottes werde. Wir sollten in dem Maße, wie wir der Angst unterliegen, von ihm gestärkt werden, damit die Angst nicht das von ihm gewollte Maß überschreite. Das Wollen sollte von Gott kommen, weil von uns ja nichts anderes kommen kann als das Nichtwollen.

So wird bei der Schwachheit des Bittenden und der Zustimmung des sich Entschließenden, bei der Angst dessen, der sterben, und dem Gehorsam dessen, der auferweckt wird, Gott die Ehre voll gewahrt. Was Gottes Willen in sich schließt, davor soll der Mensch nicht aus Furcht fliehen, oder sich selbst etwas davon zu eigen anrechnen.

XVIII.   **137.** Ziemlich weit bin ich abgeschweift, insofern als ich sozusagen lebendige Freude daran hatte, ganz genau den Sinn des Herrengebetes bei unserer Untersuchung zu erklären. Daraus sollst du erkennen, daß wir in unserer Schwachheit Freiheit haben zum Bitten, und zwar königliche Freiheit. Genau das meinte auch der Apostel, – in dem Christus sprach –, wenn er sagte: "Alles ist erlaubt, aber nicht alles nützt". Was erlaubt ist, haben wir genannt, was zum Nutzen gereicht, nicht verheimlicht. Die Vorrechte haben die Worte bezeugt; was nützt, haben die Taten bezeichnet. Das eine wurde gesagt, das andere erfüllt, damit die Freiheit nicht zum Vorwand für das Fleisch diene.

138. Jetzt muß ich das behandeln, was noch aussteht von dem, was ich mir alles vorgenommen bzw. dir versprochen habe. Vom Leiden des Herrn ist nun zu reden, das die Gestalt des sündigen Fleisches eindeutiger und deutlicher beweisen kann. Nur in dieser Gestalt wird der Herr ausgeliefert und gefangengenommen.

139. et ille qui a patre petere poterat duodecim milia legiones ange-
lorum (1), tamquam ovis ad victimam tacens ducitur (2), ut pro suis,
non in <suo>, nocens putaretur, qui in eo rationem qua se defen-
deret invenisset.

Dein Barraban dimisso pro latrone damnatur; quod et si mystice ge-
stum est – **vix enim pro iusto quis moritur** (3), et passione domini
iam tum in Barraban mortalium crimina donabantur – tamen quis non
videt peccati carnis similitudinem confirmatam (4), cum constet absolu-
tum praestare damnato?

140. Sed nec crux, praeter ipsam scaenae poenalis effigiem, extra
similitudinem peccati carnis fuit, cum inter duos latrones ille medius
figeretur (1), in quo nullam causam mortis etiam Pilatus se invenisse
profitetur, quam suscribat in crucem (2).

Poterat ne certe semotus ab aliis funestae illi subiacere sententiae;
sed ut illis similis, cum quibus extrema subierat, haberetur, dam-
nationisque iustitia de damnatorum collegio penderetur (a), quibus
coniunctus esset et poena. Quod futurum ante innumeros annos propheta cantaverat hoc versu: **In medio duorum animalium cognosceris**
(3).

141. Cognitus plana est (a), non solum fuga solis, dei morte (b),
concussione terrarum, verum etiam ab ipsis qui haec inmania per-
petrabant, quando non latroni alicui sed domino inludentes expro-
brant: **Alios salvos fecit, seipsum salvum faciat, descendat de cruce,
et credimus ei** (1).

---

139. (1) cf. Mt 26,53
     (2) cf. Is 53,7
     (3) Rm 5,7
     (4) cf. Rm 8,3

140. (1) cf. Jo 19,18
     (2) cf. Lc 23,22
     (3) Hab 3,2
     (a) penderetur] panderetur, **propusuerat** G. Morin, in: ETD I,503

141. (1) Mt 27,42
     (a) cognitus plana est] cognitus plane est, **propusuerat** G. Mo-
         rin, in: ETD I, 503
     (b) dei morte] de <e>i <us> morte [G. Mercati]

139. Jener, der vom Vater zwölftausend Legionen Engel erbitten konnte, wird wie ein stummes Lamm zur Schlachtbank geführt. So sollte er um der Seinen willen, nicht seinetwegen, als schuldig erachtet werden; genau darin hätte er ja einen Grund finden können, um sich zu verteidigen.

Darauf wird er nach Freilassung des Räubers Barrabas an seiner statt verurteilt. Wenn das auch einen tieferen Sinn hat - "denn schwerlich wird einer für einen Gerechten sterben", und durch das Leiden des Herrn wurden schon damals in Barrabas die Vergehen der Menschen vergeben- wer erkennt trotzdem nicht, daß so die Gestalt des sündigen Fleisches erwiesen wurde? Es steht ja fest, daß ein Freigesprochener höher steht als ein Verurteilter.

140. Aber auch das Kreuz, ganz abgesehen von dem Schauspiel des Strafvollzugs, war nicht ohne Beziehung zur Gestalt des sündigen Fleisches gewesen. Er wurde ja mitten zwischen zwei Räubern gekreuzigt; und das, obwohl sogar Pilatus nach seinem eigenen Bekenntnis keine Todesschuld an ihm entdecken konnte, die er auf das Kreuz hätte schreiben können.

Freilich konnte er nicht einmal getrennt von den anderen das Todesurteil auf sich nehmen; vielmehr sollte er denen gleichgeachtet werden, mit denen er den Tod erlitt. Die Gerechtigkeit seiner Verurteilung sollte beruhen auf der Gemeinschaft der Verurteilten, die ja auch die Strafe gemeinsam erlitten. Dies hatte bereits vor vielen Jahren der Prophet vorausschauend besungen mit dem Vers: "Du wirst erkannt werden inmitten der zwei Lebewesen".

141. Sicherlich wurde er erkannt, und zwar nicht nur von der Sonne, weil sie sich bei seinem Tode zur Flucht wandte; von der Erde, weil sie bebte; sondern auch genau von denen wurde er erkannt, die etwas so Ungeheuerliches taten, daß sie nicht irgendeinen Räuber, sondern den Herrn selbst verspotteten und beschimpften. Und das taten sie mit den Worten: "Anderen hat er geholfen, sich selbst kann er nicht helfen. Er soll vom Kreuz herabsteigen, dann werden wir an ihn glauben".

142. O miseri (1)! minus quam operatus est expetitis: vos dicitis ut de cruce descendat (2), ille de inferis ad caelos hominem relaturus ascendit (3): vos flagitatis ut trabales clavos quibus pendet evellat, ille mortis vincula quibus omnis mortalitas alligabatur abrupit:

vos denique vultis ut virtutem vivus exerceat, ille, quod nulli praeter ipsum fas fuit, mortuus resurrectionem quam vivi mirentur exercuit.

Et vel illud quidem ex eo flagitatis, quia suspicamini a domino fieri posse quod poscitis;

143. sed virtutem deitatis facit nobis (a) peccati carnis similitudo despectam, caelestisque apud vos operationis gloria in passibili forma naturaque vilescit. Unde quibus argumentis Manichaeorum sanare conatur errorem, his vestram caecitatem in lapidem offensionis inpingit.

Et quidem et vos ipsi non solum nonnulla, verum etiam magna congeritis, quae nobis in domino similitudinem peccati carnis adsignent. Nam extra illa praetorianae cohortis indigna ludibria, quae praesentem contumeliam divinis praefigurationibus sublevarunt, nec hic absque mysterio nostrae salutis errasti, cum dominum in cruce aceto et felle propinares. Tu enim haec, ut in ipso cunctos sensus consuleres humanos, sacrilegus exerces; et tamen nobis peccati carnis similitudinem per huiusmodi temptamenta commendas, dum et dolorem corporis per crucem, et sensum sitis per poculum fellis exploras. Quae ubi fidem tibi mortalis fecere naturae, caelestium in eum oblite virtutum, deum ilico denegasti.

144. En quod propheta ait: **Et homo est, et quis cognoscit eum** (1)? O dictum mirabile, et vere nostro ingenio sapientiaeque non simile!

Et homo est: utique quoniam et deus est. Quis vero agnoscit eum (2)? vel quod homo est, dum divinis virtutibus obrutescunt, vel quod deus est, dum humanis passionibus obcaecantur; videlicet quoniam iuxta animalem sensum aut divina facere non potuerit inludendus, aut mori non debuerat adorandus.

----

142. (1) cf. Rm 7,24
     (2) cf. Mt 27,40
     (3) cf. Jo 3,13

143. (a) facit nobis] facit vobis [G. Mercati]

144. (1) Jr 17,9
     (2) cf. Jr 17,9

142. O ihr Elenden! Ihr erbittet weniger, als er vollbracht hat. Ihr sagt, er solle vom Kreuz herabsteigen; er jedoch steigt aus der Unterwelt zum Himmel auf, um den Menschen dorthin zu bringen. Ihr fordert, er solle die Balkennägel, an denen er hängt, herausreißen; er jedoch zerreißt die Fesseln des Todes, mit denen alle Menschen gebunden waren. Ihr wollt schließlich, daß er als Lebender seine Macht ausübt; er aber hat als Toter die Auferstehung bewirkt, was sonst keiner vermochte und worüber die Lebenden staunen. Und ihr fordert dies wohl von ihm, weil ihr befürchtet, der Herr könne tatsächlich vollbringen, was ihr da fordert.

143. Die Gestalt des sündigen Fleisches macht uns freilich die Macht Gottes verächtlich; und die Herrlichkeit des Wirkens Gottes wird bei euch zu etwas ganz Alltäglichem und Vergänglichem ob der leidensfähigen Gestalt und Natur. Darum stößt er eben mit den Beweisen, mit denen er den Irrtum der Manichäer zu heilen sucht, euch Blinde an den Stein des Anstoßes.

Und dabei bringt auch ihr nicht nur einiges, sondern sogar viel zusammen, was für uns im Herrn die Gestalt des sündigen Fleisches bestätigt. Denn außer den schmählichen Verspottungen der prätorianischen Kohorte, welche die Schmach im Augenblick erträglich machten, weil sie von Gott her Vorbedeutung trugen, hast du auch da nicht ohne tieferen Sinn für unser Heil geirrt, als du dem Herrn am Kreuz Galle und Essig zu trinken gabst. Du tust das nämlich aus Gottlosigkeit, um in ihm das gesamte menschliche Empfinden zu erproben. Dennoch bestätigst du uns dabei durch solche Versuche die Gestalt des sündigen Fleisches, indem du nämlich das körperliche Schmerzempfinden durch das Kreuz und das Durstgefühl durch den Becher mit Galle prüfst. Da dir das den Glauben erweckte an seine menschliche Natur, hast du im selben Augenblick Gott verleugnet, weil du die Gotteskraft in ihm nicht beachtet hast.

144. Sieh, was der Prophet sagt: "Er ist ein Mensch, und wer erkennt ihn"? O wunderbares Wort, das unserer Einsicht und Weisheit so gar nicht entspricht.

Er ist Mensch, – ja freilich, weil er auch Gott ist. Wer aber erkennt ihn?

Seine Menschheit wird nämlich von göttlicher Wunderkraft verdeckt, während seine Gottheit durch die menschlichen Leidenschaften verdunkelt wird. Freilich empfinden wir Menschen in unserem Lebensgefühl nun mal so, daß in unseren Augen einer, der der Verspottung ausgesetzt war, nichts Göttliches wirken konnte bzw. einer, dem Anbetung zukam, nicht sterben durfte.

145. Iam quid de illa voce dicam, qua in ipsa cruce silentibus latronibus solus dominus mortis dolore conpunctus exclamat (1). Numquidnam non parem cruciatum sentiunt et latrones? Sed haec ob peccati
carnis similitudinem (2) probamenta poscuntur, de quo etiamne homo
sit ambigitur. Verum ad adtestandum dolorem suffecerat eiulasse: quid
etiam est, quod a deo suo se desertum esse conqueritur (3)? Credo,
ut quis moriatur appareat: non enim deitas potuit deserere deitatem,
quae dividi a semetipsa separarique non metuit, quae etiam mortalita-
tem, si illi commisceatur, extergat.

146. Sed ille homo noster, quid credere debeamus, etiam inter ipsa
tormenta nos instruit, dum sibi dolet.

Inmixtus siquidem iam in deo puerperio (a) Mariae, cum salvatore
salvandus, nisi ad hanc horam desereretur (1), mortem gustare non
posset (2); et ideo cum extremum cogitur sentire, iam solus est;
cumque fatetur, nobis cavet, ne cum homine, quod nefas dictu est,
mortuum credamus et deum, et tunc vere minorem filium sentiamus, si
inveniamus passionibus subiacentem; cuius naturam homo noster in
cruce adserit, dum requirit quem ad passionem defendat, dum increpat
quod in passione non secum sit;

147. deitatique inpassibilitatem adscribendo, sibi peccati carnis similitudinem reservavit, et exclamavit pendens (1), non ut crederemus
illum dolere, quando aliud nec de tacente putaretur, sed ut solum
dolere crederemus; et hoc esse illud: **Potestatem habeo ponendi animam
meam, et potestatem habeo resumendi eam** (2). Positam morientis non
tacuit suprema confessio; resumptam virtus per resurrectionem adsumen-
tis adstruxit.

---

145. (1) cf. Mt 27,46; Mc 15,34
(2) cf. Rm 8,3
(3) cf. Mt 27,46; Mc 15,34

146. (1) cf. Mt 27,46; Mc 15,34
(2) cf. Hbr 2,9
(a) in deo puerperio] inde a puerperio [G. Mercati]

147. (1) cf. Mt 27,46; Mc 15,34
(2) Jo 10,18

145. Was soll ich aber von dem Schrei sagen, den nur der Herr am Kreuze, von Todesqual erfaßt, ausstieß, während die Räuber schwiegen. Empfinden sie denn etwa nicht die gleiche Qual? Aber das erfordert der Beweis für die Gestalt des sündigen Fleisches; man zweifelt ja sogar daran, daß er Mensch ist. Freilich, um den Schmerz zu bezeugen, hätte es genügt, laut zu schreien. Was bedeutet es aber, daß er klagt, er sei von seinem Gott verlassen? Ich glaube, das geschah, damit offenbar werde, wer da stirbt. Die Gottheit konnte nämlich nicht die Gottheit verlassen, welche nicht zu fürchten brauchte, von sich selbst geteilt oder getrennt zu werden, ja welche auch die Menschheit auslöschen würde, wenn sie mit ihr vermischt wäre.

146. Er hat uns daher, da er doch einer von uns ist, auch während seiner Qualen gelehrt, was wir glauben müssen, während er selbst Schmerzen leidet.

Schon bei der Niederkunft Mariens war er mit der Gottheit verbunden und zwar als Erlösungsbedürftiger mit dem Erlöser. Wenn er nicht in dieser Stunde von Gott verlassen worden wäre, hätte er den Tod nicht kosten können. Und darum ist er da bestimmt allein, wo er gezwungen ist, den Tod zu kosten.

Und da er das bekennt, trägt er für uns Sorge, damit wir nicht das Unmögliche glauben, mit dem Menschen sei auch Gott gestorben, und dann wirklich meinen, der Sohn sei geringer als der Vater, wenn wir entdecken, daß er sich dem Leiden unterwirft. Seine göttliche Natur hat sich doch unser Mensch am Kreuz zugeeignet. Das sehen wir daran, daß er fragt, wen er beim Leiden verteidigen könne und da er klagt, daß er im Leiden verlassen sei.

147. Wenn er der Gottheit Leidensunfähigkeit zuschreibt, dann hat er sich selbst die Gestalt des sündigen Fleisches vorbehalten. Er hat am Kreuz geschrieen, nicht damit wir glauben sollten, er leide Schmerzen, - das hätten wir ja auch nicht gemeint, wenn er geschwiegen hätte -, sondern damit wir glauben sollten, er sei allein in seinen Schmerzen. Und das ist ja auch gemeint, wenn er sagt: "Ich habe Macht, mein Leben hinzugeben, und ich habe Macht, es wieder an mich zu nehmen". Daß er es im Tode dahingab, hat sein letztes Bekenntnis offenbar gemacht; daß er es wieder an sich nahm, hat er in seiner Auferstehung erwiesen.

XIX.   148. Portat in cruce peccati carnis similitudinem, in qua non
sua configit peccata, sed nostra: quae ex carne suscepit, non quae
cum carne commisit (1). Sed qui non suo merito, sed propria tamen
susceptae carnis infirmitate dolet, et gemiscit, et clamat (2), quomodo
non similis peccatoribus haberetur? Replica breviter totam quam
loquuti sumus historiam passionis, per quam anima eius inlusionibus,
ut psalmista praedixit, oppleta est (3). Quid actum est...

XX.   149. ...suscitans, facies aegris innovans, studiosis medicamenta
concilians. Iam quis ille labor, cum alios adtollere se nitentes fortior
fide quam sanguine tuis umeris adlevares; hos ad priora transferendos
sinu proprio velut molliore cubili gestares, ingratam sanitatem pu-
tans, quae per officia pietatis non fierit aliena infirmitate gloriosa.
Tu item sub nocte cibos fessis ieiuna portabas; tu lectulorum stramen-
ta manu tua terrae ipsa incubatura mollibas, tu non dormientibus
somnos in oratione pervigil adducebas; atque ita sola omnibus sump-
tum dominae, affectum matris, sedulitatem famulae, observantiam
medicae, visitationem ecclesiae circumferebas. Haec in commune omnibus;

150. ethnicis vero et istis barbaris vestris non minus mente quam
lingua, qui mortem putant idola non videre, illa peculiariter exhibe-
bas: sermone blando, et suo unicuique, dei nostri insinuare notitiam,
et lingua barbara hebraicam adserere doctrinam, dictura cum apostolo: **Bene quod omnium vestrum lingua loquor** (1);

ostendere idolum deum non esse, deum verum non in ara esse lucorum,
sed in mente sanctorum; atque ita, si vellent salvari, crederent salva-
tori; statimque volentibus et iam optantibus clericorum officia procu-
rare; ac tunc vere a latronibus vulneratos vino oleoque curare (2),
cantatura in dilatatione tribulationis tuae (3): **A tempore frumenti
vini et olei sui multiplicati sunt** (4).

---

148.   (1) cf. Rm 8,3
        (2) cf. Mt 26,37; 27,46; Mc 7,34; 8,12; 14,33; 15,34
        (3) cf. Ps 37,8

150.   (1) 1 Cor 14,18
        (2) cf. Lc 10,30.34
        (3) cf. Ps 4,2
        (4) Ps 4,8

XIX. 148. Er trägt am Kreuz die Gestalt des sündigen Fleisches, in der er nicht seine, sondern unsere Sünden ans Kreuz geheftet hat; jene Sünden, die er mit dem Fleisch angenommen, aber nicht mit dem Fleisch begangen hat.

Freilich empfindet er Schmerz, zwar nicht durch sein Verschulden, sondern aufgrund der dem angenommenen Fleisch eigenen Schwachheit; und er seufzt und schreit, - wie sollte man in ihm nicht die Ähnlichkeit mit den Sündern finden!

Geh kurz die ganze von uns besprochene Leidensgeschichte durch, die seine Seele, wie der Psalmist vorausgesagt hat, mit Schmach gesättigt hat...

XX. 149. ...du hast den Kranken das Gesicht abgewischt und sie so erquickt, und denen, die sich um Hilfe bemühten, hast du Medikamente besorgt.

Was war das für eine Mühe, als du, stark mehr durch deinen Glauben als von Natur aus, einige, die sich aufzurichten suchten, mit deinen Schultern stütztest, und wieder andere, die an ihren früheren Platz zurückgebracht werden mußten, auf deinem eigenen Schoß wie auf einem weichen Lager trugst.

Du hieltest dabei die Gesundheit nicht für willkommen, weil sie keinen Ruhm mit sich bringen würde, wie der hilfreiche Dienst für fremde Kranke. Du brachtest gleichfalls bei Nacht mit leerem Magen den Entkräfteten Nahrung; du glättetest mit eigener Hand das Stroh der Lagerstätten, wobei du selbst auf der Erde schlafen wolltest; du brachtest alle, die nicht schlafen konnten, zum Schlafen und wachtest selber im Gebet. Und so botest du allein allen die Fürsorge einer Hausfrau, die Liebe einer Mutter, die emsige Aufmerksamkeit einer Dienerin, die Umsicht einer Ärztin, die Gegenwart der Kirche. Das galt in gleicher Weise für alle.

150. Den Heiden aber und den Barbaren bei euch, die sich verloren schätzen, wenn sie nicht Götzenbilder sehen, hast du sowohl durch deine Gesinnung wie auch mit ganz besonders einnehmenden Worten, für jeden das Entsprechende auswählend, die Kenntnis von Gott nahegebracht und in barbarischer Sprache die jüdische Lehre erklärt, um dann mit dem Apostel zu sagen: "Gott sei Dank, ich rede euer aller Sprache".

So hast du gezeigt, daß ein Götze kein Gott ist; daß der wahre Gott nicht auf den Altären in den hl. Hainen zu finden ist, sondern im Geist der Heiligen. Wenn sie also gerettet werden wollten, sollten sie dem Erlöser glauben. Und du hast ihnen sogleich, wenn sie so wollten und es wünschten, die Dienste der Kleriker erwiesen.

Da hast du in Wahrheit die von Räubern Verwundeten mit Wein und Öl gepflegt, um in der Weite deiner Bedrängnis singen zu können: "Du hast mir größere Freude ins Herz gegeben als zur Zeit, da man Korn und Most in Fülle erntet".

151. Sic humana divinaque arte alios febri, alios inferis subtrahebas. His rebus mota virtus illa contraria, cui per intercessionem tuam et animae mortalium tollebantur et corpora, fortem domus alligare connisa est (1), ut vasa diriperet, quae in ditionem suam redigere non vincto forte non possit.

Denique ut in tẹ sagittam, de occulto quippe ut tenebricosa, direxit, sine noxa tamen animae tuae (2), in qua non acceperat potestatem, ilico omnem familiam commotior invasit, inprobitatem famis dilatae coacerbatis cupiens explere funeribus; et quod dolendum est, multos suos, dum defensione destituerat, occidit. Nam dum mater, dum soror, dum servuli et illi, qui per te iam metuenda calcaverant, tibi occupantur, illa infirmitas, aureis vasis argenteisque superata, ignobiliora et fictilia quaeque confregit, nonullos sine praesidio baptismatis rapienda, quod illi apud vos ante non licuit; hinc tantum sibi de te satisfaciens, quod contra haec, quae animam tuam pro caelesti caritate feriebant, non valeres occurere. Sed gratias domino deo nostro, qui propius res humanas aspiciens, et his qui corporibus aegrotabant, et nobis qui animo turbabamur, in tua salute subvenit, licet tu cuperes exire.

Nam sicut pro meritis tuis iuxta apostolum resolvi tibi expediebat et esse cum Christo (3), ita nobis ut adhuc hic remaneas (4), moramque spiritalis gloriae nostri adquisitione conpenses. Nam et reis defensio es, et innocentibus exemplar; ut et fidelis gloriam nisi te imitando non capiat, et infidelior veniam nisi te orante non habeat.

Quae autem persona alia tum facile (a) reperiretur, quae sic esset aut dux bonorum, aut patrona miserorum; cum illos accenderes, hos foveres: illis viveres, his orares, sic in exemplar iam posita virtutum, ut non deesses a pietate lapsorum?

Salve itaque cunctis, ut diximus, sub dei nostri numine (b) restituta mortalibus, qui vel in te vivendi formam capessunt, vel per te errorum veniam promerentur: omnibus reddita, omnibus servata. Quae enim sic revivis, ut non tibi soli vivas, nonne pro omnibus revixisti? Sic Tabita viduis apostolo patrocinante donata est (5); sic etiam pro decem iustis non perdet dominus civitatem (6).

----

151. (1) cf. Mt 12,29
(2) cf. Ps 10,3; 63,5
(3) cf. Phil 1,23
(4) cf. Phil 1,24
(5) cf. Act 9,40s
(6) cf. Gn 18,32
(a) tum facile] tam facile [G. Mercati]
(b) sub dei nostri numine] sub nostri nomine, **proposuerat** G. Morin, in: ETD I,503

151. So hast du mit göttlicher und menschlicher Kunst die einen dem Fieber, die anderen der Hölle entrissen. Dadurch wurde des Gegners Macht auf den Plan gerufen; denn ihm wurden durch deine Fürsprache die Seelen wie die Körper der Menschen genommen. Er versuchte, den Starken im Hause zu fesseln, um sein Hausgerät rauben zu können, das er, ohne den Starken zu binden, nicht in seine Gewalt bringen konnte.

Als er schließlich auf dich seinen Pfeil richtete, einen dunklen Pfeil aus dem Verborgenen, ohne allerdings deiner Seele zu schaden, über die er keine Macht hatte, hat er allsogleich um so heftiger die ganze Familie angegriffen. Er wollte die weit verbreitete Hungersnot mit Mengen von Leichen zum Stillstand bringen. Zu beklagen ist, daß er viele der deinen, da du sie nicht mehr schützen konntest, getötet hat. Denn während Mutter und Schwester, während die Diener und die, die durch dich schon das Furchtbare überwunden hatten, sich um dich sorgten, hat die Seuche, die von den goldenen und silbernen Gefäßen besiegt worden war, die geringeren, irdenen zerbrochen; einige hat sie ohne den Schutz der Taufe hinweggerafft, was ihr vorher bei euch nicht erlaubt war. Sie hat sich wenigstens dadurch an dir gerächt, daß du nicht dem, was deine Seele um der himmlischen Liebe willen verletzte, zu begegnen vermochtest.

Aber Dank sei dem Herrn unserem Gott, der das Menschenleben gnädig anschaut und mit deiner Gesundheit sowohl denen, die körperlich krank waren, als auch uns, die seelisch verwirrt waren, zu Hilfe kam, auch wenn du selber gerne sterben wolltest.

Denn wie es freilich im Hinblick auf deine Verdienste für dich besser gewesen wäre, dem Wort des Apostels zufolge aufzubrechen und bei Christus zu sein, so war es wohl für uns notwendiger, daß du noch ein wenig am Leben bliebst und den Aufschub der geistlichen Herrlichkeit dadurch wettmachtest, daß du uns gewannst. Denn du bist für die Schuldigen ein Verteidiger und für die Schuldlosen ein Beispiel. So kann der Glaubende nur Ruhm gewinnen, wenn er dich nachahmt, und der Ungläubige erlangt nur auf dein Gebet hin Verzeihung.

Wen anders könnte man aber so leicht finden, die so wie du Führerin der Guten und Beschützerin der Elenden wäre. Wenn du die einen anfeuertest, sorgtest du liebevoll für die andern; wenn du für die einen da warst, betetest du für die andern. So warst du als Tugendbeispiel aufgerichtet, daß deine Güte auch an den Gefallenen nicht fehlte.

Sei daher gegrüßt, weil Gottes Macht dich, wie wir sagten, für gar alle Menschen wiederhergestellt hat. Denn entweder empfangen sie in dir die Lebensform oder sie erlangen durch dich Vergebung für all ihren Irrtum. Allen bist du wiedergegeben, für alle gerettet. Wenn du nämlich so zum Leben zurückkehrst, daß du nicht für dich allein lebst, bist du dann nicht etwa für alle zum Leben zurückgekehrt? So wurde Tabita auf die Fürsprache des Apostels den Witwen neu geschenkt; so wird auch der Herr um der zehn Gerechten willen die Stadt nicht vernichten.

Longior vita sanctorum mora est labentium saeculorum; in bonis adhuc haeret, quod properat iam finiri. Unde si in spem firmioris salutis procellam istius tempestatis evasimus, Christo domino in nobis suscitato, **quoniam et venti et mare obaudiunt ei** (7), me quoque rescriptis tuis portum patere securitatis intrare: per dominum nostrum Iesum, cui est gloria in saecula saeculorum. Amen.

---

(7) Mt 8,27

Das längere Leben der Heiligen hält den Untergang der Welt auf. Den Guten haftet noch an, was sich bereits beeilt, zum Ende zu kommen. Wenn wir darum in der Hoffnung auf das sichere Heil dem Sturm dieses Unglücks entkommen sein werden, weil wir Christus den Herrn in uns aufgeweckt haben - "denn selbst die Winde und der See gehorchen ihm" - laß auch mich durch deinen Antwortbrief in den sicheren Hafen gelangen, durch unseren Herrn Jesus, dem die Ehre sei in alle Ewigkeit. Amen.

Zweiter Teil

EINLEITUNGSFRAGEN

EUTROPIUS UND SEIN LITERARISCHES WERK

Vorbemerkung

"Eutropius" ist ein in der Antike geläufiger Name. So ist es nicht zu verwundern, daß er häufig zu Verwechslungen Anlaß gegeben hat. Es ist deshalb vorab auf drei Persönlichkeiten dieses Namens hinzuweisen, von denen der altchristliche Kirchenschriftsteller, um den es uns geht, abzuheben ist.

Der erste ist der gleichnamige römische Profanhistoriker, der unter Kaiser Valentinian lebte. Er ist uns durch sein "Breviarium ab urbe condita", einem in knappem, bündigem Stil gehaltenen kurzen Abriß der römischen Geschichte von der Gründung der Stadt bis zum Tode des Jovianus 364 bekannt (1).

Bereits Trithemius (15. Jh.) verwechselt ihn in seinem Väterkatalog mit dem Kirchenschriftsteller, indem er die Daten zum römischen Profanhistoriker mit den Angaben des Literaturhistorikers Gennadius, der – wie noch zu sehen sein wird – als erster **Eutropius Presbyter** bezeugt, verquickt. Demzufolge habe der Profanhistoriker nicht nur die römische Chronik geschrieben, sondern auch an zwei Schwestern, die Jungfrauen seien. Er sei zudem ein tief religiöser Priester, der in den hl. Schriften wie der allgemeinen Literatur hervorragend bewandert ist (2).

Über diese Verwechslung wundert sich dreihundert Jahre später der anglikanische Kirchenhistoriker G. Cave, wenn er betont, daß der Kirchenschriftsteller Eutropius wohl kaum derselbe sei, der den Abriß der römischen Geschichte verfaßt hat, da dieser ein Heide zu sein scheint (3).

Weiters ist der Priester Eutropius nicht zu verwechseln mit jenem spanischen Bischof Eutropius, den Orosius, der Spanier, in seinem **Commonitorium de errore Priscillianistarum et Origenistarum** erwähnt, einer Schrift, die Orosius 414 auf der Flucht vor den Vandalen, Augustinus überreicht. In ihr bittet er den Bischof von Hippo, zu Fragen Stellung zu nehmen, die vom Priszillianismus und Origenismus aufgeworfen wurden. Dabei erwähnt er eingangs, daß ja auch andere Bischöfe schon, eben der genannte Eutropius und ein Bischof Paulus, sich zu Häresien geäußert haben (4). Es sind jene zwei spanischen Bischöfe, die nur wenig später Augustinus ein Werk mit unsicherer Verfasserangabe, **Definitiones, angeblich von Caelestius"** zuspielen (5).

Mangels Beweises wäre es wohl gewagt, den Presbyter Eutropius – später Bischof geworden – mit diesem von Orosius angeführten Bischof Eutropius gleichzusetzen (6).

Sodann ist der Presbyter Eutropius auch nicht mit dem "für die Zeit um 475 bezeugten (hl.) Bischof Eutropius von Orange" (7) zu verwechseln. Der Beweis ist m.E. nicht so sehr in der Tatsache zu sehen, daß der Bischof von Orange kein Presbyter, sondern eben Bischof war (8), als vielmehr darin, daß **Eutropius Presbyter**, wie gleich zu sehen sein wird, viel früher als der Bischof von Orange lebte. Zudem war dieser ja ein Zeitgenosse des Gennadius selber, der ihn außerdem gut kannte. So steht zu vermuten, daß Gennadius von seinen ansehnlichen literarischen Leistungen wissen müßte, wenn der Bischof von Orange solche zuvor als Presbyter erbracht hätte (9).

Bleibt uns nun zu fragen, wer der Priester Eutropius gewesen ist.

1. EUTROPIUS PRESBYTER

A) Herkunft

Der Presbyter Eutropius behauptet noch nicht lange einen gesicherten Platz im patristischen Schrifttum (10). Nur allzu gering sind nämlich die Angaben, die sich zu seiner Persönlichkeit machen lassen. Wir kennen nicht einmal sein Geburts- oder Todesdatum, sondern können nur sagen, daß er um 400 gelebt hat. Von seinem Leben wissen wir so gut wie nichts; es sei denn, daß er vielleicht ein Freund des Paulinus von Nola gewesen ist (11). Sicher ist er aber ein Zeitgenosse von ihm, dessen asketisches Lebensideal damals keinem verborgen bleiben konnte (12). Zu aufsehenerregend war nämlich des Paulinus plötzliche Weltentsagung, die ihn vor 393 veranlaßte, das uralte Leben eines Landedelmannes in Aquitanien aufzugeben und sich zunächst für einige Zeit nach Spanien zu begeben, wo er am Weihnachtstag 393 zum Priester geweiht wurde. Und schließlich entsagte er gänzlich seiner Güter, um sich im Winter 394/5 zusammen mit seiner Frau, einer vornehmen Spanierin namens Theresia, zu mönchischer Einsamkeit auf seinen Senatorenherrsitz zu Nola in Kampanien am Grab des von ihm innig geliebten hl. Felix zurückzuziehen (13).

Eutropius, wohl selber asketisch eingestellt, schaut nämlich zu diesem **vir singularis (her** 50A) ob seiner Entäußerung in Bewunderung auf; zu "unserem Paulinus", wie er schreibt, der doch neulich dem Treiben der Welt entsagte, um für den äußeren und inneren Menschen gleichsam die nötige Grabesruhe zu schaffen, die das in Gott verborgene Leben ermögliche (14).

Wenn Eutropius hier von "**unserem** Paulinus" spricht, scheint er nicht nur ein Zeitgenosse, sondern auch ein Landsmann von ihm, eben Aquitanier zu sein. Dafür spricht auch die Beobachtung, daß "Eutropius" ein in Aquitanien geläufiger Name ist (15).

Hinzu kommt die Tatsache, daß seine Adressatin - wie die Schrift "De similitudine carnis peccati" ausweist - in einem Gebiet wohnt, in das bereits die heidnischen Barbaren eingedrungen sind (16). Wenn wir dafür Spanien annehmen, entspräche das durchaus des Eutropius'

Korrespondenz, der zufolge er an einem anderen Ort als seine Korrespondentin beheimatet ist. In diesem Falle lägen die Pyrenäen dazwischen, so daß ein gegenseitiger Besuch recht beschwerlich wäre.

Eutropius beginnt nämlich seinen ersten Brief mit der Zusicherung, trotz räumlicher Entfernung ihr innerlich ganz zugewandt zu sein (17). Und das so sehr, daß er in seinem letzten Brief freimütig bekennt, lieber die Beschwerden des Weges auf sich zu nehmen, als ihr kostbares Antlitz zu entbehren (18).

Daß anderseits die Literatur des spanischen Adoptianismus zum ersten Mal, wie wir noch sehen werden, die Schrift "De similitudine carnis peccati" zitiert, mag zwar auf Spanien hinweisen (19), widerlegt aber nicht die hier im Anschluß an P. Courcelle vertretene Hypothese, daß Aquitanien die Heimat des Eutropius sei (20).

Wichtiger als die örtliche ist wohl die zeitliche Verwandtschaft von **Eutropius Presbyter** und Paulinus von Nola. Für eine solche scheint auch die Beobachtung zu sprechen, daß Paulinus im Schriftstellerkatalog des Gennadius unmittelbar vor Eutropius bezeugt wird. Und dem entspricht es doch, wenn Eutropius in seinem ersten Brief von der Weltentsagung des Paulinus als von einem erst vor kurzem (**nuper**) geschehenen Ereignis berichtet (**her** 48C) (21).

Nur soviel läßt sich zur örtlichen wie zeitlichen Herkunft des Priesters Eutropius ausmachen. Und eben diese spärlichen Angaben sind uns ausschließlich aus seinen Schriften selbst zugeflossen. Sie sind die einzige Quelle, die einen Zugang zu seiner geistigen Physiognomie erlauben und ihn demgemäß als echten Theologen wie feinsinnigen aszetischen Schriftsteller ausweisen (22). Seinen Schriften hat vorab unsere Aufmerksamkeit zu gelten. Zuvor sei beachtet, daß das Wissen um einen **Eutropius Presbyter** in der frühen Tradition nicht verlorengegangen war. Der schon genannte Gennadius berichtet von ihm. Er ist der erste und vornehmste Zeuge für den **Eutropius Presbyter**. Seinem Zeugnis müssen wir uns zunächst zuwenden.

B) Eutropius in der Tradition: das Zeugnis des Gennadius

Die historische Forschung ist bislang auf **keine zeitgenössische Äußerung** über den Presbyter Eutropius gestoßen. Das früheste und zugleich einzige Zeugnis stammt vom Ende des fünften Jahrhunderts.

Der altchristliche Literaturhistoriker Gennadius, Priester in Marseille, gibt in seinem Schriftstellerkatalog **De viris inlustribus** im 50. Kapitel die ersten sicheren Auskünfte über Eutropius (23).

Wir lesen dort jene Angaben, die Trithemius irrigerweise schon vom genannten Profanhistoriker gemacht hatte.

So erfahren wir von der Person des Eutropius außer seinem Namen lediglich, daß er Presbyter gewesen sei. Weitere Nachrichten über ihn fehlen.

Ausführlicher sind die Angaben über sein Werk. Sie unterrichten uns von zwei Trostbriefen, welche Eutropius an zwei Schwestern geschrieben habe, die von ihren Eltern enterbt worden seien, weil sie sich dem Stand der gottgeweihten Jungfrauen verschrieben hätten; einem Personenkreis, der in jener Zeit in hohen Ehren stand und sich karitativ sowie katechetisch hervortat (24). Dabei war die Enterbung solcher Töchter durch die Eltern keine Seltenheit (25).

Abschließend fügt Gennadius noch hinzu, daß diese beiden Briefe durch ihren eleganten, lebendigen Stil wie ihren Reichtum an Schriftstellen auffielen (26).

Dies sind die kurzen, doch wertvollen Angaben, die Gennadius zu Eutropius gewährt. Dennoch ist zu bemerken, daß die Angaben des Gennadius in den Einzelheiten ungenügend sind (27). Tatsächlich wird auch nicht das ganze Schrifttum des Eutropius genannt. Vermutlich hat Gennadius auch nur diese zwei Schriften gekannt. Aber eben diese oben verzeichneten Briefe hat er wohl gelesen und beide als Quellen zu seinen Angaben benutzt (28). Freilich wäre es wünschenswert, daß er über diese beiden Briefe noch etwas mehr aussagen würde und wir wenigstens von deren Abfassungszeit und dem Namen der Adressatinnen Kenntnis erhielten.

Immerhin sind die knappen Angaben des Gennadius wertvoll genug, um für die Wiedergewinnung des literarischen Werkes des Eutropius nützlich zu sein. Jedenfalls ist es seit dem Zeugnis des Gennadius unserem historischen Auge schlechthin entzogen und scheint verschollen zu sein. Unterdessen sollen anderthalb Jahrtausende vergehen, bis wir in der Lage sind, das literarische Werk des Eutropius endgültig zu bestimmen.

Diese Wiederentdeckung fand erst in unseren Tagen statt. Von ihr soll im folgenden eine gedrängte Zusammenfassung gegeben werden, um den bis zur Stunde vorliegenden Fragestand vor Augen zu haben.

2. DIE WIEDERENTDECKUNG DER SCHRIFTEN DES EUTROPIUS

Vorbemerkung

Die Kenntnis vom literarischen Werk des Eutropius ist das Ergebnis der neueren patristischen Forschung (29). Wie es scheint, sind die Schriften des Eutropius keine geringe Bereicherung der altchristlichen Literatur (30). Dahinter steht eine ebenso lange wie bewegte kritische Diskussion, die nicht so leicht mit ein paar Strichen nachzuzeichnen ist. Wenigstens in groben Zügen soll es geschehen; denn die Wiederentdeckung der **Schriften** des Eutropius ist der eigentliche Ausgangspunkt für alle Aussagen zur **Person** des Eutropius. Die Diskussion richtete sich ja nicht auf eine bestimmte Person, sondern auf **Schriften**, deren literarische Einheit schon länger erkannt war. Es handelt sich um folgende drei Briefe aszetischen Charakters aus dem **Corpus Pseudohieronymianum**:

"De contemnenda hereditate",

"De vera circumcisione",

"De perfecto homine" (31) sowie um den theologisch-aszetischen Traktat "De similitudine carnis peccati". Es sind also Schriften, die auch ohne Zuweisung an Eutropius eine literarische Einheit bilden würden. Diese Zuweisung ist erst das Ergebnis der Diskussion, aus der sich Eutropius als Verfasser herausschälte.

Diese vier Schriften sind gegen 400 geschrieben, wobei eine genauere Datierung nicht leicht möglich erscheint. Jedenfalls weist der Text der Schriftzitate und -anspielungen in seinem Werk auf, daß Eutropius einen altlateinischen Paulustext gebraucht, wie er gegen Ende des 4. Jahrhunderts im ganzen Westen, d.h. in Norditalien so gut wie in Gallien und Spanien, allgemein im Umlauf ist und den u.a. Ambrosius, Ambrosiaster und selbst Hieronymus in seinen Kommentaren und den meisten seiner Briefe benutzen (32).

Ferner zeigt auch die Art, wie Eutropius z.B. von den Wundern der Martyrer spricht und überhaupt sich auszudrücken pflegt, daß man am Ende des 4. Jahrhunderts steht und Ambrosius (+ 397) wohl noch am Leben ist (33). Unter ihm trug sich nämlich 386 zu Mailand das Wunder am Grab der Märtyrer Gervasius und Protasius zu. Darauf kommt Eutropius direkt zu sprechen, wenn er im Brief "De perfecto homine" darauf hinweist, daß der Unglaube der Juden an solchem Geschehen immer Anstoß nehmen werde (34).

Das Jahr 386 wäre somit ein erster **terminus** post **quem** für die Schriften des Eutropius. Wir wissen aber bereits, daß er später anzusetzen ist. Eutropius erwähnt die jüngst erfolgte Weltentsagung des Paulinus, so daß 394/5 der erste mögliche **terminus** post **quem** ist. Da Ambrosius 397 stirbt, dürfte ein solcher Zeitpunkt auch nicht später anzusetzen sein.

Schwerer ist es, einen **terminus ante quem** zu bestimmen. Die überwiegende Mehrheit der Autoren denkt an den Zeitraum zwischen 395 und 415 (35); vermutlich weil Eutropius nach 415 gestorben sei. Und die Fragen, die Eutrops **Briefe** aufwerfen, lassen schon von der Natur der Sache her auf den Anfang des 5. Jahrhunderts schließen (37).

Wie es scheint, hat Eutropius jedenfalls zu Lebzeiten des Paulinus (+ 431) geschrieben, so daß wenigstens 394/5-431 als Zeitraum seines Schreibens gelten mag (38). Eine genauere Datierung müßte die Forschung für jede Schrift einzeln erarbeiten.

Schauen wir indessen, wie man überhaupt zur Wiederentdeckung der Schriften des Eutropius gelangte. - Der Ausgangspunkt dafür war die Auffindung eines bislang unbekannten Textes. Mit ihm nahm die Diskussion ihren Anfang.

A) Die Entdeckung von G. Morin

Im Jahre 1913 veröffentlichte der Altmeister der Patrologie, G. Morin, zum ersten Mal einen verhältnismäßig langen Traktat in Briefform; die Schrift "De similitudine carnis peccati", die er in einer Corbieer Handschrift aus dem frühen 9. Jahrhundert ausfindig gemacht hatte. Er hatte sie in der Pariser Nationalbibliothek entdeckt (39) und schon 1912 in einem Artikel von seiner Entdeckung berichtet und dabei eine Veröffentlichung des Textes in Aussicht gestellt (40).

Die adoptianistische Literatur des 8. Jahrhunderts in Spanien und deren Kontroverse hatte ihn – mehr zufällig – auf diese Schrift aufmerksam gemacht; denn sie wird hier mehrfach zitiert, allerdings als ein Traktat des Hieronymus (41). Diese Tatsache machte den belgischen Benediktiner hellhörig; denn seines Wissens war dieser dem Hieronymus zugeschriebene Traktat bisher ebenso unbekannt wie unveröffentlicht. Ein Handschriftenkatalog der Abtei Corbie aus dem 12./13. Jahrhundert führte ihn weiter. Er erwähnt nämlich eine Handschrift, die neben anderen Abhandlungen auch den Text von "De similitudine carnis peccati" biete und noch heute in Paris aufbewahrt werde (42).

Die Entdeckerfreude führte Morin augenblicklich zu einer intensiven Beschäftigung mit dem neuen Text. Nach einem ausführlichen, mehrjährigen Studium vornehmlich philologischer Art gelangte Morin zur Ansicht, daß der Autor dieser Schrift mit Sicherheit Pacian, der Bischof von Barcelona sei (43).

Ein solches Ergebnis mag man zunächst für richtig halten, wenn man bedenkt, daß hier ein erfahrener Forscher immerhin sechs Jahre nach einem möglichen Autor gesucht hat (44). Die Genugtuung einer für richtig angesehenen Erkenntnis führte ihn persönlich zur Sicherheit der Aussage (45).

Es waren allerdings nur geringfügige textkritische Ähnlichkeiten zwischen den Schriften Pacians und der neuentdeckten Schrift sowie gewisse Übereinstimmungen von Redewendungen, die Morin diese Überzeugung verliehen. Im Grunde waren es nur zwei Eigentümlichkeiten, die Morin auffielen und von ihm dann überbewertet wurden.

Es war erstens die eigentümliche Form, in der 1 Cor 15, 47 zweimal in der neuentdeckten Schrift aufgeführt wird:

"Primus homo..., secundus e caelo caelestis" (**sim** 57)

und

"Prior homo de terra terrenus, secundus e caelo caelestis" (sim 66).

Bei allen übrigen Zeugen, die diesen Vers zitierten, heißt es nämlich im zweiten Versteil "secundus homo **de** caelo caelestis". Nun hat Pacian dasselbe Zitat und zwar in dieser Gestalt:

"Primus homo de terra terrenus, secundus de caelo caelestis" (bapt. 6).

De ist aber bloße Vermutung Peyrots, des Herausgebers der ersten
kritischen Ausgabe der Schriften Pacians (46). Nach einem Blick in
die Handschriften wählt Morin natürlich auch bei Pacian die Lesart
e und gewinnt dadurch eine bemerkenswerte Übereinstimmung zwischen
dem Verfasser von "De similitudine carnis peccati" und Pacian. Außerdem fehlt nur bei diesen beiden in der zweiten Hälfte des Zitats das
Wort **homo** hinter secundus, das alle anderen Zeugen sonst haben.

Weiters wurde Morins Aufmerksamkeit durch die auffallende Ähnlichkeit
im Ausdruck zwischen **sim** 31: "Gedeonem illum virtutis virum" und
Pacian ep. II, 2 gezogen, wo der Engel, der Manoach die Geburt Sam-
sons ankündigt, "vir ille virtutis" genannt wird (47).

Durch diese beiden, an sich so äußerlichen Beobachtungen wähnte
Morin sich auf der richtigen Spur und begann nun einfach, nach weiteren Übereinstimmungen zwischen beiden Schriften zu suchen, und
wenn er solche gefunden zu haben glaubte, diese zu verzeichnen (48).
So kam Morin schließlich zur Überzeugung, daß "De similitudine carnis
peccati" von Pacian stammte. Er war so sehr überzeugt, die Identität
der beiden Verfasser erwiesen zu haben, daß er sogar glaubte, die
weitere Forschung habe nun nichts anderes mehr zu tun, als die Zuweisung an Pacian zu bestätigen. Deswegen kümmerte er sich auch
nicht mehr weiter um diesen Text, geschweige um die Erarbeitung seines Inhalts. So ist es nicht zu verwundern, daß die weitere Diskussion auch nur sehr langsam in Gang kam (49).

Ursprünglich fand die These des um die lateinische christliche Literatur hochverdienten G. Morin durchaus Zustimmung und übte sogar
großen Einfluß aus, wobei gerade seine Autorität und seine zahlreichen Entdeckungen auf patristischem Gebiet nicht unbedeutend waren
(50). Das gilt so sehr, daß der unvoreingenommene Blick zunächst
geblendet wurde und man seine These anfangs einfach unkritisch auf-
nahm, ja sie sogar fraglos zu bestätigen suchte (51).

Wie sich aber bald zeigen sollte, sind selbst die beachtlichen Gründe
eines großen Gelehrten sorgfältig abzuwägen. Seine Argumente schienen
in der Tat vielen Fachgenossen gar nicht so unwiderleglich zu sein,
wie er selber glaubte (52). Dabei könnte man sogar darauf hinweisen,
daß die Handschrift doch einen "Bischof Johannes" als Autor erwähne
und die mittelalterlichen Schriftsteller diese Schrift unter dem Namen
des Hieronymus zitieren. Schon das hätte Morin eigentlich anders orien-
tieren müssen.

So begnügten sich von Anfang an zahlreiche Gelehrte damit, in ihren
Lehrbüchern bzw. monumentalen Patrologien Morins Ansicht lediglich
mitzuteilen, ohne sich selbst dazu positiv oder negativ zu äußern
(53). Jedenfalls herrschte in der Fachwelt keine Einmütigkeit (54).

Erst eine bohrendere, vorurteilslosere, tiefer greifende Kritik führte
dazu, die von Morin aufgeworfene Fragestellung endgültig negativ zu
beantworten (55). Man erkannte, daß dahinter eben eine allgemeine

und sehr delikate Frage der Methode steht, auf die alles hinausläuft und von der alles weitere abhängt (56).

Derzufolge können Morins Kriterien, die er allein aus der inneren Kritik, d.h. aus sprachlicher Verwandtschaft und ausschließlich stilistischen Erwägungen heraushebt, nicht ausreichen, die Zuweisung an Pacian aufrechtzuerhalten. Zudem sind die von Morin beobachteten sprachlichen Ähnlichkeiten ohnehin Allgemeingut des 4. Jahrhunderts und somit mehr zufälliger Natur (57). Schon früh wurde von der Kritik betont, daß es vor allem an Vergleichsstellen für gewisse seltene Wörter fehle (58). Gerade eine solche Kritik wäre von Anfang an ernst zu nehmen gewesen; denn sie hätte richtungweisend sein können. Doch sie bedurfte noch einiger Jahrzehnte, um sich durchzusetzen. Es waren noch andere, vorab philologische Untersuchungen notwendig, um den Weg dafür zu bereiten (59).

Es ist das Verdienst von J. Madoz, hier weitergebohrt und die Frage durch günstige Umstände glücklich gelöst zu haben.

B) Die Bestimmung des Werkes durch J. Madoz

Dank der Forschung des spanischen Jesuiten J. Madoz begann sich zum ersten Mal seit Gennadius wieder ein in sich einheitliches Werk um den Namen des Eutropius zu kristallisieren.

Madoz kommt das Verdienst zu, Eutropius als Autor der beiden von Gennadius erwähnten Briefe sowie des von Morin veröffentlichten Traktates erkannt und identifiziert zu haben (60). Dabei ist zu bedenken, daß auch die von Gennadius genannten Briefe von der späteren Tradition irrigerweise dem Hieronymus zugewiesen worden waren, worauf man schon seit geraumer Zeit aufmerksam geworden war (61).

Für Madoz selbst war der unmittelbare Ausgangspunkt seiner Entdeckung die Handschrift 35 des Klosters San Cugat, die noch heute im **Archivo general de la Corona de Aragón** zu Barcelona aufbewahrt wird (62). Dort ist die Rede von dem Brief "Ad Geruntii filias de contemnenda hereditate", der genau der Beschreibung des Gennadius entspricht und bisher bereits als dem Eutropius zugehörig angesehen worden war (63). In der genannten Handschrift trägt dieser Brief den Titel: "Hieronymus de testamento Geruntii patris Cerasie et sororis eius". Überraschenderweise folgt nun in der Handschrift der pseudo-hieronymianische Brief "De vera circumcisione" (64) unter dem Titel: "Hieronymus ad Cerasiam de vera circumcisione".

Diese beiden Briefe, über deren literarische Einheit man sich ohnehin schon länger klar war, sind von ein und demselben Verfasser geschrieben (65). In "De vera circumcisione" wird nämlich direkt auf "De contemnenda hereditate" angespielt. Heißt es doch gleich zu Beginn, daß das Thema des ersten Briefes weitergeführt und nun noch besser behandelt werden soll, da es zu flüchtig und oberflächlich geschehen war (66).

Die innere Kritik erweist die Verwandtschaft: die beiden Briefe stim-
men in der Wortwahl aufs engste überein, Stil und Schriftgebrauch
sind die gleichen und kehren in beiden Schriften in derselben charakteristischen Weise wieder (67). Es handelt sich tatsächlich um die beiden von Gennadius dem Eutropius zugeschriebenen Briefe.

Der Name der Hauptadressatin, Cerasia, führt Madoz auf die Spur,
nun in einem weiteren Schritt auch "De similitudine carnis peccati"
als Traktat des Eutropius zu erkennen. Auch er war nämlich der Tradition nicht unbekannt. Er taucht bekanntlich in der adoptianistischen
Kontroverse auf, und zwar ebenfalls als Brief des Hieronymus (68).
Schon diese Tatsache scheint auf eine innere Einheit der drei Schriften
hinzudeuten. Jedenfalls wird er in einem Schreiben der Bischöfe Spaniens an die Bischöfe Frankreichs zitiert (69), die ihrerseits in einem
Antwortschreiben bekennen müssen, daß ihnen der Brief des Hieronymus
an eine gewisse Cerasia gänzlich unbekannt sei (70).

Dieser Hinweis genügte, daß Madoz die schon genannte Cerasia als
Adressatin auch von "De similitudine carnis peccati" erkannte, die im
übrigen ja auch in dieser Schrift von ihrer Schwester begleitet erscheint (71). Selbst die innere Kritik scheint das zu bestätigen (72).

Überdies erbrachten auch eingehende Textvergleiche in der Schrift "De
similitudine carnis peccati" dieselben Formen, dieselben seltenen Phra-
sen, dieselbe Schriftverwendung und Rhetorik, wie sie sich in "De contemnenda hereditate" und "De vera circumcisione" finden. Diese zahlreichen konvergierenden Einzelheiten brachten Madoz zu dem Schluß,
daß Eutropius der Autor auch von "De similitudine carnis peccati"
sein müsse (73).

Die mit gewichtigen Gründen vorgebrachte Darlegung von Madoz hat
weithin Bewunderung und im allgemeinen die Zustimmung der Fachwelt
hervorgerufen (74). Das gilt besonders für die Schrift "De similitudine
carnis peccati" (75); so sehr, daß sie jetzt auf keinen Fall mehr
Pacian zugerechnet werden darf. Dieser Traktat gehört nun endgültig
zum literarischen Eigentum des Priesters Eutropius (76). Schließlich
gibt auch der spontane Beifall von Morin selber zu denken, der angesichts der Darlegung von Madoz nicht zögert, in bewundernswerter Redlichkeit sofort seine eigene Meinung zu ändern. Er war selber jetzt
nur zu sehr davon überzeugt, daß an einer delikaten inneren Kritik
alles gelegen war (77).

Dank der Arbeit von J. Madoz ist der Priester Eutropius wieder eine
historische Größe geworden (78). Noch ist allerdings sein Werk nicht
restlos wiederhergestellt.

C) Die Ergänzung durch P. Courcelle

Nach dem Tode des gelehrten J. Madoz, der in der Fachwelt eine große
Lücke hinterließ (79), überrascht uns P. Courcelle noch durch eine
weitere Schrift, die ebenfalls Eutropius angehört: "De perfecto homine"
(80). Auch sie war - wiederum von der adoptianistischen Tradition
(81) - zunächst dem Hieronymus zugewiesen worden. Doch schon seit

langem weiß man auch von dieser Schrift, daß sie nicht Hieronymus angehören kann; denn ihr Stil spricht für einen anderen Autor (82). Allerdings blieb die Autorschaft des Briefes bis heute unentschieden. Klar war nur, daß man um jeden Preis an seinem nicht-hieronymianischen Ursprung festhalten müsse (83).

Wieder war es derselbe glückliche Umstand, der bei der Entdeckung des Autors Pate stand. Wie Madoz hatte auch Courcelle das Glück, durch den Inhalt einer Handschrift auf die Spur zu gelangen. Fast will es scheinen, daß Courcelle, der selber seinen Fachgenossen hoch verehrte und von seiner Entdeckung nachhaltig beeindruckt war, notgedrungen sozusagen im Bannkreis der Forschung von Madoz blieb (84).

Bei Durchsicht einer aus dem 12. Jahrhundert stammenden Handschrift (85) erkannte Courcelle sogleich mit dem Kennerblick eines erfahrenen Gelehrten, daß hier nach einer Anzahl von authentischen Briefen des Hieronymus erstmals ein zusammenhängendes **Corpus** der drei von Madoz identifizierten Schriften des Eutropius geboten wird. Zu seiner Überraschung wird dann genau zwischen den beiden Schriften "De vera circumcisione" und "De similitudine carnis peccati" der Brief "ITEM HIERONIMI AD EANDEM DE PERFECTO HOMINE" angeführt (86).

Hier wird also zum ersten Mal eine Sammlung der Briefe des Eutropius an Cerasia (= ad eandem) geboten. Das scheint kein schlechter Beweis für die Richtigkeit der Ausführungen von Madoz zu sein.

Auch die innere Kritik erweist die Richtigkeit der Annahme Courcelles. Man findet dieselbe klassische Kultur und dieselben, sonst seltenen Wörter, die Eutropius vor allem auch in "De similitudine carnis peccati" gebraucht (87).

Hinzu kommen noch die oben schon gemachten Beobachtungen, die auf das Ende des 4. Jahrhunderts als Abfassungszeit schließen lassen und dieen Brief von daher schon den anderen, bereits für Eutropius eroberten Schriften zuordnen. In ihm "haben wir somit einen Zeitgenossen eines hl. Ambrosius, Hieronymus, Augustinus, eines Prudentius zu erblicken" (88).

Hiermit hat sich endlich ein in sich einheitliches Werk des Priesters Eutropius abgezeichnet.

3. DAS LITERARISCHE WERK DES EUTROPIUS

Damit scheint das literarische Werk des Presbyters Eutropius wiederhergestellt. Er hat nun als Autor der vier schon genannten Schriften

"De contemnenda hereditate",

"De vera circumcisione",

"De perfecto homine"   und

"De similitudine carnis peccati"

Eingang in die Patrologie gefunden.

Dahinter liegt ein langer Weg, auf dem es vieler Anstrengungen bedurfte, um neben dem Namen des Eutropius auch seinen schriftstellerischen Nachlaß aufzufinden. Und dieser Weg erstreckt sich in einem weiten Bogen vom altkirchlichen Zeugnis des Literaturhistorikers Gennadius über die frühmittelalterliche Tradition des Adoptianismus in Spanien bis zur modernen kritischen Forschung unserer Tage, wobei der Neubelebung der patristischen Forschung gerade in Spanien besondere, wenn nicht entscheidende Bedeutung zugekommen ist (89).

Dabei sind für die Schriften des Eutropius die verschiedensten altkirchlichen Schriftsteller als Autoren bemüht worden: Hieronymus, Pacian, Pelagius, Tertullian. Das ist ob der philosophischen und theologischen Komplexität des 4. und 5. Jahrhunderts nicht zu verwundern, so daß es oft unmöglich erscheint auch nur zu entscheiden, wer von wem inspiriert sein könne (90), oder gar einen bestimmten Autor präzis auszumachen.

Erst der kritische Scharfsinn einiger weniger – des Italieners Vallarsi, des Holländers Borleffs, des Spaniers Madoz und des Franzosen Courcelle – sowie die positive Aufnahme durch die Fachgenossen – Plinval, Altaner, Cavallera und nicht zuletzt Morin selber – erbrachte eine eindeutige Lösung bzw. das vorläufige Ergebnis mühsamer Forschung (91).

Alle vier Schriften zeichnen sich durch eine tiefe Theologie, eine feine geistige Exegese sowie durch scharfe aszetische Züge aus (92). So geht es hier um die "Verachtung der Erbschaft" (her); die "wahre Beschneidung" (cir), die somit Loslösung von der Welt verlangt (93) sowie schließlich um den "vollkommenen Menschen" (perf), der sich durch Verzicht auf die Weltweisheit und Vertrauen auf die Macht Gottes auszeichnet (94).

Außerdem tragen diese Schriften polemische Züge, wobei "De vera circumcisione" und "De similitudine carnis peccati" eigens durch antimanichäische wie antiarianische Bemerkungen auffallen.

Auch die in allen vier Schriften zu beobachtende rhetorische Spontaneität erweist ihre literarische Verwandtschaft und weist sie als einheitliches Werk des Eutropius aus. Trotz aller Einheit sind diese Schriften auch wieder grundverschieden voneinander.

Es läßt sich keine einheitliche **theologische** Grundlinie beobachten, die **allen** Schriften gemeinsam wäre, unbeschadet des theologischen Reichtums im einzelnen. Auf jeden Fall sind sie eine Bereicherung für die altkirchliche Literaturgeschichte wie für die Geschichte geistlicher Führung (95). Und es bleibt somit der Wunsch nach einer kritischen Ausgabe, die sich Cavallera noch von Madoz selber erhoffte (96). Das war diesem nicht mehr beschieden. Eine solche Ausgabe wurde noch vom inzwischen verstorbenen Pariser Gelehrten P. Courcelle begonnen und wird gegenwärtig von H. Savon besorgt (97).

Eine kritische Ausgabe wäre auf jeden Fall wünschenswert; denn die Schriften des Eutropius und deren Theologie verdienen zumindest beachtet zu werden. Immerhin zeigen sie des Autors klassische Bildung, eleganten Stil und eine frappierende Schriftkenntnis.

Der Schriftreichtum kommt vor allem in dem langen Traktat "De similitudine carnis peccati" zum Ausdruck. Ihm soll die weitere Studie gelten.

Dritter Teil

DIE SCHRIFT "DE SIMILITUDINE CARNIS PECCATI"

Vorbemerkung

Bei der bisherigen Erarbeitung des status quaestionis erfuhren wir von der Wiederentdeckung der Schriften des Eutropius, zu der die Auffindung des Traktates "De similitudine carnis peccati" den mehr zufälligen Anstoß gegeben hatte. Den Inhalt dieses Traktates zu erarbeiten scheint ebenso lohnend wie mühsam. Gleichwohl überrascht es zu sehen, wie wenig Beachtung diese Schrift bislang in der Theologiegeschichte gefunden hat, zumal sie in einem Zeitraum entstanden ist, in dem große dogmatische Kämpfe der alten Kirche stattgefunden haben.

Verschiedene Umstände mögen dafür durchaus die Begründung geben. Es ist zunächst wohl die Frage der Verfasserschaft anzuführen, die eben lange Zeit ein großes Rätsel war. Nach ihrer vorläufigen Klärung gehört diese Schrift fortan weder zu einem Bischof Johannes noch zum Kirchenlehrer Hieronymus, auch wenn die Titelangabe der Handschrift selbst "...LIBER BEATI IOH..." lautet und die adoptianistische Literatur diese Schrift als einen Brief des Hieronymus zitiert. Dieser scheinbare Widerspruch ist übrigens durchaus denkbar, da es häufige Belege für eine mögliche Verwechslung von IHO (= Hieronymus) und IOH (= Johannes) gibt (1).

Dieser Traktat gehört ferner auch nicht Bischof Pacian von Barcelona noch gar Tertullian oder etwa Pelagius an. Der Autor ist vielmehr Eutropius, der genannte Priester aus Aquitanien. Als theologischer Denker ist er recht eigenwillig, ohne dabei sonderlich schöpferisch zu sein. Er will es wohl auch gar nicht. Wie der vorliegende Traktat nämlich zeigt, treibt er Theologie eher im Sinne von Verkündigung bzw. in der Absicht persönlicher Seelenführung.

Genau hierin liegt das Spannende, indem wir Zeugen von der Art werden, wie in dogmatischen Kämpfen erarbeitetes Gedankengut seelsorglich umgesetzt wird. Freilich ist es daher auch nicht leicht festzustellen, wen Eutropius hier sprachlich nachahmt oder von wem er gar theologisch abhängt. Das ist schon durch den ebenso eigenwilligen Stil erschwert.

So ist gewiß auch der Stil dieses theologisch-aszetischen Traktates nicht ganz unschuldig daran, daß er wenig attraktiv wirkte. Im patristischen Schrifttum selbst hat er keine Spuren hinterlassen, - abgesehen vom Zeugnis des Gennadius.

Erst die adoptianistische Literatur weiß etwas von dieser Schrift, - wenngleich unter dem Namen des Hieronymus, welcher nun mal, wie wir schon sahen, als der Autor aller Schriften des Eutropius an der Schwelle des Mittelalters angesehen wurde. Immerhin ist es der adoptianistischen Literatur zu verdanken, daß diese Schrift überhaupt auf uns gekommen ist; und es genügt zu wissen, daß "De similitudine carnis peccati" in der Tradition nicht verloren gegangen war. Im Gegenteil; in der adoptianistischen Kontroverse wurde sie häufig zitiert. Und genau diese Tatsache war es doch, die es Morin erlaubte, den Text handschriftlich aufzufinden (2). Am Zeugnis der adoptianistischen Literatur sei daher nicht achtlos vorübergegangen.

1. DIE SCHRIFT IN DER TRADITION: DAS ZEUGNIS DER ADOPTIANISTISCHEN LITERATUR

Der erste, der "De similitudine carnis peccati" zitiert, ist der spanische Theologe Agobard, Bischof von Lyon. Im spanischen Adoptianismusstreit bezieht er mit der Schrift "Liber adversum dogma Felicis Urgellensis" Stellung gegen Felix, den Bischof in der von Karl dem Großen eroberten spanischen Mark, einen der Hauptvertreter des Adoptianismus (3). Dabei erweist sich Agobard als ein wesentlich traditionsgebundener Theologe (4). Als solcher liebt er es, eine Irrlehre zu widerlegen, indem er dem Gegner die Glaubenswahrheit so entgegenhält, wie sie sich bereits bei den Vätern formuliert hat. Dadurch will er zur Einsicht führen, welche Vorsicht man walten lassen muß, wenn man sich anschickt, aus einem Text den genuinen Sinn der allgemein geglaubten Wahrheit zu erheben (5).

Diese Methode ist umso notwendiger, weil sein Gegner Felix selber sehr häufig für sich Stellen aus den Kirchenvätern anführt, - allerdings in verdrehtem, eigenwilligem Sinn. Er wollte damit die eigene irrige Position eher stützen als behaupten, er habe sie aus den Vätern geschöpft (6). Die Schrift des Felix selbst ist verlorengegangen; aber Agobard unterrichtet uns von der adoptianistischen Ansicht des Felix, die dieser vorab durch ein markantes, angebliches Hieronymuszitat absichern will. Da die Worte des Felix diesem Zitat sehr ähneln, sieht sich Agobard veranlaßt zu prüfen, ob Wortlaut und Sinn beider nicht doch auseinanderklaffen, - angesichts der häretischen Einstellung des Felix (7).

Weiterhin werden wir in diesem Zusammenhang von Agobard darüber informiert, daß Felix in seinem Schreiben vor allem das bei einigen Vätern - darunter wieder Hieronymus - vorkommende Wort "adoptio" falsch auslegt, was eine verkehrte Vorstellung von der Menschwerdung des Herrn zur Folge haben muß (8); so als ob die Sohnschaft der Natur statt der Person zuzuweisen sei (9).

Dies bedeutet aber eine akute Gefahr, weil unsere Erlösung in Frage gestellt wird, insofern sie doch auf der Einheit der beiden Naturen in der einen göttlichen Person beruht. Dieser Gefahr sucht Agobard zu begegnen, indem er eine der von Felix angeführten Väterstellen erörtern und deren richtigen Sinn klarstellen will. Dazu wählt er einen angeblichen Hieronymustext, der ihm besonders auffällig und erschöpfend den Sinn von "adoptio" darzustellen scheint (10).

Es handelt sich um einen verhältnismäßig langen Abschnitt aus der Schrift "De similitudine carnis peccati", die auf Agobard wohl besonders anziehend gewirkt haben muß. Bevor er nämlich das Zitat selber bespricht, lobt er mit knappen Worten die ganze Schrift als ein prägnantes, ja elegantes Werk und charakterisiert sie als antimanichäisch (11). Dies ist zugleich die einzige inhaltliche Auskunft, die Agobard zum Traktat des Eutropius bietet, abgesehen von der Zuweisung an Hieronymus, wovon oben schon die Rede war (12).

Als zweiter erwähnt Elipandus, Primas von Toledo im sarazenischen Spanien, der andere Hauptvertreter des Adoptianismus und darum mit Bischof Felix von Urgel verbündet, das Werk des Eutropius. Er zitiert es in einer groben Schmähschrift an Alkuin, der gleich Agobard von Lyon den Adoptianismus bekämpft und aus zahlreichen Väterschriften aufzuzeigen vermag, daß diese dem Adoptianismus entgegen sind (13). Elipandus ist in seinen äußeren Angaben zum Traktat des Eutropius bedeutend sparsamer. Er begnügt sich damit, lediglich den Autor zu erwähnen, eben Hieronymus als mutmaßlichen Verfasser von "De similitudine carnis peccati", um dann daraus – gleich Felix – dasselbe Zitat als Stütze der adoptianistischen Ansicht anzuführen (14).

Einen kleinen Schritt weiter, wenn auch nicht inhaltlich, führt uns die Reaktion der fränkischen Reichskirche, die sich "mit freundlich gehaltenen Briefen an die in Spanien für den fränkischen Staat unerreichbaren Hauptvertreter des Adoptianismus, E ipand und Felix wandte, von denen der letztere dann aber in den Pyrenäen verborgen lebte und wirkte" (15). In einem Traktat, der sich gegen Elipandus richtet, bezweifelt der Theologe Alkuin die Echtheit der von den Adoptianisten angeführten Väterzitate und beschuldigt den Toletaner der gemeinen Lüge, die nur dazu diene, die Irrlehre zu stützen (16). Fälschlich schreibe er nämlich dem Hieronymus und Augustinus Briefe zu, in der häufig von der sogenannten "adoptio" die Rede ist, aber in verkehrtem Sinn. Solches haben diese Kirchenväter nie geschrieben noch je gelehrt und jeder könne sich unschwer bei der Lektüre ihrer großen Werke davon überzeugen, daß an keiner Stelle Christus als Adoptivsohn bezeichnet werde (17).

Um dies zu erhärten, diskutiert er einige von Elipand vorgebrachte Zitate, darunter als erstes die bekannte Stelle aus "De similitudine carnis peccati", die Elipandus laut Alkuin fälschlich und bewußt Hieronymus zuschreibt.

Hierauf erklärt Alkuin selbst, wie "adoptio" zu verstehen sei (18).

Wertvolles erfahren wir schließlich, wie oben schon dargelegt, durch einen Briefwechsel der Bischöfe Frankreichs mit den Bischöfen Spaniens während der Frankfurter Synode, die 794 von Karl d.Gr. zur Klärung der strittigen Frage einberufen worden war (19). Bezeichnenderweise gilt als Hauptverfasser des Briefes der Bischöfe Spaniens, welcher ein dogmatisches Schreiben ist, Bischof Elipandus, der seine gewohnten Zitate anführt (20). Was wir in diesem Schriftwechsel außerdem erfahren, ist bekanntlich der Name von Eutrops Adressatin: Cerasia (21). Ihr Name war doch für Madoz die entscheidende Hilfe gewesen, den Verfasser von "De similitudine carnis peccati" aufzufinden. Die Beziehung zwischen Verfasser und Korrespondentin ist für unser Verständnis um diesen Traktat nicht unerheblich. Ihr gelte unser nächster Augenmerk.

2. DER VERFASSER UND SEINE KORRESPONDENTIN

Es ist keine gewöhnliche Frau, an die Eutropius seine Schriften richtet, sondern eine Dame aus vornehmem spanischen Adelsgeschlecht. Sie ist vielleicht sogar eine Verwandte zu Theresia, der Gattin des Paulinus von Nola, einer vornehmen Spanierin und Christin (22).

Cerasia selber ist offensichtlich eine hervorragende Christin, die als Jungfrau ihr Leben im Dienst am Nächsten verzehrt und so ihrem asketischen Lebensideal in beeindruckender Weise nachkommt (23). Sie ist daher der Braut vergleichbar, deren Lohn das himmlische Brautgemach ist und der somit die Grußworte des Hohenliedes gelten: "Steh auf meine Freundin, meine Taube, meine Schöne, so komm doch!" (Hld 2,10).

Daraus folgt, daß Krankheit für Cerasia natürlich einen anderen Stellenwert haben muß als für die Sünder; kann ihr negativer Ausgang aufgrund Cerasias Lebenswandel sie doch nur zur Vollendung führen (24).

Selbst der Reichtum ihrer Familie ist dieser Jungfrau und Braut Verpflichtung, trotz ihrer späteren eigenen Enterbung durch ihren Vater Geruntius. In Fülle weiß sie jedem zu helfen, der Not leidet (25). So wird ihr Dasein auch zu einem geistigen Beistand, der sie für alle zum Trost werden läßt in Tagen schwerer Heimsuchung und allgemeiner Erkrankung (26).

Solcher Dienst ist ihr möglich, weil sie ganz und gar dem Herrn gehört (27) und daher zu jenen zu rechnen ist, die gleichsam Gottes Gnade wie ein Schild umgibt und der Helm des Heiles schützt (28): sozusagen ein Zweig, der von Natur zum edlen Baum gehört (29).

Ihr Leben ist daher nichts anderes als ein treues Christsein bzw. der schlicht gelebte Glaube, der sich durch Werke der Gerechtigkeit auszeichnet. Cerasia ist somit ganz selbstverständlich zu den Gerechten zu zählen, während sich Eutropius - im Gegensatz dazu - unter den Sündern und Gottlosen wiederzufinden meint (30): gleichsam - wie er sagt - als ein Zweig, der nur durch die gütige Pflege des Gärtners am Fett der edlen Olive Anteil hat (31).

Für ihn berechtigt ein solches Leben, wie es sich bei Cerasia ausweist, wie von selbst zu einer geistigen Führung, die gleichsam dann zur Schutzherrschaft über andere wird. Dabei weiß sich Eutropius wohl selbst unter der Obhut seiner Adressatin und sieht sie als seine Schutzherrin an (32), zu der er in Verehrung aufschaut (33). In der Tat, sie ist ihm Führerin der Guten und Beschützerin der Elenden (34). Das offenbart sich umso mehr, da sie in der Zeit der Barbareneinfälle in Spanien eine hervorragende Arbeit in der Evangelisierung leistet, und dies in umfassendem Sinn (35). Sie lindert jegliche leibliche Not und müht sich um den apostolischen Dienst der Bekehrung vom Götzentum zum Gott des reinen Geistes, von zumeist arianischen Vorstellungen der heidnischen Sueben Nordspaniens (36) zum orthodoxen Dogma (37).

Kein Wunder demnach, daß Eutropius seine Korrespondentin zu schätzen weiß. Umso mehr muß es ihn treffen zu sehen, wie eine so eifrige Frau von Krankheit erfaßt wird; sieht er doch zugleich seine eigene Sicherheit in Frage gestellt. Wo soll er, der sich als Schutzbefohlener Cerasias weiß, nunmehr seine (geistige) Sicherheit schöpfen (38)?

Gewiß, Cerasia ist das Opfer einer weit um sich greifenden Epidemie, der sich keiner entziehen kann und die wegen der allgemein verpesteten Atmosphäre unglücklicherweise die ganze Provinz verseuchte (39).

Hinzu kommt aber, daß Eutropius ebenfalls krank ist. Es plagt ihn ein Magenleiden, das er ob der schmerzlich empfundenen Abwesenheit Cerasias mit Hilfe ärztlicher Kunst zu heilen suchte. Dabei spürt auch er empfindlich die seelischen Folgen der Krankheit (40), obwohl er deren Stellenwert für sich selbst, der er sich als gottlosen Sünder hält (41), begreifen und annehmen kann.

Mit großer Sorge muß es ihn deswegen erfüllen, daß auch Cerasia, die vorbildliche Christin, von Krankheit betroffen wird (42).

Allerdings, so weist Courcelle darauf hin, ist nicht entschieden, um welche Epidemie es sich handelt, noch sagt die Wendung "tota provincia" (sim 1) etwas darüber aus, ob der Verfasser und seine Adressatin in derselben Provinz wohnten, da nämlich die Barbareneinfälle grundsätzlich eine immense Epidemie in ganz Spanien verursachten (43). Folglich wissen wir auch nicht, ob Eutrops Krankheit dieselbe Ursache hat wie die seiner Korrespondentin (44).

Diese Entscheidung ist auch durchaus unerheblich. Wichtig für uns ist es zu sehen, wie des Christen Kranksein für Eutropius zu einem existentiellen Problem wird, das ihn geistig bedrängt. Er fragt sich, wie es möglich sei, daß auch Getaufte von Krankheit und Elend ergriffen werden können; eine Frage, der er engagiert nachgeht und die ihm zum Anlaß wird, die Schrift "De similitudine carnis peccati" abzufassen. Ihrem sprachlichen Charakter gelte unsere weitere Aufmerksamkeit.

3. ZU SPRACHE, STIL, RHETORIK UND BIBELZITATEN

Die direkte Zuwendung zur Schrift "De similitudine carnis peccati" macht innerhalb des Fragestandes auch die Beachtung ihres sprachlichen Charakters zur Aufgabe. Dies umso mehr, als wir oben bei der Erörterung der Verfasserfrage erlebten, daß gerade hier der wunde Punkt in der Forschung Morins lag, indem er nämlich in ziemlich subjektiver Weise und um jeden Preis nach sprachlichen Übereinstimmungen zwischen Pacian und Eutropius gesucht hatte. Was er dann an solchen fand, war ja nur geringfügig und mehr zufälliger Natur. Ein solches Verfahren kann niemals ausreichen, um für zwei Schriften denselben Verfasser anzunehmen.

Hier ist nochmals anzuknüpfen, damit sich auch die linguistische und grammatikalische Eigenständigkeit wie Eigenart der Eutropiusschrift klar abhebe. Dies geschieht eben am besten durch einen Vergleich mit dem Stil Pacians.

Dabei ist zunächst festzustellen, daß ein gewisses Übereinstimmen von Worten und Wendungen der Eutropiusschrift mit den Briefen Pacians, wie es von Morin aufgezeigt wurde, durchaus nicht zu leugnen ist. Aber von Anfang an war es ernstzunehmenden Kritikern zweifelhaft, ob diese Beobachtungen gewichtig und zahlreich genug seien um beweisen zu können, daß Pacian auch der Autor von "De similitudine carnis peccati" sei. Zumindest, so wurde darauf hingewiesen, fehlen die Vergleichsstellen für gewisse Raritäten, wie z.B. für den Gebrauch von 'specialitas' und 'generalitas' (sim 54.58.73), von 'rubrica' (sim 77. 92), von 'forma vitalis' für **Art des Lebens** (sim 59.69) u.ä. (45).

Will man aber aus sprachlichen Indizien auf die Identität der Verfasser zweier Werke schließen, so belehren uns die Philologen, daß bei einem solchen Verfahren keine Wendungen zu wählen sind, die zufällig von zwei Autoren gebraucht sein können, sondern solche, die einem Schriftsteller fast unbewußt in die Feder laufen und dann häufig wiederkehren. Bei einem so gearteten Vorgehen erweisen eingehende Wortschatzuntersuchungen, daß Eutropius von Pacian gründlich verschieden ist (46).

In der Tat, am besten lernt man die sprachliche Eigenart Eutrops und gerade dadurch den bemerkenswerten Unterschied zu Pacian kennen, wenn man die bei ihm häufig wiederkehrenden Partikeln, Pronomina und dgl. beachtet. Da befinden sich nämlich beachtenswerte Unterschiede zwischen dem echten Pacian und dem Verfasser von "De similitudine carnis peccati". Es ist unmöglich, diese hier restlos darzulegen, wobei alle sonst seltenen Wörter aufzuzählen wären, die Eutropius bevorzugt und Pacian eben nicht kennt (47). Wenige Hinweise mögen daher genügen.

Besonders auffällig ist es, daß Eutropius Verben und Adverben kennt, die bei Pacian gänzlich fehlen, während dieser solche liebt, die Eutropius nicht kennt . Ähnliches gilt vom Gebrauch der Zahlwörter (48). Bemerkenswert ist, daß Eutropius im Gebrauch all dieser Worte die Abwechslung liebt; eine Eigenart, die wir bei Pacian vergeblich suchen werden.

Zu diesen Unterschieden kommt noch ein anderer, wichtigerer hinzu: obgleich beide Schriftsteller stilistisch betrachtet insofern auf einer Linie stehen, als beide sich in der Periodisierung als Anhänger des alten ciceronianischen Stiles zeigen, ist hier doch ein deutlicher Unterschied zu sehen: Pacian erreicht auch in der Wortwahl eine Annäherung an die klassischen Vorbilder. Eutropius weist dagegen eine ganze Menge von Wörtern auf, welche nur oder fast nur im Spätlatein oder in der Christensprache vorkommen. Hier wäre eine ganze Reihe von Verben und abstrakten Substantiven aufzuzählen (49). Im Vergleich zu Pacian ist somit festzustellen, daß die stilistische Tendenz von "De

similitudine carnis peccati" eine andere ist. Eutropius ist in der Wortwahl geradezu "modern", was schließlich auch aus vielen, mehr oder
weniger vereinzelt dastehenden Wörtern hervorgeht, die hier ebenfalls
nicht aufgereiht werden können (50).

Zu diesen sprachlichen Differenzen kommt noch die Art, die Schrift zu
zitieren. Hier möge ein Blick auf die Pauluszitate genügen. Eutropius
zitiert den Apostel nirgends mit seinem einfachen Namen, sondern bezeichnet ihn als **vas electionis** (Apg 9,15) (**sim** 40.111). Auffallend ist
sodann die Weise, in der die Bibelzitate eingeführt werden. Eutropius
gebraucht dabei gerne Formeln wie "gloriante apostolo" (**sim** 18), "docente apostolo" (**sim** 28) oder "apostolo praedicante" (**sim** 75). Deutlich
ist hier das Streben nach Abwechslung in der Form: nicht zweimal
wird ein Zitat in derselben Weise eingeführt. Pacian ist grundverschieden davon (51). Schon bei flüchtiger Durchsicht seiner Schriften werden wir gewahr, daß Pacian die Pauluszitate gleichbleibend und stereo-
typ durch Formeln einführt wie "inquit apostolus" oder "(sicut) apostolus dicit" oder einfach "apostolus ait" (52). Solche einfachen Formeln
fehlen bei Eutropius ganz (53). Der Schluß scheint sich hier nochmals
aufzudrängen: "De similitudine carnis peccati" kann nicht aus der Feder des Bischofs von Barcelona stammen.

Dieser Sachverhalt ist positiv zu bewerten; denn er bestätigt das vorläufige Ergebnis der Forschung, daß Eutropius der Autor der vier
Schriften sein müsse, zu denen man auch "De similitudine carnis peccati" zählt und deren literarische Einheit wenigstens zum Teil schon
länger aufgefallen war. All das, was den Traktat "De similitudine
carnis peccati" vom literarischen Werk Pacians scheidet, verbindet ihn
dagegen mit Eutrops übrigen Briefen und erweist so die literarische
Verwandtschaft bzw. Einheit aller vier Schriften des spanischen Presbyters.

Zu den schon genannten Merkmalen tritt noch eine ganz eigenwillige
Rhetorik, die durchaus nicht an Feinheiten Mangel leidet (54). Im
Gegenteil; es sind derer so viele, daß man sie gesondert studieren
müßte (55). Es sei hier nur auf die häufigen Parallelismen, die er-
findungsreichen Abwechslungen im Wortgebrauch, seine Angewohnheit,
den Gedankengang zuweilen durch Ausrufe nachdenklichen Staunens zu
unterbrechen, sowie die emphatischen Umschreibungen verwiesen, mit
denen er auf biblische Persönlichkeiten hinweist.

All dies verleiht seinem Stil teilweise eine angenehme Frische. Sie
kommt schon im ersten Satz dieser Schrift zum Vorschein, der Eutrops
Betroffenheit über Cerasias Krankheit ausdrückt (57).

So kann diese Art zu schreiben nicht zufällig sein: zeugt sie doch
vom Engagement für die Person, an die das Schreiben gerichtet ist
(58) und durch deren Krankheit Eutropius sich in eine mißliche Lage
versetzt sieht (59). Immerhin beflügelt sie ihn zu einer seriösen theologischen Reflexion, wie sie in diesem Traktat zum Ausdruck kommt.

So ist angesichts einer langen dogmatischen Erörterung nicht zu leugnen, daß die genannten stilistischen Eigenheiten der Schrift "De similitudine carnis peccati" einerseits durchaus eine gewisse Lebendigkeit

zusprechen. Da diese aber stark übertrieben werden, gereichen sie leider anderseits der Lektüre des ohnehin schon langen Traktates zum Nachteil. Sie erhält somit eine schwerfällige, langweilige Note. Das ist umso bedauerlicher, da der Inhalt nicht gerade uninteressant ist. So ist zu sagen, daß diese Schrift zwar markante Redewendungen, voll von Lebendigkeit und Wärme hat, im übrigen aber eine peinliche Weitschweifigkeit und einen erdrückenden Wortschwall, Verzerrungen des Gedankens und der Konstruktion, ein sehr häufiges Spielen mit Worten und Assonanzen (60).

Wenn diese stilistische Seite der "Sache" zwar abträglich ist, so ist sie wiederum verständlich, wenn wir bedenken, welcher Person Eutropius seine Gedanken schreibt, einer Dame, die er verehrt, weil sie ihm wertvolle katechetische Dienste leistet. Da sie nun krank geworden ist, kann Eutropius sich nicht genugtun, sie zu trösten. Das tut er, indem er ihr ob ihrer Tugenden schmeichelt und dabei gleich jedem gebildeten Lateiner der Rhetorik freien Lauf läßt (61).

Mag uns dieser Stil auch schwulstig vorkommen und die breite Rhetorik ermüdend wirken; das theologische Denken kommt gleichwohl keineswegs zu kurz. Im Gegenteil: hinter den oft verzerrt vorgebrachten Gedanken verbirgt sich Theologie, die beachtet zu werden verdient (s. u.).

So kann der Stil nicht Zufall sein, da sich Eutropius durch ihn als jemanden ausweist, der nicht distanziert, sondern aus innerer Anteilnahme heraus Theologie treibt: der **consolatio**. Von ihr her erklären sich die beiden Teile des Traktates (s.u.).

Um Eigenart und Inhalt von "De similitudine carnis peccati" richtig zu erfassen, ist der Text daher sehr behutsam und möglichst vorurteilsfrei zu analysieren. Schon aus dem Bisherigen wird erkennbar, daß es letztlich wohl literarkritische Fragen sind, die das Verständnis des Textes so sehr erschweren. Es ist nämlich nicht zu übersehen, daß sich in diesem Traktat theologische und anthropologische Aussagen unvermittelt gegenüberstehen.

Bevor wir uns ihnen näher zuwenden, seien noch unsere Beobachtungen zur Abfassungszeit vorgestellt.

4. BEOBACHTUNGEN ZUR ABFASSUNGSZEIT

Es wurde oben schon erwähnt, daß 394/5 – 431 wohl der relative Zeitraum für das literarische Schaffen des Eutropius ist, wobei eine genauere Datierung für jede Schrift einzeln erarbeitet werden müßte. Hier ist sogleich hinzuzufügen, daß auch für jede einzelne Schrift kaum ein exaktes Datum anzugeben ist. Wir können lediglich aus der einzelnen Schrift heraus Beobachtungen zusammentragen, die die Angabe einer möglichst geringen Zeitspanne erlauben, in der das genauere Datum zu suchen wäre.

Der erste Hinweis, den "De similitudine carnis peccati" zur Datierung bietet, wurde schon genannt: Cerasias Missionsarbeit an den heidnischen Sueben, die sich in Nordspanien angesiedelt haben. Mit bewegten Worten anerkennt Eutropius selbst diese Arbeit, indem er die Feinfühligkeit lobt, mit der sie den Barbaren die Kenntnis von Gott bringt und so das Heil vermittelt (62).

Das Jahr 409, in dem die Sueben zur iberischen Halbinsel kamen (63), wäre somit ein erster **terminus post quem** für die Schrift "De similitudine carnis peccati" die allerdings erst einige Jahre später entstanden sein kann, da man sich um die Evangelisierung der Barbaren erst mühte, als diese sich in Spanien fest etabliert hatten (64).

Der Text bietet einen noch gewichtigeren Anhaltspunkt für eine Datierung:

Bei der Darlegung der Inkarnation bespricht Eutropius die Geburtsszene, indem er auf die Unscheinbarkeit und Niedrigkeit der Geburt des Herrn aufmerksam macht. Diese sieht er u.a. darin bestätigt, daß ein verachtetes Handwerker ohne großen Besitz als sein Vater gilt. Sprachlos ob der Größe Gottes, die sich in solcher Weisheit offenbart, gibt Eutropius seinem Leser zu bedenken, daß "wir ohne Zweifel schon längst nicht nur mit dem Namen, sondern auch mit der Kraft des Stephanus ausgezeichnet" wären, wenn "das steuerpflichtige Vermögen des hl. Joseph in uns wäre" (**sim** 101).

Die Assoziation, die hinter diesem Ausspruch steht, läßt sich leicht erklären. Spricht man von der Geburt des Herrn, die an Weihnachten gefeiert wird, ist es nicht so abwegig, daß die Gedanken auch schon zum nächsten Tag, dem Fest des Erzmärtyrers wandern. Immerhin ist das Stephansfest am 26. Dezember seit Anfang des 5. Jahrhunderts für den Westen als schon bestehend bezeugt. Hinzu kommt, daß im Dez. 415 bei Jerusalem die Reliquien des Stephanus aufgefunden wurden und seitdem bekannt waren (65). Von Orosius 416 nach Menorca verbrachte Stephanusreliquien lösten Begeisterung aus und veranlaßten turbulente Ereignisse, über die Bischof Severus von Menorca in einem Rundbrief von 417 berichtet (66). So darf man annehmen, daß in Spanien die Kenntnis von den Stephanusreliquien und deren Verehrung allgemein verbreitet war. Besser dürfte sich somit die Assoziation des Eutropius kaum erklären.

Durch dieses Indiz erübrigt es sich, noch manche Details zu erwähnen, die ohnehin alle vor 400 liegen.

So wäre meines Erachtens der Zeitraum nach 415 als relative Abfassungszeit von "De similitudine carnis peccati" anzusehen (67). Das entspräche den Ereignissen im Zusammenhang mit den Stephanusreliquien und der Bekehrung der in Spanien bereits fest etablierten Barbaren. Aufgrund dessen hatte Courcelle sich übrigens schon für 417 als Datierung dieser Schrift entschieden (68).

Die oben gemachten Beobachtungen zur Abfassungszeit geben uns ebenfalls literarkritische Anfragen auf, die sich nur durch vorsichtige Textanalyse klären können.

Vierter Teil

ZUM TEXT UND SEINER INTERPRETATION

1. DAS ERGEBNIS DES FORSCHUNGSBERICHTES UND DAS WEITERE VOR- GEHEN

Der Forschungsbericht hat ergeben, daß das zentrale Auslegungspro- blem der Schrift "De similitudine carnis peccati" ein Problem der Text- struktur ist. Dies ist so durchgängig und zugleich mit dem Inhalt des Textes verknüpft, daß es von den inhaltlichen Aussagen her auch ein- sichtig gemacht werden soll. Das scheint sich schon aus dem bisheri- gen Fragestand aufzudrängen.

Es ist nicht zu übersehen, daß seit dem Erscheinen des Aufsatzes von J. Madoz im Jahre 1942 (1) die Forschung im Grunde keinen Schritt weitergekommen ist. Vielmehr ist die Dissertation von L. Tria aus dem Jahre 1936 (2) die bislang einzige zusammenhängende Studie zu "De similitudine carnis peccati" geblieben. Dies überrascht umso mehr, da doch seit dem genannten Aufsatz von J. Madoz, der die Verfasserfrage vorläufig klärte, der **status quaestionis** ein anderer geworden war.

Dennoch gab es bisher nur Sackgassen. Und dies, weil man es unter- ließ, ebenso unvoreingenommen die inhaltlichen Aussagen der Eutropius- schrift zur Kenntnis zu nehmen. Man ließ sich auch hier nur allzu sehr von der Themenformulierung blenden, unter die der Titel der Handschrift "INCIP. BEATI IOH. DE SIMILITUDINE CARNIS PECCATI" den Traktat gestellt sehen will. Demzufolge soll es nämlich schwerpunkt- mäßig um die Erklärung des Verses Römer 8,3 gehen (3). Angesichts einer so großen Vielzahl von Zitaten auch anderer Bibeltexte, wie wir sie in "De similitudine carnis peccati" schon festgestellt haben, ist es indes fraglich, ob der Vers Römer 8,3 und seine Auslegung als die Hauptsache des Textes angesehen werden kann.

Auch ließ man sich zu stark vom antihäretischen Kolorit dieser Schrift beeindrucken in der Meinung, es gehe bewußt um Polemik, anstatt sich zu fragen, ob es sich angesichts der Orthodoxie des Traktates in den polemischen Elementen nicht eher um eine zeitgenössische Form dogma- tischer Darstellung handele, was angesichts des geistigen Wirrwarrs der Zeit (s.u.) zumindest zu erwägen ist.

Dies führte dazu, daß man sich in dem Vorurteil festlief, "De simili- tudine carnis peccati" sei ein antimanichäischer Beitrag zur Ausle- gungsgeschichte von Römer 8,3 (4). Keiner dachte indes daran, nach der Struktur des so schwierigen Textes zu fragen. Die Klärung dieser Frage hätte nicht zu den genannten Sackgassen geführt und einen besseren Zugriff geboten, um den tatsächlichen Sinn des Traktates zu erfassen. Wie wir schon festhielten, ist es ja auffällig, daß der Trak- tat aus zwei Teilen besteht: einem Rahmen und einem **corpus**, die deut- lich auseinanderfallen, weil sie eine je verschiedene literarische Gat- tung wie Thematik aufweisen. Beide haben natürlich eine literarische Funktion und ein ebensolches Verhältnis zueinander. Dies zu erfassen heißt: "De similitudine carnis peccati" wirklich verstehen. Es wird deutlich, daß es hier um keine Einleitungsfrage mehr geht, sondern um den Schlüssel zum Verständnis von "De similitudine carnis peccati".

Da sich bisher keiner mit diesem Strukturproblem befaßt hat, muß man sich ihm jetzt entschieden zuwenden; und vielleicht löst es sich am besten, indem es dergestalt entfaltet wird, daß der Inhalt die Struktur plausibel macht. Das ist legitim, da Inhalt und Struktur eines Textes sich gegenseitig zumindest bedingen und erklären. Mit anderen Worten: unvoreingenommene Textanalyse legt seine Struktur frei.

Bezüglich der so schwierigen Eutropiusschrift mag es direkt spannend sein, die Lösung des Strukturproblems als Ziel einer Studie zu setzen. Freilich ist zum adäquaten Verständnis der Schrift, um die es uns geht, auch ihr literatur-, kirchen- und theologiegeschichtliches Umfeld zu beachten (Vierter Teil). Das hilft, den Inhalt der beiden Textteile besser zu erfassen und auch Bezüge zur Tradition zu entdecken (Fünfter und Sechster Teil).

Zuvor ein Wort zum gerade angedeuteten Aufbau des "Liber de similitudine carnis peccati" ganz allgemein.

2. ZUM AUFBAU DES WERKES: RAHMEN UND CORPUS

Als wir oben das literarische Werk des Eutropius vorstellten, war auffällig, daß seine Schriften ihn als echten Theologen wie auch als feinsinnigen aszetischen Schriftsteller ausweisen. Genau hier scheint auch die Lösung der literarischen Frage zu liegen. Die genannte Physiognomie des Eutropius läßt nämlich vermuten, daß "De similitudine carnis peccati" Theologie wie aszetisches Kolorit aufweist, was sich aus der Seelenführung erklären mag, die er seiner Korrespondentin erweisen will (5).

In der Tat, als wir im Zuge des Forschungsberichtes Stil und Rhetorik der Schrift "De similitudine carnis peccati" besprachen, bemerkten wir, daß sich in dieser Schrift theologische und anthropologische Aussagen unvermittelt gegenüberstehen, und zwar verteilt auf die beiden unterschiedlichen Textteile: Rahmen und **corpus**. Das ist aufgrund dessen, was bisher schon beobachtet worden ist, nicht zu verwundern. Im Gegenteil; man muß sich eher darüber wundern, daß bislang niemand darauf aufmerksam geworden ist. Dies umso mehr, als bereits J.W.Ph. Borleffs im Jahre 1939, also noch vor Klärung der Verfasserfrage durch J. Madoz, de facto diese Differenz der Textteile erkannte, indem er nämlich von "De similitudine carnis peccati" als einem **Traktat in Briefform** sprach (6), was sich mit inhaltlichen Problemen verbindet. Schon frühzeitig hätte man daher das Strukturproblem, das den ganzen Text durchzieht, erkennen können; es erklärt zugleich die verschiedenen **genera** der Aussagen.

Die entscheidenden Beobachtungen dazu werden der Klarheit halber hier vorweggenommen und dann im Laufe der weiteren Studie detailliert am Text gezeigt.

Zunächst rückt die Beobachtung des Briefcharakters den Traktat "De similitudine carnis peccati" durchaus in die Nähe der anderen drei Briefe des Eutropius, so daß er mit ihnen auch unter diesem Gesichtspunkt eine gewisse literarische Verwandtschaft zu bilden scheint. Von Gennadius sind wir ja darüber unterrichtet, daß auch "De contemnenda hereditate" und "De vera circumcisione" zwei Briefe sind: des näheren Trostbriefe, die als solche ein gewisses Thema erörtern, um den notwendigen Trost zu spenden (7).

Auch in "De similitudine carnis peccati" läßt sich solches entdecken.

Der Briefcharakter bestimmt normalerweise Form und Aufbau eines literarischen Werkes, das dadurch eine persönliche Note erhält. Er ergibt sich durch die Beziehung zwischen zwei Personen: und der briefliche Rahmen von Eutrops Traktat erklärt sich von dem geistlichen Verhältnis zwischen einem Priester und einer Katechetin her.

Mit diesen knappen Hinweisen sei lediglich festgehalten, daß "De similitudine carnis peccati" eine persönliche Note aufweist, die sich aus der Briefform ergibt. Diese erklärt sich aus dem Anlaß des Schreibens: Cerasias Krankheit. An ihr will Eutropius persönlichen Anteil nehmen, d.h. eben trösten. Demgemäß beginnt er auch seine Schrift mit der persönlichen Frage nach dem Grund von Cerasias Krankheit, da sie mit ihrem treuen Christsein offensichtlich nicht vereinbar ist (8).

Man sollte nun annehmen, daß diese Ausgangsfrage im Laufe der ganzen Schrift thematisch durchgehalten und theologisch beantwortet wird. So würde es einem reinen Brief entsprechen, der eine Einleitung und einen Schluß hat, welchen den Rahmen abgeben, sowie das eigentliche corpus. All das zusammen bildet in der Regel, wie es einem Brief zueigen ist, eine organische Einheit, wobei ein Element aus dem anderen hervorgeht und es erklärt.

Im vorliegenden Traktat ist es total anders. Bei näherem Zusehen wird deutlich werden (s.u.), daß in "De similitudine carnis peccati" streng zwischen Rahmen (sim 1-31.149-151) und corpus (sim 32-148) zu unterscheiden ist. Und dies in dem schon angedeuteten Sinne: weil beide Textteile unvermittelt nebeneinanderstehen und keine Einheit bilden. Das heißt: es fehlt die inhaltliche Klammer zwischen Rahmen und corpus. Mit anderen Worten: der anfängliche Brief wird fortgesetzt als Traktat mit veränderter neuer Thematik, so daß er eben zu einem Traktat mit brieflichem Rahmen wird. Das erklärt, daß sich kein durchgängiger einheitlicher Gedankengang erkennen läßt.

Dies wird deutlich, wenn wir unvoreingenommen die Thematik anschauen (Fünfter und Sechster Teil). Wie sich dabei zeigen wird, werden im corpus ganz andere Fragen behandelt als im Rahmen, dem daher im Hinblick auf das corpus eine ganz bestimmte literarische Funktion zukommt. Daraus resultiert, daß man es mit zwei verschiedenen literarischen Teilen zu tun hat. Sie werden sich erschließen, wenn wir je aus Rahmen und corpus dieser Schrift die Thematik systematisch erheben. Das wird uns sozusagen von selbst - aufgrund der Textanalyse - je deren literarische Eigenart erkennen lassen. Hier sei nur festgestellt, daß es in "De similitudine carnis peccati" einen brieflichen

Rahmen und ein **corpus** gibt, die uns ein Interpretationsproblem aufgeben. Zu dessen sachgerechter Lösung ist es allerdings auch nicht unerheblich, das zeitgenössische Umfeld der Eutropiusschrift auszuleuchten.

3. KULTURGESCHICHTLICHER RAHMEN

A) Literaturgeschichtliches Umfeld

Wir lernten Eutropius als Aquitanier kennen, der eng mit seinem Landsmann Paulinus, dem späteren Bischof von Nola befreundet ist und mit der vornehmen Spanierin Cerasia, einer möglichen Verwandten der Frau des Paulinus, Korrespondenz pflegt (9). Dies erlaubt uns, seine literarische Aktivität im spanisch-aquitanischen Milieu zu lokalisieren (10). Auf diesem kulturgeschichtlichen Hintergrund wird die literarische Eigenart des Eutropius besser verstehbar.

Gegen Ende des 4. Jahrhunderts zeigt die Landschaft rund um die Pyrenäen eine außerordentliche geistige und religiöse Lebendigkeit (11). Sie äußert sich vornehmlich in Spiritualität sowie literarischer und dichterischer Kultur. In diesem Gesichts- und Kulturkreis profilierten sich die Galloromanen Ausonius und Paulinus sowie der Hispanoromane Prudentius als die drei größten Dichter des lateinischen Westens in den letzten drei Jahrzehnten des 4. Jahrhunderts, die alle auf je eigene Art durch denselben Lebensstil und ihren gemeinsamen Geschmack für die Dichtung geprägt waren (12).

Für Eutrops Hintergrund ist natürlich besonders sein Freund Paulinus interessant, der in etwa das damalige christliche Gallien und damit den Sammelplatz der wichtigsten Geistesströmungen der damaligen intellektuellen Welt vertritt (13). An ihm mögen wir gerafft die geistige Kultur ablesen, soweit sie als Verstehenshorizont für "De similitudine carnis peccati" in Frage kommt.

Paulinus ist jener begabte Aristokrat, der seine gediegene, traditionelle Ausbildung dem berühmtesten Rhetoriklehrer und Dichter des damals kulturell hochstehenden Gallien verdankt, dem oben genannten Ausonius, dessen bedeutendster Schüler er war. In der Tat, die Gedichte des Paulinus bezeugen seine feine rücksichtsvolle Urbanität und verstechnische Virtuosität (14).

Anders werden dagegen seine Briefe beurteilt, die vom formal-ästhetischen Standpunkt aus gegenüber den Gedichten merklich abfallen. Wenngleich Paulinus auch hier eine gewisse Gewandtheit nicht abgesprochen wird (15), so erinnern uns die Urteile über seine Prosa stark an das, was uns oben schon an Eutrops "De similitudine carnis peccati" auffiel: Haschen nach Antithesen, Weitschweifigkeit (16), Schwulst (17), schwerfällige Satzbildung, gesuchter Ausdruck und wahre Manie, biblische Zitate und Anspielungen einzuschalten (18) und sogar mit ihnen zu spielen, um etwas Besonderes zu sagen (19).

Gewiß verleidet uns Heutigen dies die Lektüre, da wir unserem modernen Geschmack zufolge über solche literarischen Produkte nur sehr nüchtern denken (20). Allein, ein Urteil, das sich lediglich auf Geschmack aufbaut, ist wenig zugemessen. Im Gegenteil, diese Art zu schreiben ist im Grunde alte Rhetorenmanier (21). Zudem ist es im 4. und 5. Jahrhundert eine seltene Ausnahme, wenn ein christlicher Autor nicht rhetorisch schreibt (22); und "natürlich hat auch der an der antiken Literatur mit ihrem 'exklusiv aristokratischen Charakter' (23) gebildete Paulin als christlicher Schriftsteller auf die Beachtung rhetorischer Mittel nicht gänzlich verzichtet" (24). Seit langem lauschten nämlich "Hunderttausende den gewaltigen Predigern, die ihre Reden ganz und gar in das Modegewand der Sophisten gekleidet hatten, und seit langem war der Inhalt der neuen Lehre auch durch die Schrift der gebildeten Welt in formvollendeten Werken zugänglich gemacht worden" (25).

Und Paulinus bedient sich der rhetorischen Tradition, die er in Bordeaux gelernt hatte, der damaligen Hochburg der Wissenschaft im Lande der Rhetoren. Da Gallien das Erbe der einst stolzen Roma angetreten hatte, suchte man, ohnehin mit lebhaftem Nachahmungstrieb ausgerüstet (26), den alten Glanz literarisch noch ein wenig zu feiern: freilich mehr durch äußere Form und einen ungeheuren Apparat von Redefiguren als durch Inhalte (27). Daraus erwuchs gleichsam eine eigene gallische Rhetorik, die sich im allgemeinen durch Schwulst und Geschraubtheit, Zierlichkeit und Pathos kundtat und sich gern mit fremden Redeblumen schmückte (28).

Im Banne dieser Rhetorik stehen Paulins Briefe, wobei es für uns interessant ist zu sehen, daß seine Weitschweifigkeit sich wohl daraus erklärt, daß er beim Briefdiktat ein trauliches Zwiegespräch mit dem Adressaten zu halten scheint, aus dem er selbst immer wieder Trost schöpft (29). Auch die Fülle der Bibelzitate ist ein Zeichen der Zeit: ein Reflex des eben aufkommenden Bibelstudiums, mit dem Paulinus selber sich intensiv befaßte (30).

Neben der literarischen Kultur kennen wir bei Paulinus auch eine religiöse Haltung. Eines unentschiedenen Christentums überdrüssig, hat er "den sich im ausgehenden 4. Jh. im Westen gerade konstituierenden strengen Weg der imitatio Christi als christlicher Asket eingeschlagen" (31), was in der Folge den Verkauf seiner beträchtlichen Besitzungen bedeutete. Das war zwar damals ein in der ganzen Welt aufsehenenerregender Schritt, aber doch nicht der erste seiner Art, da sich die asketische Bewegung des 4. Jahrhunderts gerade in Aquitanien und Spanien schnell ausbreiten konnte (32).

So repräsentiert Paulinus "in paradigmatischer Weise ein Menschentum, das von der paganen Bildungswelt herkommend sich einem substantiellen Christentum öffnet", wodurch er "für den Zeitgeist ungemein typisch und aufschlußreich" ist (33). Und das Typische war: antike Bildung, welche in Gallien - obschon von Barbaren überschwemmt - noch lange hochgehalten werden konnte; Vorliebe für den modernen Stil der Rhetorik, was mit der Hinwendung zum Christentum zusammenhängen mag (34); Askese als bewußtes christliches Leben.

Bei der Beschreibung der asketischen Bewegung ist eine Strömung zu beachten, durch die in der Folge die historische und kirchenpolitische Situation recht virulent wurde: der Priszillianismus. Er führt uns zugleich vom Bereich der Askese in den Bereich der Theologie, in dem der Priszillianismus sich in der Zeit der Barbareneinfälle mit dem Arianismus verband: ein geistiges Chaos, das sich vorab in Spanien abspielte, welches mit Gallien in alter Schicksalsgemeinschaft stand (35).

B) Kirchengeschichtlicher Hintergrund

"Am Ende des 4. Jahrhunderts wurde die spanische Kirche in ihrer Entwicklung durch den Priszillianismus stark gehemmt. Außerdem geriet noch vom Anfang des 5. Jahrhunderts an die vorzüglich organisierte katholische Kirche der romanisierten Bevölkerung in Gegensatz zu den einwandernden arianischen Germanen, die rechtlich und religiös ein Sonderleben führten" (36). Mit dieser Feststellung ist der historische Rahmen abgesteckt, dessen Komplexität alle theologischen und literarischen Strömungen im ganzen spanisch-aquitanischen Raum in eine oft schwer durchschaubare Verwirrung brachte. Gleichwohl sei sie in knappen Strichen umrissen.

Zunächst mag es für unseren Blickwinkel interessant sein zu beobachten, daß gerade aufgrund der Barbareneinfälle und somit angesichts der akuten Aufgabe, die Barbaren zu evangelisieren, ein allgemeines literarisches Erwachen in der spanischen Kirche einsetzte. Das geschah nicht ohne Grund; denn die kriegerischen Auseinandersetzungen waren eng begleitet von geistigen Umbrüchen, die zugleich unvermeidbar zu einem religiösen und ideologischen Wirrwarr führten. Die große Masse nahm nämlich die Religion ihrer Führer an, und diese wechselte häufig im Verlauf des vierten und fünften Jahrhunderts (37).

Dabei fällt vor allem die Situation in Nordspanien auf, die arianisch geprägt war. Der Arianismus (38) seinerseits war der paganen Religion der Sueben übergestülpt worden. Zu all dem kam dann noch - durch die Barbareneinfälle erst recht gefördert - das Phänomen des Priszillianismus (39), der diese Mischung gänzlich durchdrang, so daß dieser Zusammenschluß von Arianismus und Priszillianismus für Spanien geistesgeschichtlich geradezu charakteristisch wurde. Das hatte wohl die literarische Folge, daß alles, was in jener Zeit in Nordspanien geschrieben wurde, den Stempel religiöser Kontroverse trug: es war entweder für oder gegen den Priszillianismus. Und auf diesem Hintergrund der Verschmelzung des Priszillianismus mit dem kursierenden Arianismus ist auch die missionarische und katechetische Arbeit unter den Sueben zu sehen (40).

Priszillian verfügte über eine reiche geistige Kultur und war in magischen Künsten geübt (41). Solchermaßen ausgerüstet, rief er eine asketische Strömung ins Leben, die sich Ende des 4. Jahrhunderts eigentlich nur gegen die Laxheit der Kirche auflehnte (42) und diese auf dem Fundament eines in sich wohl orthodoxen Asketismus reformieren wollte. Aber dies geschah mit einer derart merkwürdigen Heilslehre und obskuren Praktiken, daß sie Priszillian zum Verhängnis wurden (43). Unversehens wurde er zum spanischen Haeresiarchen, dessen tragische Figur sich auf dem turbulenten Hintergrund von Intrigen erklärt; denn sein häretischer Anstrich basiert mehr auf den Anklagezeugnissen seiner Zeitgenossen und der sicheren Heterodoxie seiner Schüler als auf dem Lehrinhalt seiner eigenen Schriften (44). So bleibt Priszillians Lehre letztlich undurchsichtig, so wie die äußere Geschichte seiner Bewegung dunkle Punkte aufweist (45).

Es mag hier genügen zu sehen, daß die priszillianistische Bewegung sich rasch ausbreitete und in Nordspanien (Gallaecien) und Südfrankreich Volk, Klerus und Episkopat erfaßte (46). Durch seine Predigt und glänzende Überzeugungsgabe gelang es nämlich Priszillian, in kurzer Zeit viele Anhänger zu gewinnen (47), darunter auch Bischöfe und Aristokraten, die einfach von gewissen Elementen des Priszillianismus als Bewegung angetan waren, ohne freilich deren Prämissen zu bejahen. Zudem "war es gerade für die westliche Reichshälfte kennzeichnend, daß viele der ersten Asketen...aus den gehobenen und obersten Gesellschaftsschichten kamen, bzw. mit ihnen in engstem Kontakt standen: Sulpicius Severus, Paulinus von Nola, Martinus von Tours, Rufinus von Aquileja, Hieronymus". Und da sich der Priszillianismus "im wesentlichen als eine asketische Bewegung verstanden hat", d.h. "als einen unter vielen asketischen Ansätzen des 4. Jhdts." (48), war es zunächst ein leichtes, auch Bischöfe zu überzeugen und- zu täuschen (49).

So erklärt sich auch die "Affinität Paulins zu Priszillian..., die eben in dem individuellen Charakter des asketischen Bemühens liegt" (50). Zudem bemühte sich Priszillian "um einen 'gebildeten' Asketismus, wobei sein Interesse "nahezu ausschließlich der **scriptura**" galt. Und "auch nach Priszillian wurde im lateinischen Raum Asketismus mit geistiger Tätigkeit verbunden"; etwa mit Bibelwissenschaft bei Hieronymus, oder, wie wir schon sahen, mit 'amour des lettres' bei Paulinus von Nola (51). Diese positiven Elemente machen die rasche Ausbreitung des Priszillianismus verständlich, der sich allerdings in der Folge von der Großkirche immer mehr distanzierte und zum eigenen Schaden seinen eigenen Weg ging: in Ausformung und Lehre.

Schließlich wurde nach dem Tod Priszillians das schon genannte nordspanische Gallaecien das Kerngebiet des Priszillianismus, wo er am längsten einen Rückhalt hatte (52). Und der Priszillianismus Nordspaniens wurde in der Mitte des fünften Jahrhunderts zu einem komplexen, festgefügten Gebilde: zu einer Lehre wie zu einer kirchenpolitischen Wirklichkeit. Sie war eine große Volksbewegung, die dann schließlich die asketischen Ideale auch noch mit gnostisch-manichäischen Spekulationen verband, so daß daraus eine esoterische Lehre entstand, welche den Anhängern durch Askese eine voranschreitende Vervollkommnung versprach. Dabei handelt es sich um ein dualistisches System, das sein Gepräge durch eine starke Betonung der Stellung und Bedeutung Christi erhält, der hier nach Art des alten sabellianischen Irrtums mit dem Vater in eins gesetzt wird. So nimmt sich der Priszillianismus als ein geschichtliches Phänomen, weil geistesverwandt mit dem Manichäismus, durchaus nicht von der drängendsten Wichtigkeit aus, aber er wurde zugleich ein Anstoß zu neuem Denken (53).

So ist davon auszugehen, daß die Anregungen, die Priszillian gab, im Spanien des 4. Jhdts. einem echten Bedürfnis entsprangen; denn dort bestand offensichtlich eine gewisse theologische Lücke, zumal die Spanier kaum etwas von Gewicht geschrieben hatten: Ossius hatte fast nichts geschrieben, das gleiche gilt von Potamius, der zudem Arianer wurde, und von Pacian. Gregor von Elvira war Luciferianer (54).

Zudem war Spanien durch den Sog der vandalischen, alanischen, visigotischen und suebischen Banden geistig so mitgenommen worden, daß literarisch nichts anderes mehr als trockene Chroniken und erbärmliche Versuche sich des Priszillianismus zu erwehren, entstehen konnten. Zu dieser theologisch äußerst dürftigen Literatur zählen wohl noch die antijüdische Polemik des Bischofs Severus von Menorca, die Schriften des Bachiarius und vielleicht das Werk eines gewissen Peregrinus (55).

Die kursierenden Häresien, die meist noch von einer rigorosen Lebenshaltung ausgingen, führten daher zur intensiven Frage nach der Menschheit in Jesus, der der Ansicht der Antiochener zufolge ein voller Mensch sein mußte, um die Menschheit erlösen zu können. Dieses Anliegen der Antiochener kam den Problemen des Westens, auch in Spanien, entgegen. Und die Theologie des Westens zeichnete bereits eine Haltung vor: ihr vornehmster Vertreter Augustinus schenkte nämlich den Fragen der menschlichen Natur besondere Beachtung und prägte sich mit seinen theologischen Auseinandersetzungen den Köpfen tief ein (56).

In diesen geistigen Verstehenshorizont ist "De similitudine carnis peccati" einzuordnen (57). Auch sie wendet sich in ihrem Rahmen u.a. der menschlichen Natur und ihren Problemen zu (sim 12-28). Das Interesse dafür entsprach nämlich einer Grundhaltung, auch in Spanien selbst, wofür die starken Häresien Anlaß genug waren (58). Dabei ist im übrigen Eutropius kaum an der Erbsündenlehre interessiert, wie es Dalmau, Tria und Gross meinen (59). Für deren Entstehung ist "De similitudine carnis peccati" von nur geringer Bedeutung. Hier geht es nur, wie die Thematik des Rahmens zeigen wird, um die Folgen der Tat Adams, die allen Nachfahren gleichsam zur Natur geworden ist (60).

Die konkrete menschliche Natur wurde in der Menschwerdung unverkürzt angenommen und garantiert so die ganzmenschliche Erlösung. Diese will Eutropius im **corpus** seines Traktates darstellen, wobei er es begreiflicherweise nicht unterlassen kann, in regelmäßigen Abständen durch apologetische Zwischentöne auf die irrigen Auffassungen der Häretiker hinzuweisen. Daher sei noch eigens – ausgehend von der priszillianistischen Bewegung – diese theologische, heterodoxe Situation kurz festgehalten.

C) Theologische Situation

aa) Heterodoxe Strömungen

Jene Häretiker, die Eutropius bei seiner Darstellung der Inkarnationslehre wie selbstverständlich immer wieder vor Augen hat, sind nebst
den Arianern (61) vor allem die Manichäer (62).

Das ist nicht zu verwundern; denn der Manichäismus war in Ost und
West längst keine unbekannte Größe mehr. Vielmehr hatte er mit dem
Anspruch, die umfassendste und letzte aller Erlösungslehren zu sein
(63), im 4. Jahrhundert seinen Siegeszug vom Iran bis nach China
und Spanien angetreten, wobei er die gnostischen Sekten in sich auf-
nahm und auflöste.

Bei der Ausbreitung im Westen verzeichnete der Manichäismus besonders starke Erfolge in Nordafrika. Von dort aus ging sein weiterer
Weg nach Spanien, Gallien und Italien (64).

Der Priszillianismus, der in unverkennbarem Zusammenhang mit manichäischen Ideen steht, machte sich die nach Spanien verbrachten
gnostischen Ideen zueigen und wurzelte tief in einem gnostischen und
manichäischen Sabellianismus, der sich von Anfang an auf der ganzen
iberischen Halbinsel rapide ausbreitete. Das wurde zum Anlaß, daß in
der spanischen Kirche, wie oben schon angedeutet, ein ganzer Zyklus
von Kontroversschriften entstand, der zudem die spanischen Grenzen
überschritt und sich über Rom, wo sich Papst Leo äußerte (65), bis
Afrika erstreckte, da Augustinus vom schon genannten Orosius gebeten
wurde, zu den anstehenden Fragen Stellung zu nehmen (66).

Wie es scheint, gab angesichts des doktrinären Wirrwarrs in Spanien
Priszillian schließlich nur noch den Namen her, unter dem man die
verschiedenen Strömungen zusammenfaßte, so daß die einzelnen Autoren
gegen je verschiedene Bewegungen schrieben oder sie zumindest vor
Augen hatten (67).

Das geistige Durcheinander erklärt, daß wir über strikt manichäische
Propaganda in Spanien nicht sonderlich gut informiert sind. Indes ist
es wahrscheinlich, daß es in Spanien tatsächlich Manichäer gab. Wie
anders sollte sich sonst der Vorwurf des Manichäismus erklären, der
u.a. der priszillianistischen Bewegung gemacht wurde. Außerdem ist
es eine Tatsache, daß seit Ende des 3. Jahrhunderts alle Väter irgendwann Gelegenheit erhielten, sich mit dem Manichäismus zu beschäftigen (68).

So tut es auch Eutropius in seinem Traktat "De similitudine carnis
peccati"; und zwar mehr als mit anderen Strömungen. Auch wenn dies
nur beiläufig geschieht, um seinem eigenen orthodoxen Gedankengang
mehr Leuchtkraft zu verleihen, ist es doch gut, hier kurz das manichäische System zu bedenken. Dabei beschränken wir uns auf die
diffuse Christologie der Manichäer (69), die als Hintergrund für "De
similitudine carnis peccati" deswegen hilfreich ist, da sie - wie wir
unten sehen werden - gleich Eutropius u.a. den Begriff der **similitudo**

gebraucht, allerdings um Falsches von Christus auszusagen.

bb) Manichäische Christologie

Die Christologie bildet den Mittelpunkt von Manis religiöser Gedankenwelt (70). Sie ist dadurch charakterisiert, daß die Gestalt Jesu zwar integrierender Bestandteil aller manichäischer Dogmatik bleibt, aber aufgelöst und verflüchtigt wird zu einem Symbol: Jesus der Glanz, Jesus der Sohn des Urmenschen, der Sohn der Größe, – um nur einige Symbole zu nennen, unter denen die manichäische Dogmatik die Gestalt Jesu deutet (71). "Jesus als reines Gottwesen ist als Glanz-Jesus der aktive Erlöser, als Jesus **patibilis**, Jesus das Kind, als Licht-Kreuz, als passiver Gott die Gesamtheit der Seelen, die erst erlöst werden soll" (72). Dieses manichäische Jesusverständnis zeigt eine merkwürdige Dialektik, der zufolge Jesus einerseits als Lichtgesandter und als Sinnbild des Nus der Erlöser der Seelen und anderseits als Jesus **patibilis**, als das notwendige Gegenstück zu dem aktiven Erlöser-Jesus, selber Erlösungsobjekt ist (73). Diese gnostische Vorstellung entkleidet die Person Jesu des materiellen Leibes; denn es genügt als Symbol auf Gott hinzuweisen. So deutet das Symbol des Jesus **patibilis** die Immanenz Gottes in der Welt, während die Transzendenz Gottes im Symbol "Jesus der Glanz" zum Ausdruck kommt (74).

Daraus folgt eine inkarnationsfeindliche Christologie, aus der die Manichäer auch keinen Hehl machten, obwohl sie diese durch eine kunstvolle Krasis biblisch zu untermauern verstanden. Der Logos ist für das manichäische Denken im Fleisch nur erschienen, aber nicht Fleisch geworden, so daß Christi Geburt und konsequenterweise auch dessen Leid und Tod geleugnet wird. Nach diesem theologischen System hatte der Jesus der Evangelien auch keine andere Funktion als die des Verweisens auf den Christus spiritalis, den er als dessen Zeichen den Menschen offenbarte. Darin lag der einzige Sinn der Erscheinung Jesu im Fleisch, wie die manichäische Dogmatik diese versteht (75).

Der Doketismus der manichäischen Christologie erschöpft sich so im reinen Symbolismus. Diese symbolhafte Funktion des Jesus der Geschichte begründeten die Manichäer mit dem paulinischen Vers: "Deus Filium suum misit **in similitudine carnis peccati**" (Röm 8,3), wobei allerdings der Terminus **similitudo** nicht im Sinne einer realen Ähnlichkeit, sondern eines reinen Scheins verstanden wurde (76).

Das möge genügen, um das zentrale Thema des Manichäismus anzudeuten: die Stellung Christi im Universum. Das verleiht uns zugleich eine Vorstellung vom Verstehenshorizont, unter dem der Traktat des Eutropius je zu sehen ist. Auch er behandelt, wie unten zu zeigen ist, im **corpus** seines Briefes neben vielen anderen Aspekten **unter anderem** die Grundaussage von der "Gestalt des sündigen Fleisches".

Das bedachte Umfeld erleichtert die Interpretation von "De similitudine carnis peccati".

4. HINFÜHRUNG ZUR INTERPRETATION

Die Schrift "De similitudine carnis peccati" entstammt einer Zeit viel-
fältiger und vielschichtiger theologischer sowie literarischer Strömungen. Sie bilden den Verstehenshorizont für Eutrops Traktat und finden
in ihm ihren Widerhall.

Was uns im Forschungsbericht an Eutrops Schrift merkwürdig und spröde vorkam, erscheint uns nun um Lichte des spanisch-aquitanischen
Milieus etwas positiver.

So steht der Traktat des Eutropius im Bannkreis asketischer Tendenz
und gallischer Rhetorik.

Die asketische Tendenz mag vielleicht auch erklären, warum "De similitudine carnis peccati" von den Adoptianisten dem Hieronymus zugeschrieben wurde (77). Gewiß ist die asketische Tendenz des Hieronymus
und der Wüstenväter in den **Briefen** des Eutropius ausgeprägter anzutreffen (78), aber gleichwohl ist sie im brieflichen Rahmen von "De
similitudine carnis peccati" aufzufinden (**sim** 1-31). Und dies derart,
daß Eutropius eben an Cerasias Krankheit Anteil nimmt. Er tut es auf
denkerische Art, indem er die menschliche Natur und deren Bedingtheit
beschreibt, wozu Tod und Krankheit zu zählen sind. Diese inhaltliche
Thematik des Rahmens wird im nächsten Teil dieser Studie zur Sprache
kommen. Dabei wird uns die Textanalyse zugleich den literarischen
Charakter des Rahmens dartun. Er wird uns erkennen lassen, daß
Eutrops Art der Anteilnahme, die Askese und Seelsorge in einem ist,
freilich einen Sinn und ein Ziel hat: die Spendung von Trost.

Die gallische Rhetorik spiegelt sich im **corpus** des Traktates (**sim** 32-
148). Sie mag erklären, warum trotz des neuen Fragestandes, der sich
durch den Aufsatz von J. Madoz 1942 ergab, keine Studie mehr zu "De
similitudine carnis peccati" entstand. Zu Unrecht wurde so der Weg
zum wertvollen Kern: Eutrops Theologie, verschüttet.

Indes dürfen die großen Erbübel der Rhetorenschule: Wortspiele und
Breite in der Ausführung eines Themas, Eutrops Traktat nicht länger
in Mißkredit bringen, auch wenn durch solche rhetorischen Mittel seine Einheitlichkeit nicht wenig gestört wird (79). Immerhin weist das
corpus ein nicht uninteressantes Thema auf: die Inkarnationslehre, die
unter vielfältigen Aspekten ausgeleuchtet wird, um den soteriologischen
Sinn der Menschwerdung Gottes deutlich herauszustellen. Dabei löst ein
Aspekt den anderen ab und folgt aus ihm: ein reiches Mosaik, das
sich durch unverzichtbare Steinchen zusammensetzt, weil sie in beeindruckender Weise dartun, wie konkret der (eine und ganze) Mensch erlöst ist. Dies soll unten im 6. Teil ausgebreitet werden. Daraus wird
obendrein der literarische Charakter des **corpus** einsichtig werden.

Angesichts dessen ist es fraglich, ob Eutropius sich wirklich so kom-
promißlos dem schwülstigen Zeitstil unterworfen hat. Er würde im maß-
vollen Gebrauch der damaligen rhetorischen Mittel ohnehin nicht allein
dastehen (80).

Ob des Inhalts will jedenfalls Eutrops Weitschweifigkeit nicht mehr **nur** "peinlich" sein, sein Wortschwall nicht **nur** "bedrückend" wirken (81).

Das lädt uns ein, uns unbeirrt und unvoreingenommen dem Text auszusetzen. Er möge jetzt zu uns sprechen.

Fünfter Teil

DIE THEMATIK DES RAHMENS

(Sim 1-31.149-151)

ANTHROPOLOGISCHE AUSSAGEN

Vorbemerkung

Wir haben es in Eutrops Traktat mit zwei Teilen zu tun. Deren Verhältnis zueinander wollen wir klären, indem wir den Inhalt beider Teile getrennt erheben.

In bezug auf den Rahmen der Schrift "De similitudine carnis peccati" bedeutet das, Eutrops anthropologische Aussagen zur Sprache zu bringen, die sich aus dem Anlaß seines Briefes, Cerasias Krankheit, ergeben. Sie drängt nämlich zur Frage nach dem Grund (der Krankheit des Christen).

Das führt dazu, daß Eutropius sich (kurz) mit der menschlichen Natur und ihren Grundbefindlichkeiten auseinandersetzt; denn offensichtlich schließt treues Christsein das Kranksein nicht aus.

Durch solche Auseinandersetzung mit der Frage, wie der erlöste Mensch krank werden könne (s.u.), will Eutropius denkerischen Anteil an Cerasias Krankheit nehmen. Das macht aus dem Rahmen seines **Traktates** in Brieform den 1. Teil einer Trostrede (s.u.), indem Eutropius gerade durch solide Reflexion (über die menschlichen Grenzen) und (deren theologische) Interpretation Sinn (an Vorgegebenes) anzubringen und so Trost zu spenden versteht (s.u.).

Demgemäß wird im folgenden das Problem der Krankheit derart beantwortet, daß eine (denkerische) Begründung gegeben wie auch (tröstend) je auf menschliche Qualitäten verwiesen wird, was zugleich einen theologischen Hintergrund eröffnet, der es Eutropius hernach erlauben wird, seine Trostrede – mit veränderter Thematik – im **corpus** seines Traktates (6. Teil) (theologisch) fortzusetzen.

Wenn es sich bei Eutrops Anthropologie auch um einen vom **corpus** (Soteriologie) literarisch unterschiedenen Teil handelt, so ist aufgrund der gemeinsamen Zielsetzung beider Teile (s.u.) gleichwohl zu erwarten, daß die Anthropologie gleichsam die Voraussetzung für die Erlösungslehre bildet. Daher ist sie zuvor als deren Verstehenshorizont zu skizzieren (5. Teil). Allerdings ist Eutrops Anthropologie ob der Absicht, sich mit ihr "lediglich" einen Zugang zur Soteriologie zu verschaffen, nicht übermäßig material- wie ertragreich. Dennoch ist sie natürlich als der entscheidende Schlüssel zum Verständnis des ganzen Traktates zu begreifen.

Schauen wir also, wie Eutropius das Problem (der Krankheit) formuliert, was er dazu zu sagen weiß und wie er seine Gedanken in seine Zielsetzung einbringt.

1. DAS PROBLEM: DES CHRISTEN KRANKSEIN

Eutrops Ausgangsfrage lautet präzis: wie kann der erlöste Mensch krank werden? Er selbst formuliert sie so:

> "Deine Krankheit soll aber nicht einige ganz Ungläubige zur Meinung verleiten, es gebe keine Unterscheidung der Verdienste. Wie wir hier in gleicher Weise den Krankheiten unterworfen sind, so würden wir, wenn wir scheiden, das gleiche Schicksal erfahren, was es auch sei. Somit könne man in Zukunft den Verdiensten die Rechtskraft absprechen und jetzt könne ein unbekümmertes Drauflosleben der Natur nicht vorgreifen...so...wollen wir...erklären, warum hier die Heiligen mit den Menschen, die straffällig sind, die körperlichen Beschwerden ohne Unterschied teilen, wenn sie doch bei der seligen Auferstehung von ihnen getrennt werden" (sim 12-13).

Das Anliegen des Eutropius ist bekannt: ihn bedrückt Cerasias Krankheit; dies umso mehr, als die Krankheit - so betont Eutropius - wenigstens bei den Getauften, eben den Erlösten grundsätzlich keinerlei Befugnis mehr haben dürfte (1). Nicht zu leugnen ist indes die Tatsache, daß auch Christen krank werden. Daher muß dieser Sachverhalt bedacht und erklärt werden; denn offensichtlich gibt es zwischen den "Heiligen" und den "Straffälligen" etwas grundsätzlich Gemeinsames, was sich eben in Krankheit oder auch Tod äußern kann (2).

Die so formulierte Fragestellung macht deutlich, daß das Problem der Krankheit **aller** auf der Folie von Ungleichheit zu sehen ist. Diese Differenz darf weder im Problem noch in der Antwort aufgehoben werden, falls die Funktion von Eutrops Anthropologie begreiflich werden soll. Vielmehr ist der Anstoß (an der Krankheit aller) nur behoben, wenn gerade die (menschliche) Ungleichheit (der von ihr Erfaßten) bestehen bleibt. Dies entspricht dem oben zitierten Text, der die Natur **aller** vom Lebenswandel des je **einzelnen** unterscheidet. Nur so wird es Eutropius überhaupt möglich, angesichts der Krankheit zugleich Trost zu spenden; denn es gibt nicht nur eine Natur, die alle unter dieselben Bedingungen stellt, sondern auch ein Gericht, das den Lebenswandel des je einzelnen erforscht und Unterschiede ans Licht bringt:

> "Die Natur bringt uns hervor und gibt uns das Leben, das Gericht untersucht, wie wir gelebt haben. Die Natur läßt alle zum gleichen Los das Licht der Welt erblicken, das Gericht erforscht unsere Beschaffenheit. Dort befreit uns das Gericht von der Natur, hier kettet es auch die Guten an die Natur. Schließlich gehört das eine zur Zukunft, das andere zur Gegenwart: und die Natur betrifft die Menschen, das Gericht den Lebenswandel" (sim 15).

So hat die Krankheit **aller** einen zureichenden Grund, die Krankheit **des einzelnen** einen je verschiedenen Stellenwert und die Krankheit des Christen durchaus einen Sinn.

2. SINN DER KRANKHEIT DES CHRISTEN: MAHNUNG AN DIE SÜNDER

Noch einmal: die Krankheit dürfte eigentlich unter Christen nicht Platz greifen. Da aber das Gegenteil der Fall ist, muß ihr also irgendein Sinn anhaften. Dieser läßt sich in der Tat schon rein äußerlich an der Beobachtung ablesen, die Eutropius aufgrund der Epidemie an Cerasia und den ihr hörigen Barbaren anstellen kann: daß nämlich die Krankheit einer vorbildlichen Christin für zahlreiche Gottlose Heil bedeutet, indem diese sich schon aus Furcht vor eigener Krankheit bessern (3). Und diese Beobachtung vermittelt ihm - wie er dankbar vermerkt - die Erfahrung, daß das Übel der Krankheit Gutes bewirkt (4).

Wir erinnern uns der Situation: Cerasia verzehrt sich in der Evangelisierung der Barbaren und wird dabei ob der kursierenden Pest selber krank. Doch ungeachtet dessen kommt sie jeder leiblichen Not zu Hilfe.

Und angesichts von Krankheit und des rasch um sich greifenden Todes geschieht das Staunenerregende: die bislang keine Christen waren, werden plötzlich zu Christen und wenden als Heilmittel für die Krankheit sogar ein zuchtvolleres Leben an (5).

Durch diese Beobachtung gefangengenommen, mißt Eutropius der Krankheit einen positiven Wert zu. Dies reiht ihn ein in die Tradition der übrigen Väter, die die Frage nach Krankheit und Leid ihren Mitmenschen gemäß den jeweiligen Gegebenheiten und Erfahrungen erklärten. Es sei nur an zwei Zeitgenossen des Eutropius erinnert: an Johannes Chrysostomus, den berühmten Bischof und Prediger von Konstantinopel und Bischof Ambrosius von Mailand. Beide waren durch persönliche Erfahrung in hohem Maß befähigt, in zahlreichen Predigten und Schriften das konkret erlebte Leid denkerisch einzubringen: Johannes Chrysostomus durch das Exil und seine Tragik, Ambrosius durch häufige Krankheit (6).

So qualifiziert auch Eutropius de facto die Krankheit als ein Gut für den Menschen, das ihm die Gelegenheit bietet, bei sich und für andere Gutes zu wirken (7). Dies tut er, indem er aus seiner Beobachtung folgert: Cerasia ist krank und muß leiden, damit die Sünder Furcht bekommen und daraus Zurechtweisung erhalten. Nur so kann die rechte Ordnung wiederhergestellt werden (8). Sinn und Ziel der Krankheit ist also laut Eutropius: Bekehrung und Besserung der Sünder. Darin erweist sich ihre Güte.

Diese Beobachtung genügt Eutropius. An der Sünde selbst ist er wenig interessiert. So wird ihre Beziehung zur Krankheit, für welche sie die Ursache sei, kaum vertieft dargestellt, wie etwa bei Johannes Chrysostomus und Ambrosius (9).

Bei Eutropius geht das theologische Interesse in eine andere Richtung: wenn die Krankheit schon ein Gut ist, dann muß sie grundsätzlich zur menschlichen Natur gehören; ferner hat sie - wie je an ihrer Wirkung abzulesen ist - einen Sinn. Daraus folgt (tröstend), daß sie dann auch einen je verschiedenen Stellenwert haben muß (10).

3. STELLENWERT DER KRANKHEIT DES EINZELNEN: NATUR UND GERICHT

A) Verschiedene Wirkung

Eutropius fährt fort: ist Krankheit und Leid ein Teil der menschlichen Natur, braucht man sich über sie hinfort weder zu wundern noch gar verächtlich von ihr zu denken (11). Im Gegenteil! Da ihr schon nicht zu entrinnen ist (12), ist über ihre Wirkung nachzudenken. Sie ist im vorliegenden Falle offenkundig: die Guten werden herausgestellt bzw. noch heiliger; die Bösen werden umgewandelt bzw. zumindest nicht betrogen, da die Krankheit für sie ohnehin eine gerechte Strafe wäre (13).

Das will heißen: die Krankheit haftet gewiß, wie wir sehen werden, der menschlichen Natur an, sagt aber noch nicht unmittelbar etwas über die menschliche Qualität des einzelnen aus. Diese ist erst an der Wirkung abzulesen, die die Krankheit in den von ihr Betroffenen zeigt.

Dahinter steckt laut Eutropius gleichsam die entlarvende Kraft der göttlichen Weisheit, die schließlich den Geist der Krankheit selber der Machtlosigkeit überführt; ganz so, wie wenn man im Theater den beteiligten Personen die Maske herunterreißt, um ihr wahres Gesicht zu zeigen.

Anders gesagt: wer sich vor nichts zu fürchten braucht, den kann auch die Krankheit nicht erschrecken. Wer sie verdient hat, dem wird sie keinen ungerechten Schaden zufügen und sie kann nach dieser Läuterung getrost wieder von ihm lassen (14).

Das scheint eine merkwürdige Dialektik zu sein, die sich hier offenbart: Krankheit als Unheil für alle: Schrecken für die Gottlosen, Eingriff in fremdes Recht für die Getauften, da sie bereits dem Herrn gehören (15).

Eutropius kann somit zum Ausgangspunkt zurückkehren und in bezug auf die Frage, warum der erlöste Mensch krank werden könne, zumindest die Beobachtung anbieten: die Krankheit hat einen je verschiedenen Stellenwert. Er spricht dem Gerechten wie dem Sünder eine je verschiedene Zukunft bzw. Vollendung zu, die im jeweiligen Lebenswandel ihre Begründung hat (16).

Diese Einsicht läßt erkennen, daß vom anfänglich gestellten Problem und damit vom Menschen nur sachgerecht geredet werden kann, wenn die notwendigen Unterscheidungen getroffen werden. Es ist deutlich geworden, daß die obschon allen gemeinsame Natur von Gericht und somit vom sittlich verantworteten Handeln des Einzelmenschen zu unterscheiden ist. Das ist eine Distinktion, durch die Krankheit und Tod nicht wenig relativiert werden.

B) Das sittliche Handeln

Wie Eutropius in seinem Brief "De perfecto homine" des näheren ausführt, ist der Mensch mit Freiheit begabt, kann daher verantwortlich handeln und entsprechend sein Leben gestalten. Nur durch diesen Lebensvollzug wird er zum Menschen im vollen Sinne, weil erst das sittliche Handeln ihn von allen Lebewesen unterscheidet. Diese Freiheit verleiht seinem Leben eine Spannung, die das menschliche Tun sinnvoll macht und so im Menschen Tugend oder Schuld begründet (17). Genau das ist es, was jeden Menschen von anderen unterscheidet.

Das bedeutet für die Fragestellung in "De similitudine carnis peccati": was die Menschen voneinander scheidet, ist nicht die (noch zu beschreibende) Natur. Diese ist vielmehr die – wie wir hernach sehen werden – notwendige Grundlage bzw. die Voraussetzung für das menschliche Handeln. Dahinter steht die stoische Grundunterscheidung zwischen φύσις und θέσις, zwischen dem, was natürlichen Ursprungs ist, und dem, was durch einen Willensakt gesetzt wird (18). Man denke dabei etwa an die ciceronianische Lehre, derzufolge der Mensch sich alles Leid durch eigene Schuld zuziehe, wofür die Natur nicht verantwortlich gemacht werden könne. Hier liegt der Ausgangspunkt für Ciceros Unterscheidung von natura-voluntas, natura-fortuna (19).

Auch Eutropius trifft in seinem Traktat in Briefform eine klare Unterscheidung zwischen natura und meritum bzw. iudicium, was damit eng verbunden ist. Anderseits besteht ein enger Zusammenhang, eine Spannung zwischen natura und meritum. Deswegen weist er ausdrücklich darauf hin, daß die Tatsache der Krankheit und die ganze Bedingtheit, die mit der Natur gegeben ist, kein Anlaß ist zu meinen, es gebe genausowenig eine Unterscheidung im Handeln, dem somit keine Bedeutung für die Zukunft zukomme (20).

Das ist laut Eutropius glatter Unglaube. Unser meritum ist nämlich genau das, was uns unterscheidet und unserem Glauben zufolge Gegenstand der künftigen Prüfung sein wird. Daher rührt doch, daß einige ob der Epidemie zur Einsicht gelangen und ihren Wandel zu bessern bestrebt sind, weil sie das künftige Strafgericht fürchten (21).

In ihm wird die Scheidung stattfinden; denn das künftige Gericht, so sagt Eutropius wörtlich, "ist wesentlich Unterscheidung". Zu ihm gehört daher die Rechtsprechung; denn es wird, wie er sagt, "vom Gesetz bestimmt" (sim 14). Dahinter verbirgt sich wieder die stoische Unterscheidung von φύσις und θέσις bzw. in diesem Falle von λόγος und νόμος.

Diese Rechtsprechung ist möglich, weil da jemand ist, der richtet: Gott, der Schöpfer und Erlöser. Und als solcher ist er auch unser Richter. Diese Tatsache ist für Eutropius so grundlegend, daß sie gar nicht erst in Frage gestellt wird (22).

Im Gegenteil, für ihn ist das Gericht des gerechten Richters selbst die letzte große Erlösungstat. Zuvor verbleibt uns allerdings dieses eine konkrete Leben, das wir zu gestalten haben, ohne jedoch unsere Grundsituation aufheben zu können. Dennoch müssen wir handeln. Und genau über das Handeln wird befunden werden (23).

Daraus erhellt, daß das Handeln von uns je und je **persönlich** vollzogen wird. Die Natur ist dafür nur die Grundlage und geht als solche dem Tun voraus. Das gute oder schlechte Handeln und damit die Entwicklung zur Persönlichkeit wird von uns vollbracht (24).

Nicht einmal die Vorrechte, die auf guten Taten beruhen bzw. die Hoffnung auf Lohn, die wir uns durch gutes Tun erwerben, vermag die Grundsituation, die mit der Natur aufgegeben ist, auszulöschen (25).

Der Lohn wird uns vielmehr bei der Auferstehung zuteil werden. Bis dahin verbleibt uns die Teilnahme an Leid und Tod (26).

Wie es scheint, besteht eine nicht aufzuhebende Spannung zwischen Handeln und Bedingtheit: zwischen **meritum** und **natura**. Und dies eben, weil aufgrund des sittlichen Handelns die (menschlichen) Unterschiede bestehen bleiben. Um Gleichheit geht es nur in der Natur: sie wird nicht einmal – wie oben schon angedeutet – durch gutes Handeln rückgängig gemacht.

Die Natur, deren Qualitäten wir schon begegnet sind, drängt sich nun zur Betrachtung auf.

So ist laut Eutropius nun darüber zu reden,

> "warum das Schicksal mit seinen Widerwärtigkeiten die Guten und Bösen in gleicher Weise trifft. Keiner sollte sich darüber wundern, da er sieht, daß der Tod allen gemeinsam ist...Deshalb wollen wir von dem reden, was gemeinsam ist". (sim 20).

Schauen wir, wie Eutropius das allen Gemeinsame herausarbeitet.

4. GRUND DER KRANKHEIT ALLER: NATURA COMMUNIS

A) Natur als Erfahrungstatsache

Es wurde bereits deutlich: die Natur ist der Ausgangspunkt zum Verständnis des Menschen und seiner Grundgegebenheiten; und zwar die Natur, wie sie unserer täglichen Erfahrung zugänglich ist und von ihr gleichsam bestimmt wird (27).

Diese unsere Erfahrung stützt sich nämlich – wie wir schon sahen – auf die Tatsache, daß die Natur eben das allen Gemeinsame ist. Sie ist die allen gleiche Materie, die alle in gleicher Weise bedingt (28). Ihr kann daher keiner ausweichen oder sie gar übergehen. Sie ist es doch, die uns alle gleichermaßen das Licht der Welt erblicken läßt. Ihr verdanken wir das Leben, das sie uns zeugend vermittelt (29).

Bei der Weitergabe des Lebens wird jedem das ganze Los zuteil, das der menschlichen Natur eignet. Das wird dem Menschen durch tägliche Erfahrung gelehrt, die ihn mit den Gegebenheiten unseres Körpers konfrontiert.

Und was wir ständig erfahren, ist vornehmlich dies, daß unser Körper gebrechlich und hinfällig ist. Ihm haftet notwendig Vergänglichkeit an, der sich kein Mensch in seinem Leben in irgendeiner Form entziehen kann.

Mit dieser Hinfälligkeit ist Schmerz, Krankheit und Schwäche verbunden. Keinem bleibt das Los der Krankheit erspart.

All diese Gebrechen haften uns an, weil sie uns bei der Weitergabe des Lebens vermittelt werden (30). Als Sterbliche werden wir bereits geboren und haben von Anfang an ein todbringendes Dasein zu tragen (31). Unter dieser Bedingung leben wir, und dem unabänderlichen Todeslos ist nicht zu entgehen; denn der Tod samt allem, was den Untergang bewirkt, ist uns allen gemeinsam (32).

Soviel sei in geraffter Form festgehalten um zu sehen, was Eutropius zum Problem der Krankheit zu sagen hat. Seine Antwort hat die **natura** zum Inhalt, welche ihm als Begriff ohnehin nur insoweit wichtig ist, als sie die Situation des Menschen aufzeigt. Insofern deutet sich zugleich ein gewisser philosophischer Hintergrund an, da der Ansatz der Fixierung eines christlichen Naturbegriffs bei jedem altkirchlichen Schriftsteller bekanntlich stoisch ist.

B) **Der stoische Hintergrund**

Um den Begriff der Natur kreist das ganze Denken der Stoa, die in der Natur ein geistiges Prinzip erkennt, das alles vernunftgemäß ordnet und zusammenhält. So ist sie der in den Dingen verborgene Logos, der als Triebkraft jeglichen Geschehens dem Handeln des Menschen eine Richtschnur und ein Ziel verleiht (33). Diese Gedankengänge haben vorab durch Cicero und Seneca auf die lateinische Begriffswelt des jungen Christentums der ersten Jahrhunderte einen beachtlichen Einfluß ausgeübt. Es dürfte nicht verfehlt sein, sie auch bei Eutropius wenigstens im Ansatz wiederzuerkennen.

Das wird zumindest schon daran ersichtlich, daß ganz wie bei Cicero (34), so auch bei Eutropius **natura** eine schillernde Bedeutung aufweist. Sie bedeutet zunächst, ihrem Wortstamm **nasci** entsprechend, "Geburt", "Hervorbringung des Lebens" (35), "Lebensvermittlung" (36).

Somit eignet der Natur eine gewisse "Naturkraft", wie Cicero sagen würde. Das bedeutet im Denken des Eutropius, daß sich dieser "natürliche Lebensprozeß" ohne unser Zutun oder gar umsichtiges Handeln ereignet (37). Durch schlichte Weitergabe des Lebens wird uns als Erbe alles zuteil, was mit der Natur zusammenhängt; denn sie setzt sich fortwährend je und je durch (38). Daraus folgt, daß die gleiche Zeugung allen die gleiche Natur übermittelt mit allem, was ihr an Bedingtheit anhaftet (39). Alle Menschen haben, so gesehen, am selben

Geschick Anteil (40). Die zeugende Natur ist so zugleich etwas Gemein-
schaftsbildendes. Das impliziert einen Anspruch, der es unmöglich
macht, der Natur und ihrem Gesetz je auszuweichen (41).

So anerkennt auch Eutropius, daß der Mensch dem Naturgesetz unterworfen ist und sein äußeres Geschick der Heimarmene unterliegt (42).
Von Eutrops Ausgangspunkt her heißt das konkret: Krankheit und Tod
sind jedem zugedacht. Sterben und Kranksein ist daher nichts anderes, als eben "der Natur zu folgen" (43). Genau hier liegt gleichsam
ihr Vorrecht begründet. Mit anderen Worten: für Eutropius ist durch
die menschliche Natur **eine** Vorfrage schon geklärt. Der Vorentscheid
ist ganz einfach schon **dadurch** gefallen, daß alle eine menschliche
Natur haben. Somit gilt: wahrlich alle werden krank, also auch Cerasia (44); denn die Krankheit gehört zur Wirklichkeit des Menschen.

C) Natur – die Wirklichkeit des ganzen Menschen

Vom stoischen Hintergrund her, der damit die Aussagen zum sittlichen
Handeln bestätigt, läßt sich so für den Naturbegriff des Eutropius –
falls man von einem solchen reden kann – vielleicht folgendes festhalten: Die Natur ist sozusagen das "Prinzip des Handelns" (45) und
geht daher grundsätzlich jedem persönlichen sittlichen Tun voraus
(46). Wir können ihr daher nicht vorgreifen (47). In ihr sind wir
alle gleich. Sie ist uns vorgegeben und setzt sich je und je durch:
sie macht konkret den einen und ganzen Menschen aus, um den es
Eutropius geht (48). Und von ihm und seiner Situation handelt er,
indem er – wie wir eindringlich sahen – von seiner Natur und deren
(vorab leiblichen) Qualitäten spricht, die aber substantiell zu ihr gehören: Gebrechlichkeit, Hinfälligkeit, Vergänglichkeit, Schwachheit,
Krankheit, Tod (49).

Dies ist die Natur; die Natur des Menschen; ja solchermaßen **ist** der
Mensch (50). So dürfte schon vom stoischen Hintergrund her die Ant-
wort des Eutropius auf die Frage nach dem Grund der Krankheit der
Christen einigermaßen klar sein. Allerdings bleibt Eutropius als christ-
licher Schriftsteller nicht auf dem rein philosophischen Boden stehen.
Die menschliche Natur ist nun theologisch zu interpretieren.

5. THEOLOGISCHE INTERPRETATION DER MENSCHLICHEN NATUR: CARO PECCATI (51)

Um das Problem der Krankheit zu beantworten, ist es Eutropius nicht
genug, den Menschen allein vom physischen Standpunkt ins Auge zu
fassen. Es gibt noch einen religiös-ethischen, wie ihn die Bibel vertritt, die den Menschen schlechthin "Seele" oder "Fleisch" nennt und
so die Art seiner Beziehung zu Gott anzeigt: ihm ergeben oder der Sünde verfallen (52).

Da der Mensch indes grundsätzlich sündig ist (53), ist für Eutropius
mit "Fleisch" einfach die menschliche Natur ausgesagt (54). Sie versteht er – theologisch gesprochen – gleichsam als Voraussetzung zur

Sünde, weil das Vorhandensein der Natur, wie wir sahen, zum Handeln notwendig ist.

Eutropius faßt es noch schärfer und präzisiert die Natur, das heißt: das Fleisch des Menschen, so wie wir es erfahren, als Ergebnis der Sünde, die wir – wie es der Natur zu eigen ist – aus der Vererbung empfangen (55). Die Natur ist das allen Menschen gemeinsame bittere Erbteil Adams. Es besteht in Krankheit und Schmerz (56) sowie im unabänderlichen Todeslos (57). Die Tat Adams ist unsere Natur; denn einem verdorbenen Samen entspricht eine gleichermaßen verdorbene Nachkommenschaft (58). Diese macht gerade durch ihr Dasein, ihre "carnalis substantia", wie Eutropius sagen würde (59), auf die Schuld des Stammvaters aufmerksam (60).

Die Formel von der zur Natur gewordenen Adamssünde ist keine Erfindung des Eutropius. Ähnliche Gedanken finden sich bei Tertullian, der von jenem Menschen spricht, der im Anfang zur Übertretung des göttlichen Gebotes verleitet und deshalb dem Tode überliefert wurde und der sodann das ganze Geschlecht durch seinen Samen befleckt habe (61). Einigen Theologen zufolge verkündet hier Tertullian "die Solidarität aller im Sünder Adam", eine "Solidarität in der Verderbnis", die "eine gewisse Teilnahme an der Übertretung" voraussetzte (62).

Ähnlich lehrt Ambrosius die Solidarität der Menschheit durch Adam, was die Übertretung einer Schuld zur Folge habe, wobei der Zeugung keine unbedeutende Rolle zukommt, da sie die Befleckung des ganzen Menschengeschlechtes verursacht habe (63).

Schließlich ist noch Augustinus zu erwähnen, der direkt vom **Sündenfleisch** spricht (64). Damit meint er das Fleisch bzw. die menschliche Natur, die ihre Wurzeln in einer Urschuld hat und seitdem von dieser sog. Erbsünde beherrscht wird. Also ist seit der Tat Adams "Sünde" und "Fleisch" nicht mehr auseinanderzudenken (65).

So ist laut Eutropius unter dem Fleisch des Menschen die Natur gemeint, die mit Laster behaftet ist. Diese ist es, die – theologisch gesprochen – den konkreten Menschen ausmacht und die Adamsmenschheit begründet; denn alle haben dieselbe fleischliche, d.h. weltliche bzw. irdische Natur. Sie ist als solche die Substanz der Sünde, nämlich das Sündenfleisch; jenes Fleisch, das unter dem Fluch der Sünde steht (66). Damit sagt sich ein Verstehenshorizont an, innerhalb dessen Eutropius gut seine Soteriologie illustrieren kann: das Thema des **Jesus maledictus** (67).

6. AUGUSTINISCHER VERSTEHENSHORIZONT: JESUS MALEDICTUS EX CONDICIONE POENAE NOSTRAE (68)

Das Thema des **Jesus maledictus** ist ein augustinisches, zudem ein antimanichäisches. Mit der Frage, warum Jesus verflucht sei, hatte sich Augustinus in der Auseinandersetzung mit dem Manichäerbischof Faustus von Mileve zu beschäftigen (69). In dem Werk **Contra Faustum Manichaeum** (70), das gleichsam eine Summe seiner antimanichäischen

Apologetik ist (71), widmet er diesem Thema das ganze vierzehnte Buch (72). Es verhandelt die Frage des Manichäers Faustus, mit der er sich in der ihm eigenen Frömmigkeit um das Geschick grämt, das von Moses für Christus vorausgesehen wurde und demzufolge ein Gehenkter "ein von Gott verfluchter" (Dtn 21,23) sei (73). Ein solcher Christus, den man aufhängen kann, paßt nicht in die manichäische Vorstellungswelt, in der er doch jeglichen materiellen Leibes entkleidet ist. Daher kannte er die Inkarnation nicht, hatte nur Scheinwunden, täuschte den Tod vor und hatte gar nicht nötig, auferweckt zu werden (74).

Freilich muß Augustinus gegen diese Erlösungsvorstellung einschreiten; denn der so charakterisierte Christus ist für den Christen ein Betrüger und Lügner (75). Im Gegenteil; als unser Erlöser mußte Christus zugleich auch ein Verfluchter sein: d.h. er mußte unser Fleisch tragen, das unter dem Fluch der Sünde steht, eben hinfällig und sterblich ist.

So hält Augustinus diesem Einwand manichäischer Frömmigkeit mit Recht entgegen (76), daß der Fluch des Moses im Grunde ihren Christus gar nicht treffen könne, da dieser doch nur einen Scheinleib hatte. Wenn aber Christus tatsächlich mit Nägeln ans Kreuz geheftet wurde und nach seiner Auferstehung dem ungläubigen Jünger seine Wunden zu zeigen vermochte, hat er ohne Zweifel einen verwundbaren, sterblichen Leib gehabt, den die Manichäer allerdings nicht anerkennen wollen: dann hat er aber auch nicht am Kreuz gehangen und der Fluch brauchte sie getrost nicht berühren (77).

Sodann erklärt Augustinus, warum für den Christen der Erlöser ein zum Tod Verfluchter sein mußte: weil er – um unseretwegen – das schon genannte Sündenfleisch annahm. Damit zog er sich auch den Tod zu, welcher als Strafe für die Sünde der menschlichen Natur eingeprägt war. Daher ist der Tod als solcher Sünde zu nennen, auch wenn sie der je einzelne nicht begangen hat. Und dieser dem Menschen auferlegte Tod, darauf besteht Augustinus, hing am Kreuz und ist von Moses verflucht worden; allerdings mit dem Ziel, nicht länger seine Macht auszuüben (78).

Nun sollte es laut Augustinus nicht mehr wundernehmen, daß zwar die Sünde, der Tod und die Sterblichkeit des Fleisches verflucht worden sind, solcher Fluch sich aber auch in Christus auswirken mußte, da er aus Adam den menschlichen Leib annahm. Wer nun bekennt, daß Christus gestorben ist, muß ihn konsequenterweise auch als Verfluchten anerkennen, da er so für uns zur Sünde wurde, um diese zu vernichten; denn von ihr stammt der Tod. Ohne Schuld hat er also unsere Strafe auf sich genommen, um die Schuld zu lösen und gleichwohl unsere Strafe zu beenden (79).

Augustinus sagt es noch besser: Christus ist ein Verfluchter aufgrund der **conditio poenae nostrae**. Dies ist der zureichende Grund für seinen wahren Kreuzestod. Wer diesen anerkennt, bekundet zugleich, daß Christus, ohne selbst eine Sünde begangen zu haben, die Strafe für unsere Sünde auf sich nahm (80). Genau das meint ja auch Moses, der durch den Fluch zum Ausdruck bringen will, daß jeder Gehenkte eben

150

sterblich und ein Sterbender ist; also ist auch Christus wirklich gestorben, weil er als Sündeloser den Tod des Sünders auf sich nahm (81).

Wenn Augustinus der Thematik des **Jesus maledictus** ein ganzes Buch widmet, tut er dies freilich in der Absicht, den Manichäern gegenüber eindeutig herauszustellen, daß der Herr keinen Scheinleib hatte, sondern unsere menschliche Natur trug, welche schwach, sterblich und verflucht ist aufgrund einer Urschuld, die sie hinfort bedingt.

Um diese zu lösen, geschah die Heilstat der Erlösung: die Menschwerdung, die Paulus mit den Worten charakterisiert: "Gott sandte seinen Sohn in der Gestalt des sündigen Fleisches, um an seinem Fleisch die Sünde zu verurteilen" (Röm 8,3); ein Satz der hinlänglich erklärt, daß der Herr zwar sündelos blieb, als Menschgewordener indes sterblich war (82).

Der Vers des Paulus führt uns zurück zum Text des Eutropius, in dem u.a. die "Gestalt des sündigen Fleisches" zur Sprache kommen wird.

7. FUNKTION DER ANTHROPOLOGISCHEN AUSSAGEN: SPENDUNG VON TROST

Der thematische Verstehenshorizont des **Jesus maledictus** führt uns unmittelbar zur Beschäftigung mit Eutrops Soteriologie, zumal auch Eutropius dort antimanichäische Züge aufweist. Zuvor sei die Funktion seiner anthropologischen Aussagen festgehalten, damit der Wechsel zur Soteriologie umso plausibler werde.

Im Bisherigen wollte Eutropius eine Antwort geben auf die Frage nach dem Grund der Krankheit, welche sich aufdrängte durch die bedrückende Beobachtung, daß alle – unabhängig vom je persönlichen sittlichen Handeln – dieses Los erfahren. Bei näherem Zusehen wurde die allen gemeinsame menschliche Natur als Grundlage und Begründung für jegliche menschliche Grenzerfahrung erhoben: die Natur, die Wesen und Wirklichkeit des einen und ganzen Menschen ausmacht.

Als Theologe versteht Eutropius die menschliche Natur als das Fleisch, das unter der Macht der Sünde steht, und dies aufgrund solidarischer Verflochtenheit aller mit dem Sünder Adam, welche hinfort die menschliche Natur als Sündenfleisch qualifiziert.

Mit diesen Gedanken legt Eutropius gewiß nichts neues vor, aber er sagt Tröstliches: durch die Art, **wie** er es sagt. Die Funktion seiner anthropologischen Aussagen ist nämlich, Trost zu spenden (83), der als Ziel des Briefes nun mit dessen Anlaß, Cerasias Krankheit, korrespondiert. Hat das Problem der Krankheit des Christen Eutrops Anthropologie initiiert, so vermittelt diese mit ihren Aussagen Trost für eine hervorragende Christin: es wird ihr nämlich klargemacht, daß alle Menschen dieselbe Natur haben, **theologisch** gesagt: dasselbe Sündenfleisch teilen, woraus **existentiell** folgt, daß alle im Hinblick auf ihr Lebensziel obendrein recht gefährdet bleiben. Cerasia verbleibt aber zum Glück ob ihres Lebenswandels bar jeder Furcht; denn ihr Verhalten läßt auf jeden Fall die Vollendung ihres Lebens erhoffen (84).

So hat Eutropius dem Anliegen, Trost zu spenden, denkerisch durchaus Genüge getan. Die Frage, warum auch der Christ krank werden könne, ist jedenfalls beantwortet.

Es bleibt aber nicht bei diesen seinen anthropologischen Gedanken: die Rede vom Menschen drängt ganz logisch zur Einbeziehung des Menschensohnes.

Das heißt konkret: Eutrops **tröstliche Erkenntnis**, daß kein Mensch bezüglich seiner Natur eine Vorzugsstellung hat, löst in ihm **die noch tröstlichere Erkenntnis aus**, daß Gleiches dann auch vom Menschensohn festzuhalten ist: auch er hat kein Sonderrecht in seiner menschlichen Natur.

Eutropius selber drückt dies so aus:

> "Demgemäß erfahren Gerechte und Ungerechte, die unter der einen Sonne auf der einen Erde leben, in gleicher Weise die Wechselfälle der Lebensumstände. Daher trifft alle das gleiche Geschick, wie allen die Herkunft gemeinsam ist. Daher vereint notwendigerweise auch dich das Geschick der Sterblichkeit mit allen, die das gleiche Los haben. Und obwohl du daher aufgrund deines Verhaltens gerecht bist, unterliegst du doch der Sünde aufgrund der Vererbung.
>
> Das wollte auch der Herr mit uns teilen, wie der Apostel lehrt: 'Gott sandte seinen Sohn in der Gestalt des sündigen Fleisches'. Oder mit welchem Recht sollte der Diener dem im Fleische entgehen, dem nicht einmal der Herr im gleichen Fleisch ausgewichen ist?" (sim 27-28) (85).

Wie der Text zeigt, beschließt Eutropius seine Anthropologie mit einem christologischen Gedanken, zu dem diese mit innerer Notwendigkeit hinführt. War bislang die Rede vom Sündenfleisch, liegt es nahe, nun von der **Gestalt** des sündigen Fleisches zu sprechen: eine paulinische Wendung, die hinlänglich dartut, daß auch Christus als Erlöser durch die Menschwerdung Krankheit und Tod angenommen hat.

Nur der Vers Römer 8,3 bietet die Wendung von der Gestalt des sündigen Fleisches und nur diesen Bibeltext vermochte daher Eutrops Anthropologie auszulösen. Er ist der geeignete Schlußpunkt eines in sich einheitlichen Gedankenganges. Sagen wir besser: er ist der Gipfel des Trostes, den Eutropius austeilen will und mit dem er seine Anthropologie endgültig beschließt.

Bei genauerem Zusehen hat der Vers Römer 8,3 indes noch eine weitere Funktion: sein christologischer Inhalt ermöglicht es, nun die Soteriologie auszulösen und so die Trostrede auf ganz andere Art (indirekt) fortzusetzen: eben jetzt des weiteren von dem zu handeln, was sich sozusagen thematisch einschlich: über Christus (86). Dies geschieht, indem der briefliche Rahmen abgelöst wird durch einen dogmatischen Traktat: das **corpus** des Briefes (**sim 32-148**). Zu ihm sei noch der nähere Zugang eröffnet.

8. ÜBERLEITUNG ZUR SOTERIOLOGIE: THEMENWECHSEL

A) Funktion des Verses Römer 8,3 (sim 28)

Wie sich andeutete, hat der Textabschnitt sim 28, der den Vers Römer 8,3 einführt, neben der rückwärtsgewendeten Funktion der Aufgipfelung des Trostes auch eine Funktion nach vorn: einen Themenwechsel zu initiieren.

Der Vers des Apostels bietet sich nämlich als geeigneter Topos an, von der Anthropologie zur Soteriologie voranzuschreiten und so als Bindeglied zwischen zwei Themenkreisen zu dienen; und dies aus folgendem Grund:

Wie wir oben sahen, betont Eutropius, daß der Herr die ganze Wirklichkeit, die den Menschen ausmacht, mit uns teilen wollte "wie der Apostel lehrt: 'Gott sandte seinen Sohn in der Gestalt des sündigen Fleisches'" (sim 28).

Das bedeutet: es besteht eine Schicksalsgemeinschaft der Menschen mit dem Inkarnierten. Was liegt näher als daß ihm dazu dann das Apostelwort einfällt, das vom Fleisch Christi spricht, welches die Gestalt des sündigen Fleisches ist: die Gestalt jenes Fleisches, das Eutropius soeben als theologisches Interpretament für die menschliche Natur vorgestellt hat.

Nach Beschreibung der menschlichen Natur ist es durchaus naheliegend, die wahre Menschheit des Erlösers aufzuzeigen, wozu der genannte Vers des Apostels eine günstige Überleitung bildet, da er schon sprachlich am bisherigen Gedankengang anknüpft und inhaltlich zugleich die ganze Menschwerdung bündig aussagt.

Mit anderen Worten: die Erkenntnis, daß auch Christus zu unserem menschlichen Geschick gehört, lädt dazu ein, also jetzt von Christus zu reden und darzutun, daß er bis ins Letzte homo noster, bis zuinnerst ein Nachkomme Adams ist: ausgestattet mit wahrem Leib und allen Regungen der Seele und des menschlichen Geistes (87).

Kurz: wie sich zeigen wird, geht es im ganzen corpus von "De similitudine carnis peccati" um die Wirklichkeit des Fleisches Christi, in dem alle Komponenten der Menschheit enthalten sind.

Inwieweit der Vers Römer 8,3 selbst innerhalb des corpus thematisch zum Tragen kommt, wird weiter unten zu besprechen sein. Hier genügt es zu sehen, wie er Rahmen und corpus verbindet und in dieser Funktion ein neues Thema einleitet. Dieser thematische Einschnitt ist noch des näheren zu demonstrieren.

B) Themenwechsel (sim 29-31)

Beim Themenwechsel wird etwas vom eigenwilligen Stil und der sprunghaften Denkart des Eutropius spürbar: bereits eine geringfügige Assoziation oder der Einfall einer passenden Bibelstelle bewirkt eine neue thematische Konstellation.

Sie ist im zu besprechenden Textabschnitt durch das genannte Apostelwort so einschneidend, daß – wie oben mehrfach betont wurde – in "De similitudine carnis peccati" thematisch (und auch literarisch) zwei Textteile zu unterscheiden sind, weil ab jetzt ein völlig neuer Themenkreis entsteht. Eutropius selber sagt es auch, indem er nämlich vom Trostanlaß wörtlich Abschied nimmt. Dies tut er durch den Hinweis, daß es nicht nur das Fieber körperlicher Krankheit gebe, sondern auch "das Gift der Feinde", gegen das man sich "mehr wehren (muß) als gegen das Fieber" (sim 30). Gegen dieses andere Fieber möchte nun Eutropius in Übereinstimmung "mit der allgemein geglaubten Wahrheit" (sim 36) ein Heilmittel zusammenstellen, das "den Geist stärken, die Seele erheben sowie das Leben verlängern kann" (sim 29). Dies entspricht seiner seelsorgerlichen Art, die "Sorge um (das) Heil" (ebd.) des ganzen Menschen trägt und daher auch "himmlische Arznei" (ebd.) bieten muß.

Das Thema vom Heilmittel (Trost) für körperliches Fieber wird also wörtlich abgelöst durch das Thema vom Heilmittel (Rechtgläubigkeit) gegen dieses andere Fieber (Häresie).

So folgt ab jetzt ein antihäretisch-klärender Traktat, dessen medizinische Diktion sich nunmehr gegen kursierende Häresien richtet. Deren Virus durch ein kraftvolles Gegengift zu überwinden, verspricht Eutropius hier ausdrücklich (88): dieses geistige Heilmittel soll zugleich seine Gegengabe auf Cerasias Brief sein, um ihr nach ihrer (physischen) Genesung auch geistige Medizin anzubieten, mit der man nun (gemeinsam) jene andere sich ausbreitende Krankheit des Unglaubens bewältigen kann (89).

Im folgenden wird dann auch über die Krankheit im bisherigen, eigentlichen Sinne nicht weiter gehandelt (90). Durch die Beschreibung der menschlichen Natur ist darüber genug ausgesagt worden (91). Auf jeden Fall ging es dabei darum aufzuzeigen, daß Tod und Krankheit für den Menschen notwendig sind.

Dies vorausgesetzt, ist es möglich und sinnvoll, nunmehr über die Inkarnation zu reden. Das ergibt eben, wie wir sahen, eine neue Thematik, nämlich das corpus des Traktates (sim 32-148), welches mit dem Rahmen wenigstens dies gemein hat, daß dort eine nützliche denkerische Voraussetzung geschaffen wurde: die in ihm beschriebene menschliche Natur ist es nämlich, die vom Erlöser unverkürzt angenommen wurde. Daraus folgt, daß er Mensch ist wie wir: wahrer Mensch, aber ohne Sünde, d.h. nicht gewöhnlicher Mensch, aber doch Mensch.

Damit reden wir bereits von der Erlösungslehre, die sich nun zur Betrachtung aufdrängt. Nachdem wir zur Kenntnis genommen haben, wie sie durch den Paulustext ausgelöst wurde und einen thematischen Schnitt erbrachte, wollen wir uns ihr jetzt entschlossen zuwenden.

Sechster Teil

DIE THEMATIK DES CORPUS

(Sim 32-148)

Vorbemerkungen

1) Jeder frühchristliche Schriftsteller bietet auf seine Weise ein literarisches Beispiel für den theologischen Gedankenreichtum der alten Kirche, welcher oftmals bereits in einem einzigen Autor überreich und konzentriert vorhanden ist. Dabei geht es immer nur darum, das Geheimnis unserer Erlösung, das zentral mit dem Geheimnis der Menschwerdung und ihren Folgen verquickt ist, unter jeweils verschiedenen Voraussetzungen je tiefer zu erfassen und besser zu erklären. Dazu haben die Väter die verschiedensten Gesichtspunkte zusammengetragen und dafür die ansprechendsten Schriftstellen ausgewählt und herausgestellt. Sie alle sollen die Wirklichkeit des Fleisches Christi sicherstellen helfen.

2) Das gilt auch von Eutropius. Im corpus seines Traktates (sim 32–148) zeigt es sich, daß sein theologisches Denken ebenso ganz auf die Erlösung in Jesus Christus ausgerichtet ist. So sucht auch Eutrops theologisches Bemühen, unter dem geistigen Horizont seiner Zeit (s.o.) eine Antwort auf die Frage nach dem Grund der Menschwerdung zu geben.

   Bei der Erarbeitung von Eutrops theologischen Gedanken werden wir erneut inne, wie sehr die ganze Theologie im Grunde Soteriologie ist, weil auch Eutrops Lehre nur auf ihrem soteriologischen Hintergrund vollends einsichtig wird.

3) Auf abwechslungsreiche Art versteht es Eutropius, die unterschiedlichsten Aspekte zur Sprache zu bringen, um die Menschwerdung Gottes begreiflich zu machen, die unser Heil ansagt: mit Hilfe antiker Denkkategorien und der gallischen Rhetorik, durch apologetische Zwischentöne und Auslegung zahlreicher Bibelstellen. Dies ergibt einen interessanten dogmatischen ductus, der die wahre Menschheit des Erlösers darlegt und für unser Leben ausdeutet: eine Thematik, die er mit Geschick an die Anthropologie anzuknüpfen versteht; und das ergibt auch ein Urteil über die literarische Verbindung von Rahmen und corpus.

4) Die Verklammerung beider Teile des Traktates "De similitudine carnis peccati" ist durch das Vorkommnis persönlicher Anspielungen gegeben, die das corpus gleichfalls zu erkennen gibt. Auch im dogmatischen Teil seines Traktates vergißt nämlich Eutropius seine Adressatin nicht; und dies, obwohl er doch das persönliche Thema des Rahmens aufgegeben hat. Der Stil bleibt indes ein persönlicher, so daß für Eutrops Schrift am besten wohl von einem brieflich gerahmten Traktat zu sprechen ist.

Das zeigt sich derart, daß Eutropius im **corpus** seines Traktates nicht distanziert Theologie treibt, sondern Cerasia in seinen dogmatischen Gedankengang unmittelbar einbezieht, indem er sie gleichsam zum Mitdenken anregt. Ihretwegen, so betont er eigens, verfaßt er doch diese geistige Medizin (1). So ist es angebracht, sich je von deren Wirksamkeit zu überzeugen. Dies tut Eutropius, indem er im ganzen Traktat **de facto** den Gesprächscharakter aufrechterhält: sei es, daß er mögliche Fragen in Cerasia aufkommen sieht und gleich darum bittet, sie beantworten zu dürfen (2); sei es, daß er dann seine Argumentation für zu schwach hält und sich für diese Entgleisung entschuldigt (3), um schließlich zu erklären, auch die Kenntnis von Überflüssigem sei für sie gar nicht unnütz (4).

So wird durch diese persönliche Note auch im **corpus** von "De similitudine carnis peccati" letztlich der Briefcharakter und damit der Tenor der **consolatio** durchgehalten, was sich gerade – wie wir soeben sahen – durch das fiktive Gespräch des Briefschreibers mit seiner Adressatin kundtut (5). Deren gegenseitige Beziehung steht hinter diesem ganzen Traktat und erklärt, wie wir oben schon eindringlich bedachten, Eutrops Darstellungsart (6). Sie dient dazu, angesichts kursierender Häresien einer orthodoxen Christin die christliche Erlösung so begreiflich wie möglich zu machen. Daraus erhellt auch Eutrops Bemühen, im Laufe seines dogmatischen **ductus** je neue Aspekte in persönlichem Stil anzukündigen (7).

5) Dieser **ductus** sei nun derart vorgestellt, daß wir zunächst klären, welche (thematische) Rolle der Vers Römer 8,3 im Gesamt des **corpus** einnimmt und welches Gewicht dem antihäretischen Kolorit des **corpus** zukommt.

Dies mag das weitere systematische Vorgehen entlasten und es so ermöglichen, Eutrops Reichtum an dogmatischen Gedanken sachgerechter zu erfassen und womöglich auf eine einheitliche Grundlinie zu bringen.

I.

EINLEITUNG: ZUM INHALT DES CORPUS UND SEINER DARSTELLUNG

Es soll im folgenden das schon genannte Vorurteil abgebaut werden, die Schrift "De similitudine carnis peccati" sei ein antimanichäischer Beitrag zur Auslegungsgeschichte von Römer 8,3 (8); denn diese Ansicht ist unhaltbar (s.u.). Erst nach ihrer Widerlegung wird es möglich sein, unvoreingenommen den theologischen Gehalt der Eutropiusschrift zur Kenntnis zu nehmen.

1. ZUM STELLENWERT DES VERSES RÖMER 8,3

Wie wir oben erkannten, war es der Bibelvers Römer 8,3, der einen thematischen Einschnitt erbrachte und "De similitudine carnis peccati" in zwei Teile zerlegte (9).

Aus dieser Funktion des Themenwechsels folgt indes nicht, daß Römer 8,3 im zweiten Teil des Traktates auch das Hauptthema sein wird. Auf den ersten Blick mag sich diese Annahme wohl nahelegen durch die überschwengliche Art, wie Eutropius diesen Vers einführt, um dann sogleich (noch) zu versprechen, ihn – da er ihm nun mal "herausgerutscht ist" – "möglichst sorgfältig...(zu) erklären" (sim 29).

Das erinnert uns an die gallische Rhetorik, in der wir auf die üble Angewohnheit treffen, sich nicht selten durch ein auffallendes Wort dazu verleiten zu lassen, in Erörterungen einzutreten, die dann mit dem eigentlichen Thema nichts mehr zu tun haben (10).

Das trifft insofern auch für Eutropius zu, als das Apostelwort das anthropologische Thema im eigentlichen Sinne tatsächlich beendet. Was dann folgt (corpus), ist aber nicht so total neu, daß es "mit dem eigentlichen Thema nichts mehr zu tun hat". Eutropius ist im Gebrauch des schwulstigen Zeitstils nämlich maßvoll, d.h. er macht sich rhetorische Mittel derart zu eigen, daß seine Ausführungen zwar teilweise unter einer gewissen Breite leiden, aber der Thematik letztlich nicht zum Schaden gereichen: denn Zitate und Gedanken, die Eutropius in den Sinn kommen, dienen nur zur Vertiefung und Bereicherung des gesamten ductus. Nur ist es die Art des Eutropius, neuen Gedanken sofort nachzugehen, was den Leser zunächst irreführt. Dies geschieht nämlich teilweise so abrupt und emphatisch, daß jeder andere Aspekt für den Augenblick seine Bedeutung zu verlieren scheint; erst recht, wenn eine "sorgfältige Erklärung" (vgl. sim 29) angekündigt wird.

So verfährt Eutropius auch mit der Einführung des Apostelwortes. Die (weiterführende) Funktion eines Themenwechsels (11), die er zunächst mit diesem Vers verbindet, verleitet ihn unwillkürlich selbst dazu, zuviel zu versprechen: "ein Heilmittel von der Zunge des Apostels" zusammenzustellen (sim 30). Das heißt doch: er will nun jenen Bibelvers auslegen, der ihm gerade einfiel, eben den genannten Vers Römer 8,3. Diese spontane Zusage, "das Versprochene zusammenzustellen" (sim 31), wird von Eutropius aber keineswegs eingelöst.

Wie bei näherem Zusehen erkennbar wird, geht es Eutropius gar nicht um eine Auslegung von Römer 8,3 im strengen Sinne des Wortes. Folgende Beobachtungen widerlegen diesen naheliegenden Eindruck:

Schon statistisch macht Römer 8,3 angesichts der Vielzahl von Zitaten auch anderer Bibelstellen und Anspielungen an solche nur einen geringfügigen Bruchteil aus und kann von daher schon nicht die Hauptsache sein (12).

Dies wird noch erhärtet durch einen genaueren Blick auf die Stellen selber, an denen Römer 8,3 tatsächlich angeführt wird (13). Dabei zeigt es sich, daß dieser Vers kaum umfassend behandelt wird, wie es für eine Auslegung im eigentlichen Sinne unerläßlich wäre (14). Daran konnte Eutropius aber schon vom Anlaß wie vom Ziel seines Schreibens her nur wenig Interesse haben. Vielmehr findet er in der ersten Hälfte des genannten Römerbriefverses einen geeigneten Topos, um sein eigenes Thema zu vertiefen. Demgemäß wird es im folgenden um das Fleisch Christi gehen, welches die Gestalt des sündigen Fleisches ist; eine Wendung, die eben nur im Bibelvers Römer 8,3 anzutreffen ist. Das erklärt hinfort eine gewisse Vorliebe des Eutropius für diesen Vers, mit dem er so glücklich den Trost aufzugipfeln vermochte (15). Kurz, das Interesse des Eutropius betreffs Römer 8,3 richtet sich vorab auf die similitudo, d.h. auf die in diesem Vers enthaltene Wendung von der Gestalt des sündigen Fleisches, welche die ganze Wirklichkeit des Fleisches Christi verdeutlicht: dies bildet in der unten zu behandelnden Inkarnationslehre eine der Grundaussagen (16).

Beim Gebrauch des Terminus similitudo denkt ein altkirchlicher Schriftsteller natürlich sofort an die Manichäer, die mit demselben Begriff Falsches von Christus aussagen. So ist es verständlich, daß Eutropius im corpus seines Traktates immer wieder auf diese geistigen Feinde zu sprechen kommt. Das bedeutet indes nicht, daß es sich bei "De similitudine carnis peccati" um einen erklärtermaßen antimanichäischen Traktat handelt.

2. ZUM ANTIMANICHÄISCHEN KOLORIT

Das Interesse für die similitudo, die Eutropius sich für seine Inkarnationslehre aus dem genannten Apostelwort zueigen machen konnte, erfordert, sich zugleich von den Manichäern abzugrenzen, die mit demselben Begriff eine inkarnationsfeindliche Christologie konstruierten (17).

Da Römer 8,3 nun mal das corpus eröffnet und so die similitudo den ersten Aspekt abgibt, durch den Eutropius die Menschwerdung begreiflich machen will, ist natürlich ein Seitenblick auf die Manichäer von Anfang an vorhanden (18). Das ist auch gar nicht zu verwundern: denn die vom Priszillianismus ausgelöste geistige Turbulenz, in der u.a. der manichäische Virus beherrschend wurde, verseuchte derart die Köpfe, daß man im spanisch-aquitanischen Milieu des frühen 5. Jahrhunderts nur noch im steten Verweis auf irrige Ansichten seriös Theologie zu treiben vermochte (19). So ist es zu verstehen, daß auch Eutropius bei der Erklärung der Menschwerdung und ihres Sinnes **für uns** sich fortwährend "gegen manichäische Mißverständnisse der Inkarnation" wendet (20). Das ergibt einen regelrechten antimanichäischen **ductus**, da es ja im ganzen Traktat um die Wirklichkeit des Fleisches Christi mit allen menschlichen Qualitäten und Komponenten geht (s.u.).

Mit anderen Worten: alle Hinweise Eutrops auf manichäische Irrtümer wollen sicherstellen helfen, daß der Herr wahres Fleisch hatte, d.h. wirklicher Mensch war (21).

So ist der (ohnehin schillernde) Begriff der **similitudo** (22) nicht nach Art der Manichäer auf die **caro**, sondern ganz im Sinne des Paulus (23) auf die **caro peccati** zu beziehen (24), womit Eutropius für seine Orthodoxie einen ganz deutlichen Akzent gesetzt hat (25). Nur wenn folglich der ganze Satz des Apostelverses beachtet wird, "entsteigt (aus ihm)...für uns der Lebensgeruch, der Leben verheißt" (**sim** 32). Und um Leben geht es in der Erlösung(slehre). Leben ist immer etwas Konkretes. Daher ist mit Paulus daran festzuhalten, daß Gott seinen Sohn "also nicht ohne Fleisch (sandte), damit nämlich durch die Gestalt des sündigen Fleisches die Wirklichkeit seines Fleisches (als eines sündigen Fleisches) erwiesen werde" (**sim** 41) (s.u.) (26). Wie anders wären denn auch seine Seelenregungen des Flehens und der Furcht vor dem Leiden (s.u.) zu erklären, wenn er nicht wirklich Mensch wäre (27).

Ja, das ganze Leben Jesu, von der **origo** bis zur **mors**, gilt laut Eutropius der vollen Anerkennung der **similitudo carnis peccati**. Im Hinblick auf die Manichäer muß dabei schon der Genealogie Jesu Beachtung geschenkt werden (s.u.); denn im Denken der Manichäer ist "Christus...nur Gott, nicht Christus im Fleische" (28). Daher rührt dann "die Polemik der Manichäer gegen das Geschlechtsregister Mt 1,1 ff., das Jesus als Sohn Davids führt" (29). Eutrops Interesse für die mattäische Genealogie gilt zwar den Versen Mt 1,2-3.5-6 (30), ist aber wohl in diesen antimanichäischen Verstehenshorizont einzufügen.

Bei Eutrops antimanichäischen Verweisen handelt es sich also um einen situationsbezogenen Hintergrund, auf dem sich seine eigenen orthodoxen Aussagen umso besser abzuheben vermögen. Daher ist sein Traktat keine primär und strikt antimanichäische Schrift im ausschließlich polemischen Sinne (31). Das ist schon von seiner Zielsetzung her ausgeschlossen wie auch durch die (aufgezeigte) Tatsache widerlegt, daß der antimanichäische **ductus** mit der in Römer 8,3 vorkommenden Wendung von der "similitudo carnis peccati" sich durch Konvention zwingend einstellte. Die Vorliebe für diesen Bibelvers läßt verstehen, daß sein dogmatischer Gedankengang mit antimanichäischen Zwischentönen durchsetzt ist. Sie zeigen Eutrops Sorge um die Orthodoxie, für deren Sicherstellung er keine denkerische Mühe scheut (32), sie sind also kein Selbstzweck, sondern verbreitete Argumentation: Christologie formuliert man antimanichäisch.

Wie die entsprechenden Texte (33) zeigen, dient das antimanichäische Kolorit nur zur Illustration der orthodoxen Aussagen und ist daher nicht allzu wichtig zu nehmen. "De similitudine carnis peccati" als antimanichäischen Traktat zu bewerten, wäre also der Pointe nach unzutreffend. Er ist – wie die Grundaussagen aufweisen werden – **mehr** als antimanichäisch (34).

Sagen wir es so: Eutrops Traktat ist **für** orthodoxe Christen und folglich u.a. gegen Manichäer geschrieben. Diese Art zu schreiben ist zudem nichts Besonderes, sondern angesichts der theologischen Situation einfach die zeitgenössische Form der Christologiedarstellung (35). Da dogmatisch in Bezug auf die Person Jesu Christi noch alles offen war, verfügte man noch nicht über feste Formeln, so daß die stete literarische wie theologische Abgrenzung gegen Häretiker nur ein günstiges Ferment für die Entwicklung des Dogmas war.

So ist, noch präziser gesagt, Eutrops Traktat u.a. antimanichäischklärend. Gerade dies ist das Spannende daran und läßt erahnen, daß dem Seelsorger Eutropius (36) (schon der **consolatio** wegen) daran gelegen ist, die Inkarnation solide darzustellen (37).

3. GRUNDTHEMA DES CORPUS: DIE WIRKLICHKEIT DES FLEISCHES CHRISTI

Halten wir fest: infolge der antimanichäischen Redeweise ist Eutrops Soteriologie auf die Inkarnation zentriert. Demzufolge geht es um das eindeutige Bekenntnis zur wahren Menschwerdung Gottes, die jene Wirklichkeit meint, welche sich von der menschlichen Geburt aus Maria bis zum Todesleiden erstreckt. Sie erweist ihn als wahren Menschen, d.h. als Nachfolger Adams, der als solcher sein Sündenfleisch trägt.

Damit sind schon die Aspekte angedeutet, mit denen Eutropius dieses soteriologische Thema ausführen wird (s.u.). Zuvor seien indes noch einige Denkkategorien abgehandelt, die verstanden sein müssen, um uns den Weg dorthin nicht unnötig zu verstellen. Eutropius scheut nämlich im Rahmen der **consolatio** keine (vorab rhetorische) Mühe, um die wahre Menschwerdung sicherzustellen. Daher spricht er bei deren Darstellung eigens von der **veritas, proprietas** und **qualitas (carnis dominicae)**; allerdings zieht er damit begrifflich auseinander, was nur zusammen die eine Wirklichkeit ausmacht. Eutropius liebt zwar (langweilige) Wiederholungen und begriffliche Variationen – das Ziel seines Briefes macht dies notwendig!-, aber gleichwohl sind die genannten Distinktionen für das (weitere) Verständnis des Traktates nicht unerheblich.

A) Aussagekategorien des Grundthemas

aa) veritas (carnis)

Die hier kurz zu erwähnenden Kategorien erklären sich wiederum aus
Eutrops antimanichäischer Haltung. Dies zeigt sich vorab am Begriff
der veritas (38), mit dem er unmittelbar nach Einführung des Römerbriefverses das Fleisch des Herrn als etwas ganz Reales herausstellen
will (39). Als klassisches Wort meint veritas nämlich die Wirklichkeit
und nicht den Schein bzw. Schatten von etwas (40).

Nach Augustinus hängt von der Wirklichkeit des Fleisches die Gott-
mensch-Einheit und damit die Einheit Christi und der Menschen ab:
eine Idee, von der er ganz durchdrungen war. Freilich hat diese
Identität der beiden Naturen ihre Grenzen, was eben durch den paulinischen Gedanken von der Gestalt des sündigen Fleisches ausgedrückt
wird. Aber es ist unbedingt jeder Doketismus auszuschließen und am
wahren Fleisch Christi festzuhalten, welches durch die Gestalt der
Sünde keine Einbuße erleidet. Augustinus beharrt darauf: Christi
Fleisch ist ein wahres Fleisch, aber kein Sündenfleisch. Und er betont
genau wie Eutropius (41): bei seinem Kommen handelt es sich nicht um
die Gestalt des Fleisches, sondern um die Gestalt des sündigen Fleisches (42).

Schon vor Augustinus sind diese Gedanken keimhaft vorhanden. Tertullian betont, daß das Fleisch Christi wahres Fleisch und von derselben Natur wie das Fleisch Adams sei, ausgenommen allerdings die
Sünde (43).

Hilarius hebt die Jungfrauengeburt hervor, die Christi Leben in der
Gestalt des sündigen Fleisches begründet und dafür bürgt, daß er in
derselben Natur wie wir gezeugt wurde, die Sünde aber von ihm ausgenommen ist (44).

Ambrosius schließlich bringt den genannten Vers des Römerbriefes in
ausdrückliche Beziehung zur Erbsünde, die auf dem Menschengeschlecht
lastet. Die Gedanken des Paulus werden bei ihm aber nicht weiter vertieft (45).

Nach Eutropius lautet dies so: als wahrer Mensch (46) ist Christus
der Menschensohn und trägt als solcher (ganz logisch) menschliches
Fleisch (47), welches das Fleisch der Sünde ist (48): dadurch begründet er - zu unserem Heil - unsere Einheit mit Gott (49).

Es deutet sich an, daß der Inkarnierte ein ganz bestimmtes Fleisch
angenommen hat.

bb) proprietas, qualitas (carnis)

Um die wahre Menschheit des Erlösers möglichst konkret abzusichern,
will Eutropius eigens festhalten, "wessen Fleisch der Herr angenommen
hat und was für ein Fleisch das war" (sim 47). Dazu verwendet er

die Kategorien **proprietas** und **qualitas**, die in der antiken Logik eng zusammengehören (50).

In **proprietas** ist das 'ἴδιον aus der aristotelischen Topik zu erkennen, welches dort nach echt stoischer Weise mit der Kategorie der Qualität zusammenfällt (51). "Jeder Satz und jedes Problem bezeichnet (nämlich) entweder eine Gattung oder eine Eigentümlichkeit ('ἴδιον) oder ein Akzidens" (52).

Eutrops Interesse richtet sich insofern auch auf das **Eigentümliche** (proprium) des Fleisches, als er nach dem **Eigentümer** fragt. Und da der Eigentümer von etwas zugleich für eine bestimmte Qualität bürgt, ist diese auch hier als Akzidens zu fassen, insoweit sie dem Fleisch zukommt.

Das heißt konkret: als wahrer Mensch hat der Herr das Fleisch des Menschen angenommen (53), welches in seiner Qualität Ergebnis der Sünde Adams ist. Seitdem gehört die Sünde zur Adamsmenschheit bzw. zur Natur des konkreten Menschen; dessen Fleisch "sich (nun) einmal durch die Übertretung unter das Gesetz des Todes gestellt hat" (sim 38) (54). Hat der Inkarnierte sich nun auf diese Natur eingelassen, spielt dabei auch die Dimension der Sünde eine Rolle, denn "es wäre **absurd** gewesen, sich **naturwidrig** auf die Sünde einzulassen" (sim 47).

So fallen auch bei Eutropius **proprietas** und **qualitas** tatsächlich zusammen bzw. bedingen einander wechselseitig; und er weiß recht plausibel von Herkunft und Qualität des Fleisches zu sprechen:

Wessen Fleisch der Menschensohn trägt, steht außer Zweifel: das Fleisch derer, **von denen** er **abstammt** (55). Mit anderen Worten: der Herr trug jenes Fleisch, welches ganz logisch auf Adam als den "Pater carnis" (sim 49) zurückgeht. Als solcher ist Adam der "auctor carnis" (ebd.), **von dem** das Fleisch stammt und **dem** es zugehört (56).

Es ist hier des Eutropius Rechtsdenken herauszuhören, demzufolge der **auctor** im **heres**, die **proprietas** des Vaters im Sohne fortlebt, der als blutsverwandter Abkömmling immer ein **heres legitimus** ist. Als solchem fällt ihm immer die **bonorum possessio** zu (57). Gewiß ist diese Rechtskategorie für das theologische Denken nicht unproblematisch, zumal sie zunächst von rein biologischen Sachverhalten ausgeht. Aber gleichwohl tritt das Anliegen des Eutropius klar hervor: als Menschensohn gehört der Erlöser "zum Stand der fleischlichen Menschen" (sim 53) und besitzt folglich "das steuerpflichtige Vermögen des Fleisches" (ebd.). So lebt auch in ihm das Erbe dessen, der diesen ganzen Stand trägt und verkörpert. Und das heißt doch: der **Menschensohn** hat teil an **Adams Fleisch**, aus dessen Abstammungslinie er hervorgeht. Als **menschlichem** Erben Adams fällt ihm seine **proprietas** zu: das Fleisch, in dem er dann auch die ganze Substanz seiner Eltern geerbt hat (58).

Damit ist für Eutropius die **proprietas carnis** hinlänglich geklärt. Aus ihr ergibt sich auch schon die **qualitas carnis**.

Es ist für Eutropius durchaus keine bloße Rhetorik, eigens von der **Qualität** des Fleisches zu reden. Es gibt in Adam nämlich das Fleisch vor und nach dem Fall; das Fleisch, das Sünde und Tod nicht kannte, und das Fleisch, das – aufgrund der Tat Adams – in seiner Hinfälligkeit sich nicht vom unsrigen unterscheidet (59).

Es ist interessant, wie kurz und bündig hier Eutropius vom Urstand redet, wobei er offensichtlich nicht an ein Kind im Paradies denkt. Er stellt lediglich einen Zustand **vor** und **nach** dem Fall fest, indem er auf die Beobachtung verweist, daß Adam "vor dem Fall mit allem Segen geschmückt war und nach dem Fall von allem Fluch entstellt" (sim 80); daß er zuerst "ein Mensch im Paradies, nachher in der Verbannung" (ebd.) war.

So spricht Eutropius einfach vom adamitischen Menschen, von dem etwa Augustinus aussagt, daß dieser im Paradies im Zustand des **posse non mori** und sein Fleisch gut war und sein Sündenfall in der freien Hinwendung zur **superbia** lag (60). Und der "Sündenfall" besteht dann für Eutropius einfach in der Feststellung, daß die Tat Adams die Substanz seines Fleisches veränderte und somit eine für die Erlösung nicht unerhebliche "Vorbedingung" schuf.

Um die Erlösung geht es Eutropius. Das ist sein Thema; und dafür ist es wichtig zuvor geklärt zu haben, daß der Erlöser auf jeden Fall das Fleisch **nach** dem Fall Adams trug. Die Begründung liegt auf der Hand: "wenn nämlich der Herr das Fleisch angenommen hätte, das Adam vor der Sünde hatte, hätte er uns gar nichts nützen können" (sim 87).

Da das Gegenteil der Fall ist, wollen wir schauen, mit welchen Aussagen Eutropius die Inkarnation zur Sprache bringt.

B) Zur Darstellung des Grundthemas

Wie ein Blick auf den Text selber (Teil I) zeigt, ist es weder möglich noch nötig, restlos alles zur Sprache zu bringen, was Eutropius irgendwie zum Thema der Menschwerdung eingefallen ist. Durch all das, was wir bislang an seinem Traktat beobachtet haben, ist der Blick nämlich geschärft worden, die Vielfalt der Aussagen in wenigen grundlegenden Aspekten der **Wirklichkeit des Fleisches Christi** zusammenzufassen und diese womöglich in Beziehung zur Tradition zu bringen. Wie sich nämlich zeigen soll, weitet sich der augustinische Verstehenshorizont (des **Jesus maledictus**) (61) auch auf das **corpus** aus (62), so daß sich Eutrops Soteriologie gut mit seiner Anthropologie verknüpft.

Die Aussagekategorien haben uns bereits mitten ins Thema selbst geführt und weisen auch den Weg zu seiner Darstellung:

Die **veritas** führt zur Grundaussage von der **Gestalt des sündigen Fleisches**, in der Eutrops Vorliebe für den Vers Römer 8,3 bzw. die **similitudo** zum Tragen kommt. Die **similitudo** (63) soll nämlich die **veritas** nur verdeutlichen: die Gestalt des sündigen Fleisches soll die Wirklichkeit des Fleisches erweisen (64).

Da das Fleisch durch die Sünde qualifiziert ist, muß auch die **qualitas** der angenommenen Menschennatur zum Ausdruck kommen. Sie wird durch das ganze Leben Jesu in seiner Eigenart ausformuliert, das als solches und als ganzes gleichsam ein **testimonium qualitatis** ist (65); eben ein Beweis für die "Gestalt der Sünde".

Soll die Rede von der "Gestalt der Sünde" beleuchten, daß der Herr zwar Mensch wie wir war, aber von der Sünde ausgenommen blieb, heißt das natürlich, daß er überhaupt das Fleisch Adams trug. Dieser Aufweis geschieht durch den Vergleich des "Ersten" mit dem "Zweiten Adam". Es ist die **proprietas**, die zu dieser Grundaussage führt (66). Sie hat weitgehend die Auslegung der Verse 1 Kor 15,45.47 zum Inhalt und zeigt Eutrops Interesse auch für andere markante Bibelstellen, die ebenfalls die **veritas carnis** darzutun imstande sind (67).

Zu den eindrucksvollen Bibelstellen, die die Bedeutung der Inkarnation auftun, zählen für Eutropius auch die Kelchworte (Mt 26,38 f. 42). Ihnen widmet er ebenso eine eingehende Auslegung, um zu zeigen, daß der Herr bis **zuinnerst** Nachkomme Adams ist. Das bedeutet, daß er **auch** Seelenregungen hat, wie sie in der Furcht vor dem Leiden zum Ausdruck kommen: ein neuer Beweis für die wahre Menschheit des Erlösers. Dabei zeigt sich, daß der Herr als Mensch das Leben auch **meistert** und seine Menschwerdung ein wirkmächtiges Beispiel für das Leben des Christen ist. Daraus ergibt sich die Aussage von "Christus als Beispiel und Meister des Lebens".

So gelte nun Eutrops Inkarnationslehre unser Augenmerk, was zunächst durch die Adam-Christus-Parallele geschehen möge.

II.

CHRISTUS UND ADAM (1 KOR 15, 45.47) (SIM 47-77)

V o r b e m e r k u n g e n

1) In einem ersten Schritt bringt Eutropius die **Wirklichkeit des Flei-**
sches Christi durch die Gegenüberstellung von **Christus** und **Adam**
zur Aussage. Dabei greift er zur besseren Verdeutlichung jene Verse auf, die Paulus im ersten Korintherbrief so formuliert:

> "Adam, der Erste Mensch, wurde lebendige Seele, der Letz-
> te Adam wurde lebendigmachender Geist...Der Erste Mensch
> stammte von der Erde und war irdisch; der Zweite Mensch
> stammte vom Himmel" (1 Kor 15, 45.47).

Es ist nicht die Absicht des Eutropius, diesen Paulustext von seinem Zusammenhang her (1 Kor 15, 35-58) (68) erschöpfend auszu-
legen. Sein theologisches Interesse richtet sich bewußt nur auf
diese Verse, da deren Aussageabsicht Elemente enthält, die dem
Ziel seines Traktates entgegenkommen.

2) So zieht Eutropius 1 Kor 15, 45.47 heran, weil er sich für folgende Topoi daraus interessiert:

einmal findet er in diesem Paulustext den ihm wichtigen Gedanken
des "In-Christus-Sein" (69), der auch für seine Thematik die Aussageabsicht bilden wird (s.u.), da er die Menschwerdung zur
(logischen) Voraussetzung hat (70).

In diesem Zusammenhang fällt dann ferner auf, daß Eutropius,
wie auch andere Väter, bei Erklärung des Verses 1 Kor 15,47 das
οὐράνιος (caelestis) (als die aus dem ἐξ οὐρανοῦ zu folgernde
Wesensbezeichnung für Christus, den Zweiten Adam) ergänzt (s.
u.), das bei Paulus fehlt (71). Eutropius liegt nämlich gleichzeitig an der antidoketischen Tendenz, die er im Paulustext entdeckt
und die Paulus möglicherweise selbst schon durch die Auslassung
gemeint hatte (um gerade so zu verhindern, an einen **Scheinleib**
Christi während seiner irdischen Existenz zu denken) (72).

3) Wie es scheint, haben die Väter in der Tat die Bedeutung dieser
Verse gerade in der Abgrenzung gegen die Gnosis bzw. den Manichäismus gesehen (73). Zudem haben unter den lateinischen Vätern einige wenige auffälligerweise für Christus die Bezeichnung
caelestis, d.h. das aus dem ἐξ οὐρανοῦ zu erwartende Attribut
ergänzt: die Zeitgenossen Ambrosius (74), Augustinus (75) und
Hilarius (76); und dies genau in der Absicht, um gegenüber den
Manichärn zu betonen: 1 Kor 15, 47 schließt die Wirklichkeit des
Fleisches nicht aus, sondern setzt sie vielmehr voraus; **terrenus**

und **caelestis** haben daher nur moralischen Sinn. Ohne Fleisch, so macht Augustinus dem Manichäerbischof Faustus begreiflich, hätten die genannten Attribute wahrlich keinen Sinn und man könne Jesus Christus nicht länger Menschensohn benennen (77).

4) Dieser (antimanichäischen) Argumentationslinie schließt sich nun Eutropius an. Auch er hat – wie oben schon angedeutet – das Attribut **caelestis** hinzugefügt (78); und das Gesamt seiner Aussagen zielt auf Christus und seine Menschwerdung. Sie plausibel zu machen, dient die paulinische Adamstheologie, die laut Eutropius auf das Sein in Christus tendiert (s.u.). Das verlangt eine Erklärung, warum der "Apostel...den Herrn bald als den Letzten Adam, bald als den Zweiten Menschen verkündet hat..." (**sim** 57) (79).

5) Hier wird deutlich, daß beide Teile des Traktates "De similitudine carnis peccati" nicht nur formal, durch eine persönliche Note (s.o.), sondern auch inhaltlich miteinander verklammert sind:

Bei der Adam-Christus-Parallele (1 Kor 15, 45.47), die Eutropius in Anlehnung an eine augustinische Denkform entwickelt, handelt es sich nämlich um eine **theologische** Anthropologie. Das bedeutet: der Mensch (die Menschheit), dessen Natur im Rahmen bereits empirisch beschrieben und theologisch als Sündenfleisch gedeutet wurde (80), tritt nun im **corpus** durch die Gegenüberstellung mit Christus in seiner Qualität noch schärfer hervor: gleichsam als der negative Gegenpol zum Erlöser Jesus Christus.

Da es Eutropius um die Inkarnation geht, mag daher die Parallelisierung der beiden Menschheitstypen als ein Angemessenheitsgrund für die Menschwerdung zu werten sein (81). Daraus geht umso plausibler hervor, daß Christus das Fleisch Adams trägt und so als **Letzter** Adam zu gelten hat.

1. DAS INKLUSIVVERHÄLTNIS (82)

Bei näherem Zusehen entdecken wir bei Eutropius eine eigentümliche Denkweise, die auch bei Augustinus zu finden und zudem biblisch ist. Sie besteht darin, daß in Adam bzw. in Christus nicht lediglich zwei Individuen gesehen werden, sondern beide Gestalten jeweils als Repräsentanten der ganzen Menschheit gelten (83).

Nach augustinischem Verständnis gehört die Adam-Christus-Parallele (84) zum Zentralsten des christlichen Glaubens (85). Ihr zufolge ist somit nicht nur von Adam und Christus zu reden, sondern gleichermaßen von einer Adam- und einer Christusmenschheit.

Schon von dem her, was Eutropius zur **natura** ausgeführt hat, drängt sich die Erwartung auf, daß (auch bei ihm) das korporative Verständnis von erheblicher theologischer Relevanz ist und nicht ohne Verlust wesentlicher theologischer Wahrheiten preisgegeben werden kann.

Eutropius weiß dies anhand der Korintherbriefverse so zu formulieren:

> "Als Erster Adam gilt jeder, der ihm auf seinem Irrweg nachfolgt, als Letzter, wer den Herrn nachahmt" (sim 59).

Dieser Satz ist inhaltlich des näheren zu demonstrieren:

A) Menschsein als "In-Adam-Sein"

Wenn wir den Zusammenhang zwischen Adam und der ihm zugehörigen Menschheit näher anschauen, bemerken wir zunächst, daß Adam zwar alle übrigen Menschen in sich schließt, aber damit nicht seine eigene personale Individualität aufgibt. Es ist nämlich der eine Adam, von dem alle abstammen und der als einzelner schon die ganze Menschheit verkörpert (86).

Gewiß ist diese Anschauung nicht ohne den Hintergrund des orientalisch-gnostischen Urmenschmythos denkbar (87). Doch wird er hier, ganz wie bei Augustin, vergeschichtlicht. Das gilt für Adam, der als "Pater carnis" (sim 49) geschichtlich einmalig ist, wie auch für den geschichtlichen Zusammenhang zwischen ihm und der ganzen Menschheit.

So steht Adam gleich einem Urmenschen als Stammvater aller Menschen am Anfang der Menschheitsgeschichte, wird aber zugleich durch die Geschichte eben dieser Menschheit der Vorstellung einer reinen Idee entrissen und gleichsam geschichtlich ausgedehnt (88).

Wie der Zusammenhang zwischen Adam und den übrigen Menschen, eben das "In-Adam-Sein", näher zu denken ist, ist bei Eutropius nicht so schneidend scharf formuliert wie bei Augustin, der dem pelagianischen Denken mit seinen individualisierenden Tendenzen entgegentreten wollte, da es der "Erbsünde" und ihren Folgen keine Rechnung trug (89). Indes besteht der Grundgedanke des "In-Adam-Seins" aller Menschen auch bei Eutropius in dem nicht weiter abzuleitenden Wissen darum, daß alle Menschen von Adam her zusammengehören und eine Einheit bilden, womit für alle ein Zusammenhang im Guten wie Bösen gegeben ist (90). Zu dieser Reflexion ist Eutropius ohnehin erst durch seine Ausgangsfrage (nach dem Grund der Krankheit des Christen) veranlaßt worden (91).

Für ihn es es daher nicht von Belang, auf einen Unterschied zwischen "peccatum proprium" und "peccatum alienum" hinzuweisen und ihn denkerisch aufzuarbeiten (92). Ausgehend von der Gegebenheit der Natur des Menschen genügt ihm die Feststellung, daß sozusagen die Eigenart der Sünde Adams gerade darin besteht, daß sie sich auf alle, die zu ihm gehören, auswirkt. Was den ersten Menschen als Strafe trifft, wird für seine Nachkommen zu etwas, was ihnen vorgegeben ist, eben zur Natur, die sie bedingt und bestimmt (93).

Eutropius geht zwar nicht soweit zu sagen, daß wir bei der Sünde Adams "in ihm" waren durch unsere Teilhabe an der in ihm begründeten allgemeinen Menschennatur, die damals die Gestalt der "natura seminalis" hatte (94); wohl deutet er aber auch diesen augustinischen

Gedanken an, indem er – wie wir oben sahen – von einem verdorbenen Samen spricht, dem dann auch nur eine verdorbene Nachkommenschaft entsprechen kann (95). Eben dieser verdorbene Samen, diese "natura vitiata" ist es, die allen, die noch aus ihr hervorgehen werden, das vorbestimmte Gepräge gibt. So ist durchaus von einer Solidarität aller in Adam, dem "auctor transgressionis" (sim 21), zu sprechen. Dieses Grundanliegen des "In-Adam-Seins" weiß Eutropius auch ganz plastisch zum Ausdruck zu bringen, wenn er sagt, daß das ganze Menschengeschlecht auf das Vergehen des Stammvaters gleichsam wie mit einer Kinderklapper durch die ihm zuerkannte Sterblichkeit aufmerksam macht (96).

Demnach ist die Sterblichkeit geradezu das Erkennungszeichen (crepundia) (97) dafür, daß wir in Adam sind, von ihm herkommen und gar nie von seiner Spur abweichen können (98). Die Hypothek, die durch Adams Sünde auf uns lastet, läßt sich nämlich nicht abstreifen (99).

Daraus folgt: Adam steht für die Gesamtheit des Menschengeschlechts, so daß jeder, der als Mensch geboren wird, eben Fleisch hat, zu Adam, dem "Stammvater des Fleisches" (sim 49) gehört.

Nachdem Eutropius solchermaßen das "In-Adam-Sein" demonstriert hat (100), ist der thematische Boden bereitet, um nun von jenem anderen Adam zu reden, in dem die neue Menschheit mitgesetzt ist: von Christus, auf den (und dessen Menschwerdung) doch alle seine Aussagen (thematisch) tendieren.

B) Christsein als "In-Christus-Sein"

War von einer Adamsmenschheit die Rede, muß nun geprüft werden, wie Eutropius das Inklusivverhältnis auf Christus und die ihm zugehörige neue Menschheit anwendet. Daß hier eine Entsprechung vorliegt, ist schon aus der Tatsache der ständigen Gegenüberstellung zwischen Christus und Adam als solcher zu schließen (101). Auch Christus ist ganz wie bei Augustinus (102) nicht nur als geschichtliche Einzelperson betrachtet. Sonst wäre deren Bedeutung in ihrer historischen Einmaligkeit bereits erschöpft. Über das Gegenteil aber hat uns Eutropius oben schon belehrt, indem er versichert, daß als Letzter Adam jeder gilt, "wer den Herrn nachahmt" (sim 59). Verbleibt lediglich, diese Aussage ein wenig zu beleuchten (103).

Durch den Gedanken der Nachahmung ist schon die inhaltliche Anknüpfung zur weiteren Illustration geliefert.

Zur Nachahmung gehört ein zureichender Grund, der zu ihr befähigt und einlädt: es ist das Angebot des Heils, welches so total ist, daß es sich nicht nur auf alle Menschen, die zeitlich nach Christus leben, sondern auch auf die, die vor ihm waren, erstreckt. Die heiligende Kraft der Gnade ist für Eutropius so konkret und umfassend, daß sie gleichsam alle Vorfahren Christi erneuert und alle seine Nachfahren erst recht bereichert (104).

Daher ist Christus der **secundus Adam** (105) bzw. der **Adam novissimus** (106), der in sich die gesamte neue Menschheit verkörpert (107). Die präzise Erklärung dafür ist zugleich mit der Tatsache gegeben, daß er – und nur er – der "Zweite Adam" ist und so genannt wird. Das besagt ganz logisch, daß er – weil ein **Adam** – mit dem "Ersten Adam" die menschliche Natur teilt, als auch – weil er als **Letzter** Adam gilt – sich von diesem unterscheidet, so wie sich alle Menschen (qualitativ) voneinander abheben.

So führt uns Eutropius mit innerer Spannung und auf einem interessanten Weg zum thematischen Ziel: über das Handeln zum Sein (**natura**), – so wie wir es oben schon im Rahmen bei der Rede vom Menschen erlebten (108).

Mit anderen Worten: die Parallelität zwischen Adam und Christus hat die Funktion, jeden von beiden als Stammvater eines Geschlechts zu zeichnen und so zum wesentlichen Anliegen vorzudringen: Christus trägt das Fleisch Adams (s.u.) (109), – welches die Grundlage für die (sittlich) unterscheidenden Merkmale beider Stammväter ist.

2. CHARAKTERISTIK DER BEIDEN STAMMVÄTER: MORS UND SALUS

Das Inklusivverhältnis hat gezeigt, daß es keine menschliche Existenz außerhalb des Zusammenhanges mit den beiden Stammvätern Christus und Adam gibt. Jeder von ihnen übt seine je eigene Herrschaft aus, so daß nun nach den spezifischen Merkmalen beider zu fragen ist.

Die Charakteristik der Stammväter ist nur die ethische Begründung bzw. inhaltliche Ausfaltung des Inklusivverhältnisses. Demzufolge sind Adam und Christus nämlich als Erstlinge (110) des Bösen bzw. des Guten zu sehen.

Es geht somit um eine je verschiedene Lebensart, die den Unterschied zwischen beiden ausmacht und Paulus dazu veranlaßt, vom "Ersten" und "Zweiten Adam" zu sprechen (111).

Und beider Lebensarten heißen: Tod (**mors**) und Leben bzw. Heil (**salus**), womit zugleich die Erlösung gemeint ist (112). Das bedeutet, daß der eine Stammvater aufgrund seines Tuns nur den Tod seines Geschlechts bewirkt, der andere das Heil; denn durch sein von allen unterschiedenes Handeln wird Christus für alle zum Ursprung der Rechtfertigung (113).

Damit bezieht sich Eutropius auf die andere, nicht weniger bedeutsame Adam-Christus-Parallele im 5. Kapitel des Römerbriefes, welche jene im 1. Korintherbrief ergänzt, indem sie nun **die universale Wirkung** der **Tat** des Ersten bzw. des Zweiten Adam zur Sprache bringt (114).

Es ist hier interessant zu sehen, wie gut im übrigen Eutropius den Apostel versteht und ihm argumentativ folgt. Zudem entspricht dieser Argumentationsweg wohl Eutrops aus der Rhetorik kommenden Neigung zum Spiel mit Antithesen.

Ähnliches beobachten wir bei Augustinus, zu dessen festem Predigt-repertoire bereits vor der antipelagianischen Interpretation von Röm 5 die Adam–Christus–Parallele gehörte. Und das aus dem rhetorischen Studium erlernte Arbeiten mit Antithesen ließ den Bischof von Hippo dieses Thema beliebig variieren (115). Für die Thematik des Eutropius ist jene Variation von Interesse, in der Augustinus bekennt, daß niemand den Tod erlange, es sei denn durch Adam; niemand das Leben, es sei denn durch Christus (116).

Diese (augustinische) Antithetik (von 'Tod durch Adam – Leben durch Christus') liegt dem Gedankengang des Eutropius zugrunde und ist auch die zureichende Erklärung, warum allein der Herr der "Letzte Adam" heißen kann: bis zur Auferstehung des Herrn übte der Tod seine Macht aus, die nunmehr durch seine Heilstat gebrochen ist. Durch den Kreuzestod ist Adams Fehltritt gelöscht, so daß Christus in Hinblick auf den Tod wahrlich der "Letzte" ist. Ab jetzt liegt das Angebot des Heils vor, da der Schuldschein des "Ersten Adam" endgültig eingelöst ist. Kurz: der Letzte in Bezug auf den Tod wird der Erste in Bezug auf das Heil (117).

Nicht ohne Geschick hat so Eutropius die moralischen Aussagen aus der Adam–Christus–Parallele im Römerbrief in jene des 1. Korintherbriefes thematisch eingebracht. Indem er die aus Röm 5 gewonnenen Charakteristika der Stammväter in die Thematik der Korintherbriefverse integriert, kann er zusammenfassend formulieren, daß der "Erste Adam" nur begrenzt "lebe" und der "Zweite" unbegrenzt Leben zu schenken vermag (118).

Freilich ist dies eine Antithese der Ungleichheit und auch Eutropius weiß, daß der Tod dem Leben nicht die Waage hält, sondern (theologisch) in ihm aufgehoben ist. Mit anderen Worten: der "Zweite Adam" ist größer als der "Erste"; seine Heilstat umfaßt alle Menschen vom "Ersten Adam" bis zu seinem, des "Zweiten Adam" letzten Nachfahren (119). Und dies, weil er selber zu den Menschen gehört und somit der Menschensohn ist (120).

Bei dieser terminologischen Variation (121) fällt Eutropius natürlich das Psalmwort ein:

> "Was ist der Mensch, daß du an ihn denkst, der Menschensohn, daß du ihn heimsuchst?" (Ps 8,5) (122).

Die Frage des Psalmisten regt ihn zugleich an, noch ein wenig über die genannte Antithese nachzusinnen. Das Ergebnis davon ist zwar keine tiefgehende Exegese, aber als freie Nacherzählung der Psalmworte geeignet, zum intendierten Ziel der Adamstheologie hinzuführen: der Menschwerdung.

Demgemäß weiß er auch eine plausible Antwort zu geben: es ist der Herr, der als Lebender, d.h. als Menschensohn heimgesucht wird, um die Toten, eben alle Menschen (genau) dem Tod zu entreißen und mit heilbringendem Geist zu erfüllen (123).

172

So knapp und bündig weiß Eutropius den Sinn von Ps 8,5 freizulegen (124). Das genügt, um den moralischen Vergleich des "Ersten" mit dem "Zweiten Adam" nun durch die Inkarnation zu begründen; denn "beides, so steht fest, hat sich im Herrn durch die Menschwerdung erfüllt: weil des Ersten Adam gedacht wird, wird der Letzte heimgesucht und durch die Heimsuchung des Letzten wird auch der Erste gerettet" (sim 67).

3. CHRISTUS TRÄGT DAS FLEISCH ADAMS

Eutropius kommt zum Ergebnis seiner Adamstheologie, indem er den zureichenden Grund für das Heilshandeln Christi (125) als des Menschensohnes angibt: die Wirklichkeit des Fleisches (126). Sie allein erlaubt, vom Herrn als dem "Zweiten Adam" zu sprechen. Als solcher hat er das Fleisch des "Ersten Adam" angenommen (127). Als Fleischgewordener ist er wirklich ein **Adam**: Mensch unter Menschen (128). Folglich **trägt** Christus das Fleisch Adams (129).

Damit hat **auch** Eutropius u.a. gegenüber den Manichäern klargestellt, daß es in 1 Kor 15, 47 sehr wohl um das Fleisch (Christi) geht und die (den beiden Stammvätern) beigefügten Charakteristika **terrenus** und **caelestis** in der Tat nur einen moralischen Sinn haben (130).

"Wenn es (also) heißt: 'Der Erste Mensch stammte von der Erde und war irdisch, der Zweite Mensch stammte vom Himmel und zwar himmlisch', so bedeutet das daher nicht eine materielle Verschiedenheit des Körpers, sondern eine andere Art des Lebens. Das Fleisch wird nicht aufgehoben, sondern auf den, der das Fleisch annahm, wird hingewiesen..." (sim 69): den "Zweiten Adam" nämlich, der – noch präziser gesagt – mit dem "Ersten Adam" die volle menschliche Natur teilt. Sie zu leugnen, wäre nun dem Argumentationsweg anhand der Korintherbriefverse zufolge direkt tollkühn, zudem unlogisch (131) und intellektuell gar unredlich (132).

Eutropius faßt sein Anliegen, das durch die Adam–Christus–Parallele eindringlich gemacht werden sollte, so zusammen (133):

> "Wenn also all ihre [= Adams und Evas] Nachkommenschaft im Fleische lebt, dann auch der Herr, weil er Menschensohn ist. Und wenn alle Menschen, von denen Christus dem Fleische nach abstammt, von Adam abstammen, dann stammt auch der Herr von Adam ab. Und wenn es von ihm heißt, daß er der Zweite Adam sei, wer kann es da wagen, ihm die Wirklichkeit des Fleisches abzusprechen, wenn schon sein Name bezeugt, daß er zu den Menschen kam, die im Fleische leben? Wenn nämlich der Erste Adam ohne Fleisch ist, dann muß man das auch folgerichtig für den Zweiten gelten lassen. Wenn aber tatsächlich der Erste im Fleische lebt, dann lebt auch der Zweite im Fleisch" (sim 52).

Diese (in sich bereits plausiblen) Gedanken weiß Eutropius (noch weiter) zu ergänzen, indem er nun sein Rechtsdenken, dessen wir schon bei der Besprechung des Begriffs der **proprietas** (134) als Aussagekategorie des Grundthemas der Wirklichkeit des Fleisches ansichtig wurden (135), (nachträglich) in die (theologische) Anthropologie (136) seines Traktates übersetzt (137): Demgemäß versichert er, daß wer immer Mensch ist, auch eine menschliche Natur hat mit allem, was dazu gehört. Wer sich Mensch nennt, hat auch das Wesen des Menschen (**substantia**) in sich (138): also auch der Menschensohn, der als "Zweiter Adam" gilt.

Als Nachkomme Adams hat der Herr freilich auch Seelenregungen, und es mag nun interessant sein zu sehen, wie auch diese die Wirklichkeit seines Fleisches beweisen.

III.

CHRISTUS ALS BEISPIEL UND MEISTER DES LEBENS

(Mt 26, 38f.42) (Sim 113-136)

Vorbemerkungen

1) Die zweite Grundaussage des **corpus** von "De similitudine carnis peccati" soll dartun, daß nicht nur bloß eine äußere Ähnlichkeit zwischen dem Ersten und Zweiten Adam besteht, sondern der Mensch Jesus bis **zuinnerst** ein Nachkomme Adams ist. Es wäre nämlich für die Menschwerdung und deren Folgen (für uns) recht unerheblich, wenn sich der Menschensohn lediglich die Erscheinungsform Adams (äußerlich) **zugelegt** hätte, anstatt seine volle Natur (innerlich) **anzunehmen** (139). Nur die ganze **Wirklichkeit des Fleisches Christi** garantiert unsere Erlösung.

2) Als wahrer Mensch hat Christus daher **auch** Seelenregungen, die folglich ihrerseits diese eine Wirklichkeit des Fleisches Christi beweisen (140). Das heißt mit anderen Worten: Eutropius schließt bei Seelenregungen nie auf die **Existenz** der menschlichen Seele Jesu, sondern (im Rahmen seines Grundthemas!) darauf, daß Jesus, wie oben schon einmal angedeutet (141), "homo noster" (**sim** 115), "nostram naturam gerens" (siehe ebd.), "homo moriturus" (siehe ebd.) ist.

3) Um dies ein wenig zu demonstrieren, hat sich Eutropius wiederum markante Bibelstellen herausgesucht, **anhand** deren er sein Thema verdeutlichen will. Er sind diesmal die bekannten Kelchworte, mit denen der Menschensohn seine Furcht vor dem Leiden kundtut. Eutropius bedient sich der mattäischen Form, da sie am dramatischsten das Gemeinte darstellt. Sie lautet:

> "Meine Seele ist zu Tode betrübt:...Vater, wenn es möglich ist, nimm diesen Kelch von mir. Aber nicht wie ich will, sondern wie du willst...Vater, wenn dieser Kelch an mir nicht vorübergehen kann, ohne daß ich ihn trinke, geschehe dein Wille" (Mt 26,38f.42).

4) Bei der Verwendung der Kelchworte als Beweis der **veritas carnis** wird im Detail deutlich, daß Eutrops Traktat auf jeden Fall **mehr** als (nur) anti-manichäisch ist (142). Er hat vielmehr, wie wir uns erinnern, die **consolatio** zum Ziel. Sie prägt daher auch das **corpus** und bringt dessen Inkarnationslehre in diese Zielsetzung ein (143). Das zeigt sich besonders gut, wenn Eutropius von den Seelenregungen des Menschgewordenen spricht. Sie sollen nämlich nicht nur das `pure` Faktum seines Fleisches erweisen, sondern auch etwas vom **Grund** seiner Menschwerdung deutlich machen: in-

dem diese die Schicksalsgemeinschaft der Menschen mit dem Inkarnierten begründet (144), erwächst aus ihr zugleich der Anspruch
zu ertragen, was der Herr selber in der angenommenen Menschennatur beispielhaft ertragen hat (145).

So "wirkt...um uns zu gestalten...in Christus...die mit uns gemeinsame sterbliche Natur" (sim 129).

Hier wird etwas von der erzieherischen Kraft der Menschwerdung
erkennbar; denn was "der Lehrer des Lebens getan hat, damit es
vollzogen werde, das ist ein göttliches Beispiel, auch wenn das
Tun selbst zeitweilig menschlich zu sein scheint" (sim 131).

5) Es sind also die Themen des **Christus exemplum (vitae)** wie des
Christus magister vitae (146), die Eutropius mit Hilfe der mattäischen Verse ein wenig ausführen will (147).

Damit beschränkt er sich (biblisch und) thematisch auf einen kleinen, aber eindrucksvollen Abschnitt des Lebens Jesu: die Szene
im Garten Getsemani (148). An ihr wird gut deutlich, wie die Inkarnation das Menschliche der Erlösung ausformuliert.

Sagen wir es so: die Kelchworte geben einen (einschlägigen, sinni-
gen) Einblick in Wirkung und Tragweite der Erlösung. Schauen
wir, wie Eutropius sie aus ihnen herausliest.

1. EXEMPLUM VITAE (149)

Halten wir fest: Die Menschwerdung Gottes in Jesus Christus umfaßte
die Annahme der ganzen unverkürzten menschlichen Natur. Alle menschlichen Regungen (150) und Versuchungen (151) hatte Christus dadurch
erfahren, so daß die Inkarnation, wie Eutropius nun zeigen will, zugleich wirkmächtiges Beispiel für das Leben des einzelnen Christen
ist.

Die Lehre vom Beispiel Jesu (152), die Eutropius aufgreift, ist nicht
völlig neu. Bereits die Apostolischen Väter hatten gerade deswegen so
oft vom Leiden und vom Tode Jesu gesprochen, weil sie damit zur Nachahmung Jesu anspornen wollten.

Ferner suchte Cyprian seine Gläubigen zur treuen und steten Nachfolge
Christi zu bewegen, die doch ihre Grundlage in der Lehre und im Beispiel des Herrn habe. Dabei ist es wichtig zu sehen, daß die Thematik des Beispiels immer die Menschwerdung **voraussetzt** (153).

Augustinus spricht vom **exemplum incarnationis**, das seine Wirkung als
vorbildlicher Stimulus eben deshalb entfaltet, weil die Menschwerdung
in nobis und **pro nobis** geschehen ist (154).

Wie Eutrops Verwendung der Kelchworte verdeutlichen, scheint dieser
augustinische Gedanke für seine Argumentation Pate zu stehen. Die
Menschwerdung **in nobis** offenbart nämlich alle Regungen eines geängstigten menschlichen Geistes.

Wenn Augustinus darauf hinweist, daß bei der Furcht des Menschensohnes vor dem Tode unsere von ihm angenommene Schwäche offenbar wird (155), so entspricht das genau dem Anliegen des Eutropius, demzufolge die Seelenregungen den wahren Menschen in Christus zum Ausdruck bringen (156):

Menschsein – so hat uns oben Eutropius dargelegt (157) – bedeutet, mit Schwachheit behaftet sein, Sünder sein und sterben müssen, wobei – wie wir uns erinnern – aufgrund der Sünde Adams alles in kausalem Zusammenhang steht.

Kein Wunder, daß sich im Menschensohn dasselbe ereignet: die Angst vor dem Tode reiht in ein in die Schar der Sünder. Als einer von uns braucht er sich durchaus nicht zu schämen, solche Furcht zu zeigen; denn er teilt mit uns das gleiche Los. Es ist das menschliche Gewissen, das auch ihn plagt und das er gleich uns überall mit sich herumträgt (158).

So zeigt Gottes Menschwerdung, welchen Platz der Mensch innerhalb der Schöpfung vor Gott einzunehmen habe. Denn die Menschwerdung ist ein Erweis der Demut Gottes selber (159). Diesen augustinischen Gedanken glaubt man hier herauszuhören. Anhand der Kelchworte versteht es Eutropius nämlich, geschickt herauszuarbeiten, wie eben diese Demut als **Gebundenheit** an das menschliche Los, d.h. an das sündige Fleisch, dem Gottmenschen Gelegenheit bietet, uns das Beispiel des Gehorsams zu lehren, indem uns Mattäus zu Zeugen macht, wie "er auf wunderbare Art und Weise das Versprechen gibt, indem er Widerstand leistet, und er sich sträubt, indem er das Versprechen gibt" (sim 122).

Die erzieherische Kraft dieses Beispieles wird noch mehr verdeutlicht, indem Eutropius bemerkt, daß Christus – gerade als Gottessohn – sich auch vor Gott als Menschensohn ausweisen und mit uns Sündern solidarisch erklären wollte (160). In diesem Sein und Tun besteht dann der neue "chirographus" (vgl. sim 87.119), den uns der Menschensohn durch Leiden und Tod ausstellt (161).

All das bedeutet Leben, zu dem wir befähigt werden sollen. Das meint, daß die Menschwerdung nicht nur **in nobis** durch die Gebundenheit an das menschliche Los geschehen ist, sondern auch **pro nobis**; und das eben durch die Beispielhaftigkeit. Ihr eignet eine Kraft, die uns erzieht, neues Leben zuspricht und zur Lebensführung befähigt. Das will heißen, daß Christus **kraft** seines exemplums **auch magister vitae** sein muß. Mit anderen Worten: die Menschwerdung, d.h. der Weg Gottes zum Menschen bewirkt, daß umgekehrt Christus als Lehrmeister des Lebens selber zum Weg der Menschen zu Gott wird (162).

2. CHRISTUS MAGISTER VITAE (163)

In der Bitte, der Kelch möge – falls es dem Willen des Vaters entspricht – vorübergehen (vgl. Mt 26,39), erkennt Eutropius den Herrn schließlich als Meister des Lebens.

Augustinus entdeckt in dieser Kelchbitte die Spannung, die das **pro nobis** der Inkarnation im Herrn hervorruft: zwischen dem Wollen, das aus menschlicher Schwachheit hervorgeht, und dem reinen Herzen, das sucht, was Gottes ist (164).

Ähnlich versteht Eutropius dieses Kelchwort, welches "in fast nur einem Satz den Bogen...von der menschlichen zur göttlichen Natur" (**sim** 135), die Brücke vom Menschensohn zum Gottessohn, von der **humanitas** zur **divinitas in Christo** schlägt (165). Und das ist deswegen möglich, weil die menschliche Schwachheit im selben Augenblick zur Kraft Gottes wird. Mit anderen Worten: der Herr "scheut sich nicht, den menschlichen Willen kundzutun, aber **lehrt** (zugleich), den Willen Gottes zu erfüllen" (**sim** 136). Das Lehren und Gebieten Jesu schließt zudem immer irgendwie seine göttliche Autorität ein, wie die Alexandriner schon betonten. Aus demselben Grunde ist auch für Cyprian, wenn auch in anderem Blickwinkel, Christus der **magister**, der die Seinen zum Heile führt. Das ist eine Mittlerfunktion, die dann auch Laktanz in Christus den Lehrer (der Weisheit und Gerechtigkeit) erblicken läßt (166).

So läßt sich sagen: die **divinitas** garantiert, daß die Menschwerdung wahrlich **pro nobis**, besser: **propter nos** bzw. **propter nostram salutem** geschehen ist.

Pro nobis: das heißt, daß das Leben des Gottmenschen nicht nur Vorbild ist, sondern zugleich Anreiz zu gleichem Tun, weil dahinter das Angebot des Lebens steht. Was er nämlich getan hat, hat er vollbracht, damit wir es ebenso tun (167).

In frappierender Einfachheit leitet nun Eutropius aus der wiederholt vorgebrachten Kelchbitte das Recht des Christen ab, es ebenso tun zu **dürfen**, - allerdings nur in der Bereitschaft, den Auftrag anzunehmen, falls die menschliche Bitte dem göttlichen Willen nicht entspricht (168).

Zu diesem Zweck sind dem menschlichen Willen durch den Willen des Vaters Zügel angelegt worden, so daß wir durch das Leiden heilsam gebunden sind: wir können nicht mehr das erhoffen, was jederzeit zu erbitten frei steht (169).

Dem Menschensohn stand es selber nicht frei, den eigenen Willen zu erfüllen. Die Begründung ist klar: der Herr ist zwar Urheber und Lehrer des Lebens, aber im Fleische Adams, das er angenommen hat.

Genau hier liegt für Eutropius der Angelpunkt der Erlösung. Der Herr kam nämlich nicht in irgendeinem Fleisch, sondern im Fleisch der Sünder, in welchem er dann an der Sünde die Sünde verurteilen konnte (170).

Damit sagt sich der dritte Aspekt von Eutrops Grundthema an: die Gestalt des sündigen Fleisches, wofür laut Eutropius das ganze Leben Jesu, von der Geburt bis zur Passion der beste Nachweis ist (171).

IV.

DIE GESTALT DES SÜNDIGEN FLEISCHES (VGL. RÖM 8,3)

Vorbemerkungen

1) Nachdem Eutropius an einem winzigen Abschnitt des Lebens Jesu die wahre Menschlichkeit des Erlösers erwiesen hatte, ist es naheliegend, dies nun anhand des ganzen Lebens Jesu zu tun (s.u.). Da es als solches laut Eutropius ein Beweis für die "Gestalt der Sünde" ist, kommt jetzt (endlich) jener Aspekt thematisch zum Tragen, für den Eutropius von Anfang an eine (durch seine Argumentation bedingte) Vorliebe hat (172).

2) Die Aussage von der Gestalt des sündigen Fleisches durchzieht demgemäß das ganze corpus (173) und illustriert am anschaulichsten das Grundthema der Wirklichkeit des Fleisches Christi; denn alles, was menschlich ist, das Menschsein ausmacht und es qualifiziert, wurde von Inkarnierten angenommen.

Dichter als durch die Rede von der "Gestalt des sündigen Fleisches" könnte die Schicksalsgemeinschaft zwischen den Menschen und dem Menschgewordenen nicht plausibel gemacht werden; und besser als durch den Aufweis, daß der Erlöser das Sündenfleisch (unverkürzt) annahm, könnte Eutropius nun seine Trostrede nicht fortsetzen (174).

3) Daraus folgt, daß der nun zu besprechende Aspekt für Eutrops Traktat am stärksten antimanichäisch-klärend ist; denn der (orthodoxe) Begriff der similitudo, der sofort zu besprechen ist (s.u.), hat keine andere Funktion, als die veritas (carnis) sinnvoll zu verdeutlichen. Die similitudo ergänzt auf ihre Art (und führt so auf eindringlichere Weise aus), was die veritas schon herausstellen wollte: daß das Fleisch des Herrn etwas ganz Reales ist, zumal es auch - wie das Leben Jesu es ausformuliert (s.u.) - durch die Sünde qualifiziert ist (175).

Mit anderen Worten: wie die Gestalt der Sünde (im Herrn) das Fleisch voraussetzt (176), so beweist (anderseits) das Leben Jesu konkret die Gestalt des sündigen Fleisches (177) (s.u.).

1. DIE SIMILITUDO CARNIS PECCATI ALS ERWEIS DER VERITAS CARNIS

A) Der Begriff der similitudo: ein Beweismittel

Es ist kurz jener Begriff zu besprechen, dessen Eutropius sich in seinem Traktat mit Vorliebe bedient, um sein Grundthema auszusagen: die **similitudo**, die, wie gesagt, ihrerseits die **veritas** verdeutlicht (s.o.).

Der klassischen Rhetorik zugehörig, dient der Begriff der **similitudo** als Beweismittel, als eine Figur des **ornatus** (178) sowie als mnemotechnisches Hilfsmittel. Dabei schließen sich Beweiskraft und schmückende Wirkung nicht aus. Im Gegenteil: gerade durch den Appell an die allgemeinen Erfahrungen des Natur- und Menschenlebens verdeutlicht die **similitudo** die in der Rede behandelte Sache (179).

In diesem (klassischen) Sinne verwendet auch Eutropius den Begriff der **similitudo** (180): mit seiner Hilfe will er die **Wirklichkeit des Fleisches Christi** vereindringlichen und (ganz konkret) herausstellen, zugleich aber vom wahren Fleisch des Erlösers die **Sünde ausschließen**, so daß man von ihr nur als von einer **Gestalt** am Fleische Christi sprechen kann. Allerdings setzt sie wiederum das Fleisch voraus (181).

So besteht laut Eutropius die Funktion der **similitudo** darin: klarzustellen, daß im Menschensohn "das Fleisch nicht als sündig, sondern dem sündigen ähnlich erfunden wurde", so daß er "nicht das Fleisch (trägt), das (weiterhin) sündigt, sondern vielmehr das Fleisch, das gesündigt hat (und darum ein Sündenfleisch ist)" (**sim** 40).

Daraus folgt, daß die **similitudo** im Vers Römer 8,3 (grammatikalisch) nicht (im unorthodoxen Sinn) (s.o.) auf die **caro** als solche bezogen werden darf (s.u.):

B) Die caro (peccati) als Voraussetzung für die similitudo (carnis) peccati (182)

Gleich Augustinus (183) bezieht Eutropius die **similitudo** (als kritischen Terminus) nicht auf die **caro**, sondern im Sinne des Apostels auf die **caro peccati**, als mit deutlichem Akzent auf dem Genetiv (s.o.). Damit ist ein deutlicher Unterschied zwischen der **caro Christi** mit jener der übrigen Menschheit gemacht (184), welcher besagt, daß Christus persönlich sündelos ist, aber ein Fleisch angenommen hat, welches von Adams Sündentat geprägt bleibt (s.o.).

So verhindert laut Augustinus die Formel von der **similitudo carnis peccati**, Christus zu einem **magister fallaciae** zu machen, wie das die als **diabolica simulatio** aufzufassende Interpretation der Manichäer nahelegte (185). Der Begriff **similitudo carnis peccati** bringt vielmehr im Gegensatz zu den Manichäern die **reale** Ähnlichkeit Christi mit den Menschen zum Ausdruck (186).

Dies meint doch auch Eutropius, wenn er eindrucksvoll darlegt, daß der Menschensohn bis zuinnerst, d.h. ganz real und nicht bloß zum Schein aufgrund rein äußerer Ähnlichkeit, ein Nachkomme Adams sei (187).

Als solcher hat er seine volle Natur unverkürzt (innerlich) angenommen. Andernfalls wäre es laut Eutropius nicht (mehr) möglich, von einer "Gestalt des sündigen Fleisches" zu sprechen (s.o.), denn "nur der kann die Gestalt der Sünde haben, der auch die Substanz der Sünde (nämlich das Sündenfleisch) hat" (sim 43) (188).

Diese Argumentation ist in sich bereits klar genug. Da aber Eutropius immer zugleich auch mögliche Einwände der Manichäer vor Augen hat, will er begreiflicherweise beim Aufweis der Wirklichkeit des Fleisches des Herrn argumentativ möglichst sicher gehen, zumal – wie wir uns erinnern – die rein symbolhafte Funktion des historischen Jesus von den Manichäern gerade mit dem Vers Röm 8,3 begründet wurde (189). Und dabei bezogen sie bekanntlich "die similitudo nicht auf das peccatum, sondern auf den Christus im Fleische, besser gesagt, auf dessen Scheinleib" (190). Demzufolge ist Christus nach Art der Engel einfach unter den Menschen erschienen (191).

Diesen Gedanken weiß Eutropius gleich abzuwehren, indem er klar zwischen dem Menschensohn und einer geistigen Natur unterscheidet:

"der Herr (hat) das Fleisch getragen" und folglich ist "dann auch in ihm die Gestalt der Sünde (zu) erkennen"; eine geistige Natur hingegen "kann ohne Fleisch die Gestalt der Sünde nicht aufnehmen, da sie ja unvergänglich und unveränderlich ist und somit nicht durch fremden Schmutz befleckt wird" (sim 37). Anderseits kann aber das Fleisch, "das sich einmal durch die Übertretung unter das Gesetz des Todes gestellt hat,...die Gestalt der Sünde, die ihm gleichsam eingemeißelt ist, nicht mehr tilgen" (sim 38) (192).

Um dies noch illustrativ zu demonstrieren, verweist Eutropius ausdrücklich auf die Engelserscheinungen (193), die "dem Abraham bei der Steineiche, dem Lot in Sodoma, dem Jakob im Kampf, dem Tobias als Weggefährte" (sim 42) zuteil wurden. Von den Engeln wird nämlich – im Unterschied zum Menschensohn – nie gesagt, daß sie "in der Gestalt des sündigen Fleisches" erschienen seien, auch wenn sie sich in menschlicher Gestalt zeigten (194).

An diesem Beweis aus der Schrift ist unbedingt festzuhalten, und mit ihm ist auch hinreichend geklärt, daß "allein der Herr...in der Gestalt des sündigen Fleisches" kam und er allein "durch die Natur des angenommenen Fleisches" (sim 40) den Sündern ähnlich war.

Diesem Schriftbeweis fügt Eutropius indes noch eine philosophische Begründung bei, indem er zwischen forma und natura unterscheidet und so die Erscheinungsform (die sich der Engel äußerlich zulegt) von der Natur (die der Inkarnierte innerlich annimmt) (vgl. sim 43) unmißverständlich abhebt. Das heißt aber dann: der Engel wird nur sichtbar, Gott aber wird Mensch (195).

Dieser Vergleich, den Eutropius zwischen Erscheinung und (realer) Menschwerdung zieht, ist nur im Rahmen seines Grundthemas zu werten. Er soll lediglich dazu dienen, die Wirklichkeit der Inkarnation, auf die Eutrops Traktat zentriert ist, umso plausibler herauszustellen.

Über die Engelserscheinungen selber wird nicht weiter reflektiert. Das ist auch (vom Thema her) nicht gefordert. Gleichwohl ist durch den gezogenen Kontrast (zur Inkarnation) klar, daß eben – wie schon Gregor von Elvira betonte (196) – die Engel zwar oftmals in der Gestalt der Menschen erschienen sind, dabei aber – obwohl sie die Form des menschlichen Leibes annahmen – ihre Substanz in keiner Weise geändert haben (197). Ihre unveränderliche Geistnatur schließt dies aus.

So wird für immer bei den Engeln, ja selbst bei den bösen Geistmächten, wie Eutropius noch eigens betont, die Gestalt der Sünde vergeblich zu suchen sein (198).

So bleibt es also – im Sinne des Apostels, in Übereinstimmung mit der allgemein geglaubten Wahrheit und im Gegensatz zu den Manichäern (vgl. sim 36) – dabei, daß nur dem die Gestalt des sündigen Fleisches zukommt, "der die Wirklichkeit der Sünde nicht kennt, d.h. der selbst kein Sünder ist, der (vielmehr) im Fleisch die Gestalt der Sünde trägt aufgrund der Natur, aber nicht das Fleisch als Werkzeug der Sünde benützt" (sim 45).

Daraus zieht Eutropius den (einzig logischen) Schluß, daß die Gestalt der Sünde der (menschlichen) Natur des Menschensohnes nicht artfremd, sondern angemessen ist (199). Der beste Ausweis dafür ist das konkrete Leben Jesu, das von der Geburt bis zum Tod dartut, wie auch der Herr in seiner menschlichen Natur gleichsam den Gesetzen der Schöpfung unterliegt (200) und so alle menschliche Begrenzung teilt.

2. DAS LEBEN JESU ALS BEWEIS FÜR DIE GESTALT DES SÜNDIGEN FLEISCHES

Vorbemerkungen

1) Ohne Betrachtung des Lebens Jesu verbliebe die Rede von der Gestalt der Sünde gleichsam im luftleeren Raum und wäre ohne zureichenden Grund. Hier wird sie konkret und vermag so im Detail gerade den Manichäern gegenüber darzutun, daß es nicht um einen Scheinleib, sondern um den Ausschluß der Sünde von der caro **Christi** geht.

Auf keinen Fall, so hatte es nämlich der Manichäer Faustus verkündet, würde er es als würdig empfinden zu glauben, Gott sei aus dem Schoß einer Frau geboren (201). Dabei verweist er zugleich auf die offensichtliche Widersprüchlichkeit der bei Mattäus und Lukas überlieferten Kindheitsgeschichten, vorab der Genealogien (202). Daraus folgt für Faustus, daß nebst der Geburt Christi auch sein Leiden und Sterben nur Schein war (203).

Demgegenüber hatte schon Augustinus betont, daß Christus sich zwar durch seine Inkarnation der durch die Sünde verursachten **mortalitas** unterworfen habe, weil sie das **debitum** der von Adam begangenen Übertretung war (das einzulösen er gekommen war), er aber am Sündenfleisch selbst keinen Anteil hatte, weil doch sein in Freiheit angenommener Tod nur ein stellvertretender, d.h. die **mortalitas** bei ihm anders als bei den übrigen Menschen motiviert war (204).

2) In dieses geistige Umfeld fügt sich Eutropius durch seinen eigenen Beitrag zur (orthodoxen) Inkarnationslehre ein (205). Seiner Art gemäß beschreitet er dabei den (stets sicheren) Weg des Schriftzeugnisses und will demzufolge zunächst die mattäische "Abstammlungslinie des Herrn selbst betrachten" (sim 89), dann "wie der Herr geboren wurde, danach was er getan hat" (ebd.), um auf diese Weise "Klarheit...über die Gestalt des sündigen Fleisches" (ebd.) zu erlangen.

Diese Betrachtungsweise entspricht nicht nur der Schrift; sie ist auch durchaus zugemessen: denn jedes Leben hat seinen Ursprung und seine entsprechenden Äußerungen. Zudem bezeugt Eutropius durch solches Vorgehen erneut seine klassische Bildung; denn die Alten pflegten jegliches Menschenleben (vita) in **origo**, **educatio** und **actus** (vgl. sim 103) aufzugliedern (206).

Dieser Einteilung folgt Eutropius.

a) origo: Abstammung Jesu (Mt 1,2–3.5–6) (sim 89–94)

Die Rede von der **origo** macht (noch einmal) auf interessante Weise deutlich, wie kohärent und konsequent alle Aspekte einander ablösen und (auch wieder) ergänzen, um möglichst reich das eine Grundthema zu illustrieren.

Wie nämlich die Adamstheologie (s.o.) den Begriff der **proprietas** (s. o.) inhaltlich ausfaltete (207), so führt nun Eutropius bei der Betrachtung der **origo** im Grunde (nur) das Ergebnis der Adamstheologie weiter, demzufolge Christus das Fleisch Adams trägt (s.o.) (208). Das ist nämlich zugleich eine Hypothek, die als universale **Wirkung** der **Tat** Adams auf allen lastet, die von ihm (dem Fleische nach) abstammen (209); denn Adam begründet, da er auch ein menschliches Individuum ist, eine Blutsverwandtschaft, derzufolge jeder Mensch eine Abstammung (origo) aufweist. Als wahrer **Mensch**, der **Adams** Fleisch trägt, hat auch der Herr einen Stammbaum. Und da es Blutsverwandtschaft "ohne Fleisch nicht geben kann" (sim 53), ist es nur folgerichtig, daß die Evangelisten diese "durch die Linie der Patriarchen, die selbstverständlich Menschen waren, selbstverständlich Fleisch hatten, bis zum Herrn urkundlich festhalten" (ebd.).

Wer nun den Stammbaum Jesu, wie er von Mattäus überliefert ist, näher anschaut, ohne über die Reihen der Namen (einfach) hinwegzulesen, dem werden alsbald drei Frauennamen auffallen: Tamar, Rut und die Frau des Urias (vgl. Mt 1,3.5.6) (210). Und dies umso mehr, da die Frau (in biblischer Zeit) in der Öffentlichkeit keine (geschichtlich bedeutsame) Rolle spielte; zudem handelt es sich hier (auch noch) um Frauen, die ein Makel im königlichen Geschlecht von Juda sind (211).

Man muß sich daher mit Recht fragen, was "es (denn) bedeuten (soll), daß (Mattäus) durch so viele Generationen hindurch genau die Reihenfolge von Vater und Sohn angibt und auch die Namen von derartigen Frauen damit verknüpft" (sim 91); denn dies wird schwerlich ein Zufall sein (212). Dieser Sachverhalt bedarf daher der Deutung.

Eine solche finden wir, wenn wir uns auf die Zeitgenossen des Eutropius beschränken, bereits im Lukaskommentar des Ambrosius. Da er dort regelmäßig u.a. Vergleiche zu Mattäus zieht, kommt er bei der Interpretation des Stammbaums Jesu eigens auf die Nennung der Frauen bei Mattäus zu sprechen, zumal sie bei Lukas fehlen. Die Begründung für diesen Unterschied zwischen den Evangelisten sieht Ambrosius in deren je eigenen Zielsetzung. Demzufolge gehe es Mattäus darum zu zeigen, daß der Herr dem Fleische nach geboren sei, demnach aller Sünden auf sich genommen, sich der Schmach und dem Leiden unterzogen habe, um so ganz bewußt das Unrecht des befleckten Ursprungs anzunehmen. Das bedeute zugleich für die Kirche, sich nicht schämen zu müssen, aus Sündern zu bestehen, da doch der Herr selber von Sündern abstamme. Schließlich gehöre dies zum Geheimnis der Erlösung und keiner solle daher meinen, der Makel des Ursprungs könne ein Hindernis für die Tugend sein (213).

Bündiger ist Hieronymus, der wenig später in seiner Erklärung des Mattäusevangeliums die Nennung der (vier) Frauen im Stammbaum Jesu so andeutet: "Der um der Sünde willen kam, sollte, aus Sündern geboren, aller Sünde tilgen" (214).

Dieser (exegetisch einzig) richtigen Interpretation schließt sich (natürlich) auch Eutropius an, – um sie dann freilich in sein Grundthema einzubringen. Nach ihm besagt der Hinweis auf die genannten Frauen, daß (auch) die vornehmste Sippe Israels eine Sippe von Sündern ist (215). Daher bedarf es eines (qualitativ) neuen Anfangs durch Gott, welcher durch die Menschwerdung seines Sohnes gesetzt wird, damit dieser dann "die Schuld der Ahnen (tilg(t)e und (zugleich alle) durch seine Auferstehung in einem neuen Menschengeschlecht...zu Erben des Lebens mach(t)e" (sim 94).

Dieses Ziel wird indes nur erreicht, wenn der Herr als **Sünder**heiland kommt, d.h. Mensch wird **wie wir** durch die Annahme des **sündigen** Fleisches (216), – soll Heil (für uns) wirklich möglich sein.

Nur im (von ihm angenommenen) **Sündenfleisch** kommt seine (uns) heiligende Kraft zum Durchbruch (s.o.). Für seine **Ahnen** geschieht dies (**rückwirkend** also) ganz konkret durch seinen **Tod**, da er von ihnen das **adamitische** Fleisch übernahm und so selber "Erbe des Todes" (sim 94) wurde.

Und der **Tod**, der doch (nur) der **Sünde** Sold ist, erweist sich nun im **Herrn**, "der in diesem Fleisch völlig sündelos war" (sim 89), als Gestalt der **Sünde** 217).

184

So führt die **origo** – und das ist das (thematisch intendierte) Ergebnis von Eutrops Rede! – zur **similitudo carnis peccati**. Genau dieses (und nichts anderes) wollte er aus dem Ursprung des Herrn ableiten (218); eine Absicht, die Eutropius bewegt, sich unverzüglich auch dem nächsten Abschnitt des Lebens Jesu zuzuwenden.

B) educatio: Geburt Jesu (sim 95–101)

Wenn man erkannt hat, **von wem** einer abstammt, liegt es nahe dann auch zu fragen, **wie** er geboren worden sei (219).

Das bedeutet für Eutrops Thematik, daß auch die **Geburt** (bzw. erste Kindheit (220)) Jesu der Begrenzung der **menschlichen Natur** entsprechen und so Zeugnis für die **Gestalt des sündigen Fleisches** ablegen muß (221).

Um dies plausibel zu machen, versteht es Eutropius, aus **den äußeren Umständen der Geburt Jesu** einen tieferen Sinn zu erheben. Dabei bedenkt er zunächst – den knappen Angaben des Lukasevangeliums folgend (222) – Zeit, Ort und Art der Geburt Jesu (s.u.), um anschließend noch der Bedeutung der – von Mattäus berichteten – Magiergeschichte (223) nachzusinnen (s.u.):

aa) Sohn Josefs

Die Zeitangabe (für die Geburt Jesu) liegt in der Mitteilung (des Evangelisten), daß Josef aus Nazaret sich ins Geschlechtsregister Davids eintragen ließ, als Quirinus Statthalter von Syrien war: ein Faktum, das laut Eutropius (in sich) die (künftige) Gestalt des sündigen Fleisches ansagt. Und dies durch die schlichte Tatsache, daß jener, "der doch von einem König verheißen war" (**sim 96**) und der Abstammung zufolge ein Sohn Davids ist, (nun) als Sohn Josefs, eines armseligen Handwerkers, angesehen wird (224).

Hinter dieser Ansicht verbirgt sich die Haltung der Juden, daß es eines Gottes unwürdig sei, Mensch zu werden und überhaupt in Niedrigkeit zu erscheinen. Dem steht indes (laut Paulus) die Tatsache entgegen, daß Gottes Herrsein gerade in (der) Niedrigkeit (der Entäußerung) sich ereignet (hat). Das ist die Menschwerdung, aus der (für uns) das Heil quillt (225).

So versichert bereits Hieronymus, daß der Irrtum der Juden uns zum Heil gereicht: sie betrachten nämlich Jesus Christus so sehr als Menschen, daß er in ihren Augen kein anderer als der Sohn Josefs sein könne (226).

Eutropius erkennt zwischen der Verheißung (aus dem königlichen Geschlecht) und dem Irrtum (der Juden) keinen unversöhnlichen Gegensatz, sondern eine fruchtbare (denkerische) Spannung: den tieferen Sinn (227), der – Eutrops thematischer Tendenz zufolge – auf die Menschwerdung zielt.

Mit anderen Worten: als Menschensohn ist der Herr unterschiedslos einer von uns geworden und steht daher jenseits von Würde und Verachtung. Dadurch ist hinfort eine Einteilung (etwa) in Könige und Untergebene (bedeutungslos und) aufgehoben. Das bedeutet (implizit): im Christentum gibt es keine Stände; denn alle sind gleich vor Gott (228).

Da dem so ist, **kann** der Herr – und das ist (laut Eutropius) die aus dem Irrtum der Juden zu ziehende (logische) Konsequenz – uns allen gleich sein, außer der Sünde; das heißt: er kann und **muß** – uns zum Heil – in der Gestalt des sündigen Fleisches kommen (229).

Und dazu muß er eben in Niedrigkeit geboren werden (s.u.):

bb) Windeln, Krippe, Hirten

Die Ortsangabe führt unmittelbar (und thematisch beabsichtigt) zu konkreten Einzelheiten der Geburt Jesu, aus denen ihre Niedrigkeit (als Beweis für die Gestalt der Sünde) hervorgeht: Windeln, Krippe und Hirten (230).

Von den Windeln weiß Eutropius "lediglich" auszusagen, daß es wohl – angesichts der Größe des (Heils-)Geschehens – nichts gibt, "das noch verächtlicher, ja geradezu noch abscheulicher wäre als dies" (**sim 97**).

Und doch darf auch dies, versteht sich, bei der Betrachtung der (ganzen) Wirklichkeit des Fleisches nicht fehlen. Nicht nur dies; Eutropius sagt damit tatsächlich viel aus, – wenn wir es (nur) auf dem Hintergrund (seiner eigenen Aussagen wie vor allem) der Christusfrömmigkeit des 4. Jahrhunderts lesen (231):

Es ist der Mailänder Kirchenlehrer, der sich in den letzten Jahrzehnten des 4. Jahrhunderts (vor allem) als Lehrer des geistlichen Lebens für die abendländische Kirche profiliert hat. Das zeigt sich in einer starken, durchweg persönlichen Christusfrömmigkeit, die ihren tiefsten Eindruck in dem findet, was Ambrosius über den **doctor humilitatis** gesagt hat, wonach die Demut Christus dazu geführt hat, Mensch zu werden.

Durch solche Thematik hat Ambrosius in unvergleichlicher Weise aufgezeigt, wie menschlich, wie liebevoll geradezu das **pro nobis** der Menschwerdung (232) zu verstehen ist (233).

Das zeigt er sehr deutlich in seinem Kommentar zum Lukasevangelium bei der Erklärung des Verses Lk 2,7, der von den Windeln und der Krippe bei der Geburt Jesu spricht. Dadurch will nämlich Lukas, so betont Ambrosius, den Weg des Herrn im Fleische aufzeigen, auf dem er (als Mensch) wie jeder andere langsam heranwachsen mußte: ein Weg der Demut, **damit** wir das Heil erlangen; ein Weg der Niedrigkeit, **um** uns zu bereichern (234).

Beeindruckend faßt Ambrosius dann diese Gedanken zusammen, indem er kommentiert, daß Christus ein kleines Kind wird, **damit wir voll-kommene** Menschen würden; daß er in **Windeln gewickelt** wird, **damit** wir von den Fesseln des Todes erlöst würden; daß er schließlich **in eine Krippe gelegt** wird, **damit** wir (gleichsam) - wie er sagt - auf den Altar gelegt würden (235).

Diese (ambrosianische) Antithetik von Krippe und Altar führt uns zum Gedankengang des Eutropius zurück, der von der Krippe aussagt, daß in ihr jener lag, dessen "Fleisch wahrhaft eine Speise" (Joh 6,55) ist. Das erlaubt, hier die Krippe als Altar zu **interpretieren**, weil in ihr (wie auf einem Altar), der Erlöser (zeichenhaft) "als unsere Nahrung lag" (sim 97) (236).

Und für einen solchen Altar gibt es (dann auch) keine besseren Prie-ster als die Hirten; denn - so fährt Eutropius fort, - "sie würden... vor der Krippe nicht zurückschrecken...ihre Bedeutungslosigkeit... entspräche (nämlich) der Bedeutungslosigkeit des angegebenen Ortes" (sim 97) (237).

Ihre Unscheinbarkeit würde sie daher - so meint es doch wohl Eutro-pius - (obendrein noch) befähigen, den Sinn der (gleichwohl unschein-baren) Geburt Jesu zu erfassen und sie vermöchten dann auch (ob ihrer eigenen Einfachheit) **allen ohne Unterschied** das in solcher Ein-fachheit angebotene Heil zu vermitteln (238).

Daß Eutropius dies so **meint**, wenn er von der Bedeutungslosigkeit so-wohl der Hirten wie der Krippe spricht, läßt sich wiederum im Lichte der Ausführungen des Ambrosius (s.o.) wahrscheinlich machen.

Da Ambrosius bereits Krippe und Altar gegenüberstellte, läßt sich ver-muten, daß er auch die (dazugehörenden) Priester nicht unerwähnt läßt bzw. die Hirten als solche ausdeutet.

In der Tat, er spricht von den Hirten als jenen, die bei der Geburt Jesu durch ihr schlichtes Dasein und ihr Zeugnis den Anfang der (künftigen) Kirche bilden. Gerade durch diese ihre Einfachheit, so Ambrosius, seien sie Priester, die in anderen den Glauben zu wecken vermögen (239).

So sind - in der Thematik des Eutropius - diese äußeren Umstände der Geburt Jesu (240), der Ort und die Art des Geschehens nämlich, eine tiefsinnige Dimension für die Gestalt der Sünde, so daß es "etwas Großartiges (bleibt), an solchen Gott zu glauben, den die angenom-mene Menschennatur ganz in die **Niedrigkeit** der Gestalt des sündigen Fleisches führen sollte" (sim 116).

Wie aber in dieser **Niedrigkeit** die **Größe** Gottes sich offenbart, weiß Eutropius (noch) durch die Geschichte der **Magier** zu demonstrieren (s.u.).

cc) die Magier

Durch die Art, wie sich die Begegnung der Magier mit dem Neugeborenen vollzieht, versteht es Eutropius aufzuzeigen, wie die (Niedrigkeit der) Geburt Jesu auch für die künftige Geschichte Bedeutung trägt.

Nachdem die Magier nämlich die Wiege des neugeborenen Königssohnes vergeblich bei Herodes gesucht, den Knaben dann in Betlehem gefunden und abgebetet hatten, kehrten sie bekanntlich auf einem anderen Weg in ihre Heimat zurück (241). Und dadurch erhielt – so die knappe Kommentierung des Eutropius – "die Geschichte eine nicht unwesentliche Sinndeutung: nach Christus darf kein anderer König mehr angebetet werden" (sim 98).

Auch hinter diesem Gedanken ist der ambrosianische Christozentrismus zu erkennen, der in den Themen **Christus via** – **Christus patria** und **per Christus hominem ad Christus deum** aufscheint (242).

Und diese Thematik bringt Ambrosius genau dort zur Sprache, wo in seiner Evangeliumserklärung die Rede auf die Magier kommt. Von ihnen sagt er, daß sie deshalb auf einem **anderen** Weg zurückkehren, weil sie **andere** geworden sind. Sie haben nämlich Christus gesehen, erkannt und – sich bekehrt. Christus ist jetzt für sie der neue Weg, der zum wahren Königreich führt: ein Weg aber, der allen offensteht, da Christus alles und in allen ist (243).

Diese Argumentation des Ambrosius bestätigt Eutropius im Grunde nur, wenn er sagt, daß die Geschichte seit Christi Geburt in eine bestimmte Richtung (sinnvoll) laufen sollte. Der Sinn dieser Geschichte wird von den Magiern gleichsam vorweggenommen (s.o.).

Nach dieser illustrativen Ausfaltung der **educatio** versichert uns Eutropius eigens, daß er "all dies...(nur besprach), um zu zeigen, daß das Bild Gottes in der Niedrigkeit die Gestalt des sündigen Fleisches hatte" (sim 99); und dies, weil "seine Herkunft...wirklich (wie er zu zeigen versuchte)...ohne Lärm, ohne Ehre und nahezu ohne Besitz" (ebd.) war, so daß er "schmählich und unbemerkt" (ebd.) in die Welt kam (244).

Das lädt dazu ein, unverzüglich "die Gestalt des sündigen Fleisches, die wir beim Herrn von seinem Ursprung und seiner ersten Kindheit abgeleitet haben, nun auch in seinen Taten" (sim 103) aufzuweisen.

C) actus: Taten Jesu (sim 102–112.138–148)

Bei den **Taten** Jesu wird laut Eutropius die Gestalt des sündigen Fleisches "noch offener zutage treten als in dem oben Genannten. Dort war sie nämlich nur erkennbar an Niedrigkeit und Unscheinbarkeit, hier daran, daß sie der Heiligungen bedarf; hier erkennen wir sie an der Furcht und Angst, dem Ausmaß der Schmerzen und der Gleichstellung mit den Verbrechern" (sim 103) (245) (s.u.):

aa) Heiligungsriten

Der Anfang des (öffentlichen) Lebens Jesu ist durch einen dreimaligen Neubeginn ausgezeichnet (246), indem er "von der Mutter beschnitten, von Johannes getauft und auch vom Geist überströmt (wird)" (sim 104), so wie es das mosaische Gesetz vorschreibt.

Dadurch erweist sich nur sein wahres Menschsein, demzufolge er Angehöriger eines bestimmten Volkes ist, dessen Gesetz zu erfüllen er dann gleichwohl gehalten ist.

Hinzu kommt indes, so weist uns wieder Ambrosius darauf hin, daß er als Menschensohn **für uns** geboren ist: er steht unter dem Gesetz, um jene, die unter diesem Gesetz leben, zu gewinnen (247). Deswegen – so fügt Ambrosius gleich hinzu – ließ er sich auch taufen, um als Sündeloser das Wasser zu reinigen, damit es hinfort jeden, der damit getauft wird, von seinen Sünden zu reinigen vermag (248).

So meint es auch Eutropius, der sich die Aussagen des Ambrosius – so will es scheinen – zu eigen macht und zugleich für seine eigene Aussageabsicht aufbereitet:

Auch er leugnet nicht, daß der Herr "das alles...für die Patriarchen wie auch für uns getan (hat). Er heiligte nämlich jene durch dieses Heilszeichen und verlieh diesen Mitteln im Hinblick auf uns die heiligende Kraft...auf daß auch wir gereinigt werden können" (sim 112) (249).

Diese Sicht ist aber "nur" das "gläubige Verständnis" (ebd.) (der Heiligungsriten), mit dem indes nicht ohne weiters (bei jedem) zu rechnen ist. Jeder Sachverhalt wird zunächst (auch vom Gläubigen) nach dem Augenschein beurteilt, bevor man nach dem tiefern Sinn fragen kann.

Und da bleibt laut Eutropius die Frage bestehen, "ob er dies alles nicht in der Gestalt der Sünde vollzogen...hat. (Denn) wer würde... den nicht für einen Sünder halten, der offensichtlich so viele Reinigungen braucht?" (ebd.).

Die Antwort ist (ebenso) klar (wie die Frage):

"Das wäre alles für ihn, der ja keine Sünde begangen hatte, überflüssig gewesen, wenn er nicht unser Fleisch angenommen hätte" (sim 107).

In denkerischer Redlichkeit und thematischer Konsequenz kommt Eutropius auf seine Ausführungen zur Adamstheologie zurück, deren Ergebnis es war, daß Christus das Fleisch Adams trägt (s.o.). Diese Tatsache bleibt bestehen. Sie erklärt die Gestalt der Sünde, hält das wahre Fleisch des Herrn vor Augen und läßt begreifen, daß auch der Menschensohn zu heiligen war.

Mit anderen (des Eutropius) Worten: an den Heiligungen "sollte ganz offenbar werden, daß der Herr Adams Fleisch hatte, und zwar das nach der Sünde" (sim 103).

Was von den Heiligungsriten als ersten Taten (Jesu) gilt, ist natürlich – im Kontrast dazu – auch von jenen am Ende seines Lebens auszusagen (250) (s.u.).

bb) Passion

Eindrucksvoll weiß Eutropius sein Grundthema zu beschließen, indem er vom Leiden des Herrn spricht, "das die Gestalt des sündigen Fleisches (noch) eindeutiger und deutlicher beweisen kann. (Denn) nur in dieser Gestalt wird der Herr ausgeliefert und gefangengenommen" (sim 138).

Geschickt versteht es Eutropius, aus der Leidensgeschichte die Grenzsteine zu erheben, die die Gestalt der Sünde markieren. Er fügt sie zu einem geschlossenen Mosaik zusammen, deren Koordinaten er so auszieht:

> "...(Er) wird wie ein stummes Lamm zur Schlachtbank geführt. So sollte er um der Seinen willen...als schuldig erachtet werden...
>
> Darauf wird er nach Freilassung des Räubers Barrabas an seiner statt verurteilt...wer erkennt...nicht, daß so die Gestalt des sündigen Fleisches erwiesen wurde?...Aber auch das Kreuz (nebst)...dem Schauspiel des Strafvollzugs war nicht ohne Beziehung zur Gestalt des sündigen Fleisches gewesen.
>
> Er wurde ja mitten zwischen zwei Räubern gekreuzigt...Freilich konnte er nicht einmal getrennt von den anderen das Todesurteil auf sich nehmen;
>
> vielmehr sollte er denen gleichgeachtet werden, mit denen er den Tod erlitt...
>
> (Ferner wurde) im Herrn die Gestalt des sündigen Fleisches ...außer den schmählichen Verspottungen der prätorianischen Kohorte...(noch durch) Galle und Essig (bestätigt, das man ihm am Kreuz) zu trinken gab...um in ihm das gesamte menschliche Empfinden zu erproben.
>
> (Genau so) bestätigst du...die Gestalt des sündigen Fleisches, indem du nämlich das körperliche Schmerzempfinden durch das Kreuz und das Durstgefühl durch den Becher mit Galle prüfst. (was) dir...den Glauben...an seine menschliche Natur (erweckt)...
>
> (Ja, selbst) der Schrei...den...der Herr am Kreuze, von Todesqual erfaßt, ausstieß...(ist ein) Beweis für die Gestalt es sündigen Fleisches...
>
> was bedeutet es aber, daß er klagt, er sei von seinem Gott verlassen?

Ich glaube, das geschah, damit offenbar werde, wer da stirbt.

Die Gottheit konnte nämlich nicht die Gottheit verlassen...
da er doch einer von uns ist...(hat er), wenn er der Gottheit Leidensunfähigkeit zuschreibt...sich selbst (für seine
Menschheit) die Gestalt des sündigen Fleisches vorbehalten
..." (sim 139.140.143.145.146.147).

Eindringlicher könnte Eutropius die Menschwerdung nicht darstellen um
klarzumachen, daß der Herr das Fleisch Adams bis zu seiner letzten
Grenze austrägt: bis zum Leiden und Tod, die sich – weil Folgen der
Tat Adams – in ihm zur Gestalt der Sünde ausbilden.

Daher besteigt Christus – so verdeutlicht es noch einmal der Mailänder
Kirchenlehrer – nicht sein, sondern **unser** Kreuz, um dort **unseren** Tod
zu sterben, – so wie er zuvor als einer von uns gelitten hat (251).

Gut weiß dies Eutropius – zum Schluß – in seine eigene Themenstellung
einzubringen, wenn er formuliert:

"Er trägt am Kreuz die Gestalt des sündigen Fleisches, in
der er nicht seine, sondern unsere Sünden ans Kreuz geheftet hat; jene Sünden, die er mit dem Fleisch angenommen
...hat.

Freilich empfindet er (auch) Schmerz...aufgrund der dem
angenommenen Fleisch eigenen Schwachheit; und er seufzt
und schreit, – wie sollte man in ihm nicht die Ähnlichkeit
mit den Sündern finden!" (**sim** 148).

Mit diesen Worten bündelt Eutropius noch einmal alle Dimensionen der
Wirklichkeit des Fleisches (Christi), die – wir erinnern uns – der Apostel doch mit den Worten "Gott sandte seinen Sohn in der Gestalt des
sündigen Fleisches" erweisen wollte (252) und die anhand der Passion
besonders deutlich wird (253). Und dies; weil hier **unser** Menschsein
auch beim Herrn existentiell besonders gut zur Sprache kommt: so gut,
daß Eutropius – um das **corpus** auch **persönlich** abzuschließen – nun
Cerasia bittet, doch selber "kurz die ganze von uns (soeben) besprochene Leidensgeschichte durch(zugehen), die (die)...Seele (des Herrn),
wie der Psalmist vorausgesagt hat, mit Schmach gesättigt hat..." (**sim**
148) (254). Das ist eine größere Schmach als jene, die die Krankheit
Cerasias Seele verursacht hat.

Schlußbemerkung

Der Vers Römer 8,3, der zur Grundaussage der "Gestalt des sündigen
Fleisches" führte, hatte oben am Schluß der anthropologischen Ausführungen den Trost aufgegipfelt, indem er zur Schicksalsgemeinschaft
der Menschen mit dem Menschensohn hinführte. Diese hat Eutropius im
corpus dogmatisch entfaltet und so dargelegt, daß der Trost auch
einen zureichenden soteriologischen Grund hat.

Er wird – ganz im Sinne des Eutropius! – von Augustinus so zusammengefaßt, daß er Christus in allem als Beispiel (255) darstellt: in jeg-
lichem Schmerz, im Leiden und Sterben (256).

So kann Eutropius das Trostanliegen wieder einholen und versichern,
daß all das der Vollendung wegen geschieht, zumal doch der Herr
dann "als Toter die Auferstehung bewirkt" (sim 142) hat: ein Angeld,
dessen Cerasia aufgrund ihrer Lebensführung bereits sicher sein
darf (257).

Es verbleibt nun, das Ergebnis der Textanalyse von "De similitudine
carnis peccati" zu präzisieren.

Siebter Teil

ERGEBNIS DER TEXTANALYSE

Vorbemerkung

Nachdem wir die inhaltlichen Aussagen (der beiden Textteile) des "Liber de similitudine carnis peccati" zur Kenntnis genommen haben, sind wir zugerüstet, (von eben diesem Inhalt her) nun auch die (komplexe) Struktur des Werkes plausibel zu machen, d.h. aus seiner Thematik (s.o.) den literarischen Charakter abzulesen.

Da der Inhalt dieser Eutropiusschrift eine sorgfältige Unterscheidung in Rahmen und **corpus** derselben auferlegte (s.o.), ist auch die Frage nach ihrem **genus litterarium** differenziert zu beantworten. Die Textanalyse hat nämlich gezeigt, daß nicht nur zwischen Anlaß und Inhalt des Traktates zu unterscheiden ist (1), sondern auch der Inhalt selber je verschiedene **genera** der Aussagen aufweist (2). Diese finden allerdings ihre gemeinsame Mitte im Ziel des (ganzen) Traktates: der Spendung von Trost.

So verklammert die **consolatio** alle Aussagen in "De similitudine carnis peccati" und erklärt zugleich ihre beiden literarischen Teile (3). Diese sind jetzt getrennt zu charakterisieren, um sie dann im Lichte der **consolatio** (gattungsmäßig) zu verbinden. Seine Leuchtkraft läßt auf den ersten Blick schon im Rahmen des Traktates, in sich betrachtet, direkt das **genus** einer Trostschrift erkennen.

1. DER RAHMEN: EINE TROSTSCHRIFT

Sagen wir es gleich: der Rahmen von "De similitudine carnis peccati" bietet sich de **facto** als das dar, was in anderen Beispielen der Literaturgeschichte eine (ausgesprochene) Trostschrift wäre: eine in der Antike weitverbreitete literarische Gattung (4), die nicht nur von jeder großen philosophischen Schule gepflegt wurde, sondern sich auch in der frühchristlichen Literatur einen festen Platz eroberte, wobei unter den lateinischen Autoren Cyprian, Eutrops Zeitgenossen Hieronymus, Ambrosius und Augustinus, sowie sein Freund Paulinus von Nola namentlich genannt seien (5).

In der antiken Trostliteratur hatte sich ein gewisses Grundschema herausgebildet. Demzufolge gibt der jeweilige Briefschreiber in einem einleitenden Teil das zu heilende Übel an sowie das Heilmittel, das er anwenden will. Darauf folgt der Trost im eigentlichen Sinn, der sich mit dem Betroffenen sowie der Ursache des Übels befaßt (6).

Im Rahmen der Eutropiusschrift ist etwas von diesem Schema wiederzuerkennen:

So nennt auch Eutropius zunächst das Übel (die kursierende Epidemie) (sim 1-11), um sich ihm dann denkerisch zuzuwenden, damit aus dessen geistiger Aufarbeitung (sim 12-28) die davon Betroffene (Cerasia) Trost schöpfe (sim 27-28) (7).

Der Rahmen von Eutrops Traktat ist demnach durchaus in sich zu werten: und dies nicht ohne denkerischen (8) und existentiellen Gewinn (9). Er ist zugleich so anregend, daß er sich zu einem weiteren literarischen Teil ausziehen läßt: dem corpus des Traktates (10).

2. DAS CORPUS: EIN DOGMATISCHER TRAKTAT

Die theologische Reflexion, zu der Eutropius durch den Trostanlaß angeregt wurde, ist ein eigenständiger dogmatischer Traktat. Als solcher grenzt er sich thematisch vom Rahmen ab, indem er sich nämlich nicht mehr (direkt) mit der (Ursache der) Krankheit und der consolanda befaßt, sondern (nunmehr auch) mit der Klärung der geistigen Epidemie (der gerade kursierenden Häresien), die die wahre Menschheit des Erlösers in Frage stellten (11).

So bietet Eutropius im corpus seines Traktates eine biblisch gut fundierte Darstellung (und Weiterführung) der (kirchlichen) Lehre von der Menschwerdung (12). Diese vermag er umso interessanter zu gestalten, da im dogmatischen Kampf um die Person Jesu Christi noch alles offen ist. Daher gelingt es ihm in beeindruckender Weise, die Einheit der menschlichen Natur Christi herauszustellen, ohne die seine Sündelosigkeit nicht gesichert wäre (13). Dabei läßt Eutrops hervorragende Bibelkenntnis ihn auf viele Einzelheiten im Leben Jesu achten (14) und so manchen Text der Evangelien einbeziehen, der bislang von den lateinischen Vätern bei der Herausarbeitung der vollen Wirklichkeit des Fleisches Christi kaum berücksichtigt worden war (15). Dadurch beweist Eutropius historischen Schriftsinn und anerkennt den unerschöpflichen Reichtum der Bibel, den er für die Entwicklung des Dogmas von Chalkedon originell auszuwerten versteht (16).

Gewiß sagt Eutropius nicht gerade unerhört Neues: er fügt sich nämlich in den Christozentrismus des vierten Jahrhunderts ein (17) und ist unter dem Verstehenshorizont anzusiedeln, der sich zwischen den großen Kirchenlehrern Ambrosius von Mailand (18) und Augustinus von Hippo (19) ausspannen läßt, mit deren Christologie er grundsätzlich übereinstimmt und deren - vor allem des Augustinus - Denkformen ihm nützlich sind (20). Insofern ist Eutrops Christologie eine Stütze des schon Bestehenden; aber er stützt dogmatisch Erarbeitetes zugleich so eigenständig, daß es eine solide theologische Infrastruktur erhält, die gerade als solche das Dogma voranzutreiben vermag: ein gutes Zeugnis für die (offensichtlich doch vorhandene) theologisch Potenz Spaniens.

Hinzu kommt schließlich, daß auch das **corpus** von Eutrops Traktat seinem Ziel der **consolatio** dient und daher (nun) mit seinem Rahmen zu verknüpfen ist. Das ergibt eine ganz eigene literarische Perspektive.

3. DER LITERARISCHE CHARAKTER DER SCHRIFT "DE SIMILITUDINE CARNIS PECCATI"

A) Formal: ein Traktat in Briefform

Wie die Textanalyse gezeigt hat, verbinden sich beide Teile von "De similitudine carnis peccati" derart, daß es tatsächlich angemessen erscheint, mit J.W.Ph. Borleffs von einem **Traktat in Briefform** zu sprechen (21). Dadurch wird nämlich sowohl die thematische **Differenz** der Textteile (Rahmen und **corpus**) als auch ihre literarische **Verbindung** gut ausgesagt. Dies ist noch kurz zu illustrieren:

Der Schlüssel zum Verständnis des ganzen Traktates liegt, wie mehrfach betont wurde, in Eutrops Absicht, einer Kranken persönlich Trost zu spenden. Dies macht aus "De similitudine carnis peccati" eine Trostrede, die in einem theologischen Traktat besteht (22), der mit einem brieflichen Rahmen (23) versehen ist.

Mit anderen Worten: ein konkreter Anlaß (Krankheit) bildet den Ausgangspunkt (Topos) (24) zu einer lehrhaften Darstellung (**corpus**), die zwar (durch die persönliche Note) (25) vorzüglich für eine **consolanda**, aber implizit auch für die Öffentlichkeit bestimmt ist (26).

Das will heißen: Eutrops **Traktat in Briefform** ist nichts anderes als ein **Trost-Traktat**: eine **Form** der Trostrede übrigens, wie sie – und das wäre ein weiteres konkretes Ergebnis dieser Studie – bislang aus dem patristischen Schrifttum nicht bekannt war (27). Dieses Resultat ist daher noch ein wenig zu präzisieren.

B) Inhaltlich: ein Trost-Traktat

Der Trost-Traktat, wie wir ihn hier meinen und in "De similitudine carnis peccati" zu entdecken glauben, ist (demnach) eine Form der Trostrede, der zufolge der **consolator** meist die **consolanda** außer Betracht läßt, so daß die **materia consolandi** mehr ein theologischer Traktat als eine ausdrückliche (verbale) **consolatio** ist. Diese Dimension läßt sich bei Eutropius auch nur aus dem Tenor des Traktates erschließen, der ihm den brieflichen Charakter verleiht und ihn eben (rein) formal zu einem – wie wir es nannten – **Traktat in Briefform** macht.

Das hat freilich inhaltliche Konsequenzen, so daß sich endlich Eutrops Traktat von den geläufigen Trostrefen anderer Väter (formal und inhaltlich) deutlich abhebt.

Formal gesehen, erscheint die consolatio weitaus am häufigsten – wie wir oben schon sahen – als Brief, für den sie (dann) gattungsbestimmend wird (28). Dabei kann Anlaß und Inhalt etwa das Thema der Krankheit sein und den Trostbrief zu einer epistola ad **aegrotum** machen (29).

Inhaltlich ist ferner die **consolatio mortis** eine auch bei den christlichen Autoren bekannte **Trostart**, die – abgesehen von den berühmten Nekrologen des Hieronymus, des klassischen Vertreters der christlichen **consolatio** (30) – besonders in der **Form** der Grabrede durch Eutrops Zeitgenossen Gregor von Nazianz (31), Gregor von Nyssa (32) und Ambrosius von Mailand (33) eine gewisse Berühmtheit erlangte. Und dies weil die genannten Väter sich durch solche Trostrede zugleich "als Koryphäen christlicher, in den heidnischen Rhetorenschulen gebildeter Beredsamkeit" (34) ausviesen.

So sehr sich die christlichen Trostredner im Aufbau ihrer Rede eine gewisse – durch die christliche Botschaft bedingte – Unabhängigkeit bewahrten, konnten sie freilich ihren Bezug zur rhetorischen Tradition nicht gänzlich verleugnen (35). Sowohl der Trostbrief wie die Grabrede folgen gewissen Regeln, die sie von den Reden der gleichzeitigen profanen Rhetoren formal abhängig machen (36).

Allerdings fehlt es nicht an Autoren, die bewußt von den Regeln profaner Redekunst weit abschweifen, weil für sie die Spendung von Trost nur der willkommene Anlaß ist, eine weitere – von der christlichen Botschaft sich aufdrängende – Zielsetzung zu verfolgen: sei es um einer Häresie zu begegnen (37), oder um junge Christen möglichst gut im Glauben zu verankern (38), oder aber – wie Paulinus von Nola in seinem **carmen** 31 (39) es tut – um theologische Gedankengänge zu entwickeln. Dies hat dann – wie am Beispiel des Paulinus zu sehen ist – zur Folge, daß die Trostrede **mehr** eine theologische Erörterung denn ein Trostbrief im klassischen Sinne ist (40).

Von diesem Hintergrund läßt sich Eutrops literarische Tendenz in "De similitudine carnis peccati" differenziert herauskristallisieren:

er vereinigt in seinem Traktat sowohl den Trostbrief ad **aegrotam** wie auch die (phil.-)theologische Erörterung, die dann formal wie thematisch den Brief völlig in sich aufnimmt (41). Dabei gerät die **consolanda** thematisch zwar weitgehend aus dem Blickfeld, aber alle Themen werden traktatmäßig demselben Ziel untergeordnet: der **consolatio**. Dies garantiert aber wiederum, daß die Adressatin noch präsent bleibt und im Grunde den **Tenor** des Traktates bestimmt (42), welcher ihn zu einem **Trost-Traktat** macht.

So versteht es Eutropius, mit der Schrift "De similitudine carnis peccati" nicht nur das theologische Defizit Spaniens ein wenig auszufüllen, sondern sich auch der literarischen Kultur des spanisch-aquitanischen Raumes maßvoll anzuschließen. Das ist durchaus verständlich; denn er wollte ja wohl der Geistigkeit seines Freundes Paulinus nicht zu sehr nachstehen, – falls es stimmt, daß seine Adressatin eine Verwandte zu dessen Gattin ist (s.o.) (43).

ANMERKUNGSTEIL

1   E. Pasoli, Art. **Eutropius**, in: Lexikon der alten Welt. Zürich-Stuttgart 1965, 930; H. Gensel, Art. **Eutropius**, in: PW VI, 1522.

2   Trithemius, **Liber de scriptoribus ecclesiasticis** f. 14^v : "Eutropius monachus et presbyter vir religiosissimae conversationis: in divinis scripturis valde studiosus & eruditus: atque in saecularibus litteris ad plenum instructus: fertur nonnulla composuisse opuscula: E quibus extant ista nobis dumtaxat titulis nota: Ad Virgines duas sorores: Chronicarum usque ad sua tempora: Claruit sub Valentiniano & Valente principibus. Anno domini tricentesimo: septuagesimo".

3   G. Cave, **Scriptorum ecclesiasticorum historia literaria** 267: "Alius omnino a nostro erat Eutropius Breviarii Historiae Romanae autor, qui...religione gentilis fuisse videtur. Unde mirum videri debeat Ptolemaeum Lucensem...aliosque hunc cum nostro Eutropio confudisse".

4   Orosius, **Commonitorium** 1 (CSEL 18, 151): "...domini mei, filii tui, Eutropius et Paulus episcopi...commonitorium iam dederunt de aliquantis haeresibus...".- Betr. Orosius siehe E. Cuevas / U. Dominguez-Del Val, **Patrologia** 438-441 (Lit.), und zum Priszillianismus siehe unten Teil IV/3b!

5   Aug., **De perf. iust. hom.** 1,1 (CSEL 42,3).- In dieser seiner Gegenschrift schließt Augustinus übrigens durch einen Textvergleich mit anderen Schriften des Caelestius sowie auf Grund von mündlichen Informationen aus Sizilien, daß Caelestius solches gelehrt habe, auf die caelestische Verfasserschaft und gibt die **Definitiones** des Caelestius wohl vollständig wieder. Siehe ebd. (CSEL 42,3f.).- Zusammenstellung der **Definitiones** nach **De perf. iust. hom.** durch J. Garnier in: PL 48, 617-622 und bei A. Bruckner, **Quellen zur Geschichte des pelagianischen Streites** = SQS II/7. Tübingen 1906, 70-78.

6   P. Courcelle, **Histoire littéraire des grandes invasions germaniques** 111.315 Anm. 3.

7   A. Jülicher, Art. **Eutropius Presbyter**, in: $_2$PW VI, 1521. - Genauer ist W. Böhne, Art. **Eutropius**, in: LThK ^{2}III, 1213, der ein exaktes Todesdatum anzugeben weiß: 27.5.475. Ferner habe er mit Papst Hilarius und Sidonius Apollinaris korrespondiert und sei mit Faustus von Reji befreundet gewesen (Ebd.).

8   So etwa B. Czapla, **Gennadius als Litterarhistoriker** 107. - G. Morin, **Un traité inédit de IVe siècle. Le De similitudine carnis peccati de l'évêque S. Pacien de Barcelone**, in: ETD I, 85 Anm. 2 glaubte zwar, aus den Worten "...qui salutis tuae habentes curam ea quae...suggerere debemus..." (sim 29) herauslesen zu können, daß der Kirchenschriftsteller Eutropius Bischof

9
    sei. Diese Stelle scheint aber nicht stichhaltig genug zu sein. Vgl. J. Madoz, **Herencia literaria del presbitero Eutropio** 53.

9
    A. Jülicher, in: PW VI, 1521. - Nicht unerheblich ist sicher auch, daß Bischof Eutropius in Marseille geboren ist. So W. Böhne, in: LThK [2]III, 1212.

10
    Siehe etwa J. Madoz, **Segundo decenio de estudios sobre patristica española (1941-1950)** 83-86; E. Dekkers, **Clavis Patrum** 129, n. 565-567; E. Cuevas /[9] U. Dominguez-Del Val, **Patrologia** 448 f.; B. Altaner, **Patrologie** 370; J. Barbel, **Geschichte der frühchristlichen griechischen und lateinischen Literatur II**, 911; J. Quasten, **Patrologia III** 482f.; H.J. Frede, **Kirchenschriftsteller** 319.

11
    Die Wendung "...et Paulinus **noster**..." (her 48C) ist aber nicht ausreichend genug, um von einer Freundschaft reden zu können.

12
    Siehe D. Vallarsi, **Monitum**, in: PL 30, 45B; F. Cavallera, **L'héritage littéraire et spirituel d'Eutrope (IVe -Ve s.)** 63; J. Madoz, **Segundo decenio** 85. Vgl. überdies S. Lenain de Tillemont, **Mémoires pour mieux servir à l'Histoire Ecclésiastique des six premières siècles** XIV, 392; M. Alamo, **Les comptes rendus sur J. Madoz, Herencia literaria del presbitero Eutropio** 254 und P. Courcelle, **Histoire littéraire** 111.315.

13
    Zur Chronologie vgl. P. Nautin, **Études de chronologie hiéronymienne**, der die literarischen Beziehungen zwischen Hieronymus und Paulinus von Nola 393-397 diskutiert. Siehe besonders S. 225 Anm. 60 und 64.

14
    Her 48 C;49A;50A: "Istud sibi sepulcrum et Paulinus noster nuper ipse divitiis cum sua matrefamilias comparavit, qui conversatione saeculi morientes a mundialibus operibus iam quiescunt... Hoc sepulcrum sibi duplex patresfamilias isti...providerunt... Haec sunt itaque duo sepulcra, quae sibi Paulinus vir singularis...requisivit".

15
    P. Courcelle, **Histoire littéraire** 315 Anm. 3. Vgl. dazu auch den Artikel von A. Michel, **La culture en Aquitaine au Ve siècle: le témoignage d'Eutrope!**

16
    Vgl. sim 149-151.

17
    Her 45C: "Cuncti mei sensus affectu vobis vacant etsi interim loco segregor".

18
    Perf 75D: "...melius vel difficillimi itineris laborem perpeti quam conspectus tui tam pretiosa visione fraudari...". - Dazu siehe auch P. Courcelle, **Histoire littéraire** 315 Anm. 1.

19
    So fragt J. Madoz, **Herencia literaria** 53: "Sería español? La primera aparición del **De similitudine carnis peccati**, entra la literatura adopcionista, pudiera ofrecer un indicio que apoyara

esta conjetura"; siehe auch M. Alamo, Les comptes rendus 254 und VLH I, 518.

20 Siehe Anm. 15.

21 So S. Lenain de Tillemont, Mémoires 29; B. Czapla, Gennadius als Litterarhistoriker 107; J. Madoz, Herencia literaria 29; P. Courcelle, Histoire littéraire 303.

22 E. Cuevas / U. Domínguez-Del Val, Patrología 449.

23 T. Moral, Art. Eutrope, prêtre espagnol du Ve siècle 79. Siehe auch C. Baraut, Art. Espagne patristique 1098.

24 Stil und Charakter der Schriften des Eutropius erweisen es. Von Nonnen zu reden wie A. Jülicher, in: PW VI, 1521 und H. Kraft, Kirchenväterlexikon 215 es tun, ist wohl für diese Zeit ein wenig verfrüht. Eutropius selbst nennt deren Wandel einmal bezeichnend und schlicht "devotio". Siehe her 47C: Quod ubi pro vestra devotione fueritis viriliter exsecutae...".

25 Gleichermaßen muß Ambrosius ständig die Väter bekämpfen, die solche Töchter enterben wollen und diese selbst an die Freiheit der Wahl erinnern. Siehe Ambrosius, De virginibus 1,58,63.65 (Ed. Cazzaniga 30,14-20; 32,2-13; 33,5-34,5) und Exhortatio virginitatis 45 (PL 16, 349B-C).

26 Gennadius, De viris illustribus 50 (TU, 14,1, S. 79): "Eutropius presbyter scripsit ad duas sorores, ancillas Christi, quae ob devotionem pudicitiae et amorem religionis exheredatae sunt a parentibus, Epistulas in modum libellorum consolatorias eleganti et aperto sermone duas, non solum ratione, sed et testimonio Scripturarum munitas".

27 J. Madoz, Herencia literaria 53.

28 B. Czapla, Gennadius als Litterarhistoriker 107.

29 E. Cuevas / U. Domínguez-Del Val, Patrología 448; siehe außerdem J. Madoz, Art. Eutropio il Presbitero, in: ECatt 5,873.

30 U. Domínguez-Del Val, Estado actual de la patrología española 416: "...presbitero Eutropio...es una buena adquisición para nuestra literatura patrística...".

31 Statt "De perfecto homine" gibt H. Kraft, Kirchenväterlexikon 215 als 3. Schrift des Eutropius "Ad Justinum Manichaeum" an. Es handelt sich wohl um einen Irrtum, wenn nicht gar der Artikel von G. Morin, Un nouvel opuscule de saint Pacien? Le Liber ad Justinum faussement attribué à Victorin, in: RBén 30 (1913) 286-293 ungenügend studiert bzw. die bisherige Diskussion um Eutropius und sein Werk zu flüchtig und zu undifferenziert verfolgt worden ist. - "Ad Justinum Manichaeum" stammt außerdem weder von Pacian noch vom Rhetor M. Victorinus noch vom Bischof Vic-

torinus von Pettau (siehe H.J. Frede, Kirchenschriftsteller 444).

32 G. de Plinval, **Le problème des versions pélagiennes du texte de S. Paul**, in: RHE 59 (1964) 848; dazu H.J. Frede, **Der Paulustext des Pelagius**, in: SE 16 (1965) 165.

33 F. Cavallera, **L'épître pseudohiéronymienne "De viro perfecto"** 166.

34 Perf 92B: "Recitabant namque [= Judaei] nobis juxta positis, quae divinis et beatissimis Gervasio et Protasio infidelitas stulta loquebatur, quos dum papae Ambrosio aliqui decerpere machinantur, violare sacrilegis sermonibus non timeant, hoc modo rationem miraculorum conquirentes". - Siehe dazu A. Michel, **La culture en Aquitaine** 116: "Eutrope...évoque...les miracles que se sont produites à Milan sur la tombe de Gervais et Protais, que datent de 386, et qui semblent avoir été évoqués en Aquitaine par Paulin, vers la fin du IVe siècle".

35 Siehe B. Altaner, patrologie[9] 370; G. Bardy, Art. Direction spirituelle en occident 1068; J. Madoz, **Vestigios de Tertuliano en la doctrina de la virginidad de Maria en la carta "Ad amicum aegrotum, de viro perfecto"** 188 u.a.

36 So J. Barbel, **Geschichte der frühchristlichen griechischen und lateinischen Literatur** II 91.

37 A. Michel, **La culture en Aquitaine** 116.

38 So S. Lenain de Tillemont, **Memoires** 29: "...cet lettre [= **her**] est écrite lorsque S. Paulin et sa femme vivaient encore".

39 Dort wird sie unter der Nr. lat. 13.344 aufbewahrt (s.o.). Fol. 37^v-61 bieten den Text der genannten Schrift.

40 G. Morin, **Un traité inédit du IVe siècle: Le De similitudine carnis peccati de l'évêque s. Pacien de Barcelone**, in: RBén 29 (1912) 1-28. Dieser Artikel entspricht - fast wörtlich - der Einleitung zur ein Jahr später erfolgenden Edition. Siehe G. Morin, **Un traité inédit du IVe siècle**, in: ETD I, 81-107!

41 Dazu siehe unten Teil III/1!

42 Es handelt sich um die oben genannte Corbieer Handschrift. Siehe G. Morin, **Un traité inédit du IVe siècle**, in: ETD I, 81f.

43 Siehe ebd. 92-104, wo Morin seine Studie darlegt.

44 Ebd. 93

45 Es ist demnach verständlich, daß Morin in einem Artikel von 1922 (G. Morin, **'Stephani essemus virtute, non nomine'. Une critique qui porte a faux** 296) noch einmal ausdrücklich und beharrlich an Pacian als Autor festhält. - Die Handschrift selber

gibt als Autor einen Bischof Johannes an: "INCIP. LIB. BEATI JOH. DE SIMILITUDINE CARNIS PECCATI" (f. 37^v). Dazu weiter unten!

46 Siehe P.H. Peyrot, **Paciani Barcelonensis episcopi opuscula edita et illustrata.** Zwollae 1896, 139.

47 L. Rubio Fernández, **San Paciano obras** 66.

48 Siehe G. Morin, **Un traité inédit de IVe siècle**, in: ETD I, 94–101, wo Morin das Verfahren seines Vorgehens schildert.

49 Vgl. J.W.Ph. Borleffs, **Zwei neue Schriften Pacians?** 181f.

50 Siehe etwa U. Domínguez-Del Val, **Paciano de Barcelona. Escritor, teologo y exegeta** 68.

51 So heißt es etwa bei J.M. Dalmau, **La doctrina del pecat original en Sant Pacià** 204: "...atribuit amb tota seguretat a Pacià per Morin..." und bei J. Vilar, **Les citacions bíbliques de sant Pacià**, in: EUC 17 (1932) 2: "...que sembla definitivament reivindicat per Dom G. Morin a Sant Pacià...". – Eigens zu erwähnen ist die Diss. von L. Tria, **De similitudine carnis peccati. Il suo autore e la sua teologia.** Roma 1936. der – angeregt durch E. Amann, Art. **S. Pacien** 1720, der seinerseits die Ansicht Morins blindlings übernommen hatte und es sogar für ein leichtes hielt, sie durch die weitere Forschung zu erhärten – auf jegliche Weise Morins These zu bestätigen sucht; eine fragwürdige, nicht überzeugende Arbeit, die lediglich zur Ansicht Morins aus dem Text heraus theologische Ergänzungen bringen will (siehe J. Madoz, **Un decenio de estudios patristicos en España (1931–1940)** 946). – Auch TLL folgt der Ansicht Morins und zitiert die neu entdeckte Schrift "De similitudine carnis peccati" als Werk Pacians.

52 So bekennt Z. Garcia Villada, **Historia eclesiástica de Espana I.** Madrid 1929, 333: "Sin negar la fuerza que todos estos argumentos cogidos en conjunto tienen, preciso es confesar que no son tan apodicticos como asevera el sabio benedictino".

53 So M. Schanz, **Geschichte der römischen Litteratur IV/1.** München ^{2}1914, 370; O. Bardenhewer, **Geschichte der altchristlichen Literatur III.** Freiburg ^{2}1912, 403; J. Tixeront, **Précis de Patrologie.** Paris ^{8}1934, 308; B. Steidle, **Patrologia.** Freiburg 1937, 197f.; B. Altaner, **Patrologie** ^{1}, 235.

54 J. Madoz, **Un decenio** 946: "No todos admiten la paternidad de Paciano sobre dicho tratado".

55 Siehe vor allem J.W.Ph. Borleffs, **Zwei neue Schriften Pacians?**; J. Madoz, **Herencia literaria** und G. Mercati, **Morin, Études Textes Découvertes. Tome I.**

56 Darauf wies schon G. Mercati, **Morin** 116 hin.

57 Darauf weist L. Rubio Fernández, **San Paciano obras** 11 eigens hin. - Siehe außerdem P.₂ de Labriolle, **Histoire de la littérature latine chrétienne.** Paris 1924, 397, Anm. 1: "...en se fondant sur des analogies de langue...".

58 Darauf wies bereits G. Mercati, **Morin** 116 deutlich hin. Vgl. dazu J. Madoz, **Herencia literaria** 40f.; "...Mercati opone tambien şerios reparos y permanece escéptico".

59 Eine umfassende Studie erbrachte J.W.Ph. Borleffs, **Zwei neue Schriften Pacians?**, dessen philologische Gründe gegen die These Morins beachtlich und einleuchtend sind. Vgl. dazu E. Cuevas / U. Domínguez-Del Val, **Patrología** 344: "...la brillante argumentación de J. Borleffs contra G. Morin...afirma que esta obra no puede ser de Paciano...En realidad...el razonamiento de Borleffs es bastante sugestivo".

60 Siehe J. Madoz, **Herencia literaria.**

61 Das hatte auch der Herausgeber der Schriften des Hieronymus, Vallarsi (PL 30) erkannt und sie dem Corpus der pseudohieronymianischen Briefe zugeteilt. Schon R. Bellarmin, **De scriptoribus ecclesiasticis** 74 und G. Cave, **Scriptorum ecclesiasticorum historia literaria** 174 hatten den Brief "De contemnenda hereditate" als nicht dem Hieronymus zugehörig erkannt.

62 M. Alamo, **Les comptes rendus** 253.

63 Auch Vallarsi hatte in seinem Monitum, das er in seiner Ausgabe diesem Brief voranstellte (PL 30, 45A), darauf hingewiesen, "quod enim false tribuatur Hieronymo, palam est, et stylus ipse clamat ab Hieronymiano dissidens immane quantum", und er fügt bezeichnenderweise sogleich hinzu: "Accepi autem a Gennadio, quis ille fuerit; nec sane infimi subsellii scriptor, sed... Eutropius presbyter...scripsit...". Ebenso hatte schon S. Lenain de Tillemont, **Mémoires** 29 bemerkt, daß unter den Schriften des Hieronymus ein Brief zu finden sei, der nicht ihm zugehöre, sondern von einem Priester Eutropius stamme, wie uns doch Gennadius versichere. Siehe dazu J. Madoz, **Herencia literaria** 27-31!

64 Vallarsi hatte ihn in seinem vorausgehenden **Monitum** mutmaßlich Tertullian zugeschrieben (PL 30, 188C). Siehe dazu J. Madoz, **Herencia literaria** 32.

65 So schon G. de Plinval, **Recherches sur l'oeuvre littéraire de Pélage** 33 und **Pélage** 44, wo her und cir allerdings Pelagius zugewiesen werden. Zur Kritik an der Methode Plinvals siehe die Rezension von B. Altaner, in: ThRv 35 (1936) 96f. und H. Koch, in: ThLZ 59 (1934) 402-404. - Erst nach Jahren beugt sich auch Plinval vor der Ansicht des Madoz hinsichtlich der Verfasserschaft (siehe G. de Plinval), **Essai** 12), schließlich ganz überzeugt von der "souci réel des disciplines philologiques" des spanischen Jesuiten (Siehe G. de Plinval, **Vue d'ensemble** 289).

66 Cir 188D; 189A: "Superiore epistula quam ex me consultatio vestra deprompsit, quam et ad tuum et sororis tuae nomen misi, rationem circumcisionis rapide transcurri...placuit mihi ut semel emissum repetens apud te verbum retractarem...".

67 Vgl. dazu die Analysen von J. Madoz, **Herencia literaria** 31-39! Siehe auch I. Kirmer, **Das Eigentum des Fastidius im pelagiani-schen Schrifttum**. St. Ottilien 1938, 10f.

68 Siehe auch G. Morin, **Un traité inédit de IVe siècle**, in: ETD I, 82f.

69 **Epistola episcoporum Hispaniae ad episcopos Franciae a. 792-793** (MGH Conc. II, 112): "Item beatus Jheronimus...in epistola ad Cerasium...". - Der Herausgeber fügt hier die Bemerkung hinzu: "Epistola Hieronimy Cerasio vel, ut Episcopi Franciae volunt... Cerasiae missa prorsus ignoratur" (Ebd.).

70 **Epistola episcoporum Franciae** (MGH Conc. II, 144): "Epistola vero beati Hieronymi, quam ad Caerasiam scribtam dicitis, actenus nec apud Romanos nec apud nos inveniri potuit".

71 Vgl. sim 151: "...mater...soror...tibi occupantur..."

72 F. Cavallera, **L'héritage littéraire** 62: "Reste par l'étude interne du traité à confirmer que cette Cerasia est identique à la desti-nataîre des deux opuscules précédents et que l'auteur est aussi le même: une même situation de famille, une façon identique d'utiliser l'Écriture, de polémiquer contre des hérétiques, en particulier les manichéens et les ariens, des procédes analogues de rhétorique et de style, l'emploi de termes identiques fort significatifs". /

73 Siehe J. Madoz, **Herencia literaria** 39-53.

74 Siehe etwa B. Altaner, **Der Stand der patrologischen Wissenschaft** 508; J. de Ghellinck, **A propos de quelques collections nouvelles de théologie** 717: "...Madoz avait identifié trois petits opuscules de "Presbytero Eutropio" longtemps énimatique..."; F. Cavallera, **L'héritage littéraire** 71: "Nous ne pouvons...que féliciter et remercier le R.P. Madoz de nous avoir ainsi mis en mensure de retourner l'oeuvre du prêtre Eutrope..."; B. Capelle in seiner Rezension zu J. Madoz, **Segundo decenio**, in: BThAM 6 (1957) 487: "...plus érudit et sagace connaisseur de l'Espagne ancienne. Nul ne peut l'ignorer"; VLH I, 496: "Madoz habiendo tenido un éxito indiscutible...su sagacidad extraordinaria...ha hecho con tal solidez, que patrólogo tan eminente como Altaner registraba la aparición de esto nuevo escritor..." sowie P. Courcelle, **Histoire littéraire** 111 "...la magnifique démonstration du P. Madoz..."

75 VLH I, 496: "He aqui...gran mérito del Madoz. Hay un célebre tratado que se titula "De similitudine carnis peccati", de cuya paternidad se ha discutido mucho...Madoz...1942 escribió su

célebre artículo, atribuyendo el tan debatido tratado al presbitero Eutropio".

76 Siehe E. Cuevas / U. Domínguez-Del Val, **Patrología** 344: "Después de la brillante argumentación de J. Borleffs...y el trabajo de Madoz...ha pasado a ser patrimonio del presbitero Eutropio". – Angesichts dessen ist es dabei unverständlich, daß J.H. Waszink, **Tertulliani De Anima**, Amsterdam 1947, 313 bei einer Worterklärung den genannten Artikel von Borleffs ausdrücklich zitiert, dann aber – immer noch – von Pacian als dem Autor spricht.

77 G. Morin, **Brillantes découvertes d'un jésuite espagnol et retractation qui s'ensuit** 416: "Sa démonstration ne laisse rien à désirer, et m'a convaincu sur l'heur. On ne peut que se réjouir d'un pareil résultat: **do manus**, dans un sincère sentiment de gratitude...Le fait est aussi interessant qu'instructif; cest un des cas que peuvent aisément se produire dans la pratique de la critique interne". – Eine unschätzbare Eigenschaft in Morins wissenschaftlichem Charakter ist seine Loyalität vor der Wahrheit: seine Bereitschaft, das eigene Urteil zu widerrufen, sobald es sich als irrig herausstellt. Dazu siehe auch J. Madoz, **La carrera cientifica de dom Germán Morin. O.S.B.**! Vgl. außerdem P. Courcelle, **Histoire littéraire** 305!

78 T. Moral, Art. **Eutrope, prêtre espagnol de Ve siècle** 81: "Grâce au Madoz, Eutrope est devenue une réalité historique".

79 J. Madoz war ein hervorragender Kenner der spanischen Kirchenväter. Er arbeitete an einer dreibändigen **Patrología Española**, die durch seinen frühen Tod vereitelt wurde. Zur umfassenden Würdigung seines Werkes mit umfangreicher Bibliographie siehe jetzt **P. JOSE MADOZ: LEGADO INEDITO**, in: EE 56 (1981) 331-482.

80 Siehe P. Courcelle, **Histoire littéraire** 303-317. – Vgl. außerdem den ausführlichen Artikel von F. Cavellera, **L'epître pseudohiéronymienne "De viro perfecto"**.

81 Perf wird hier zitiert von Agobard (PL 104, 47B.53B) sowie von Beatus (PL 96, 964B). – Vgl. P. Courcelle, **Histoire littéraire** 308.

82 Schon der Herausgeber, Vallarsi, bemerkte in seinem **Monitum** (PL 30, 75B): "...ita discrepans a phrasi Hieronymiana, ut nec hic illius dictionem potuerit imitari, si voluisset, nec hujus ille". – Desgleichen findet sich dieser Brief unter den **opera dubia** des Maximus von Turin (PL 57, 933-958). – Siehe auch M. Schanz, **Geschichte der römischen Literatur IV/1** 491.

83 So bereits Fr. Drewniak, **Die mariologische Deutung von Gen. 3,15 in der Väterzeit** 57f. Ebenso äußert sich J. Madoz, **Vestigios de Tertuliano** 187: "...no está todavia dilucidada la cuestión acerca de la paternidad de este escrito". In diesem Artikel gibt er im übrigen einen guten Überblick nicht nur zur Frage der Verfasserschaft, sondern auch zur literarischen Eigenart dieser

Schrift, wofür ihm F. Cavellera, **L'épître pseudohiéronymienne**
"De viro perfecto 162 Anm. 3 dankt und hohes Lob zollt.

84 Auch P. Courcelle, **Histoire littéraire** 303 beklagt den allzu frühen Tod von J. Madoz: "L'on encore présente à l'esprit la
découverte que fit, voici une vingtaine d'années, le regretté
J. Madoz, érudit du premier rang".

85 Sie wird unter Nr. lat. 1688 in der Nationalbibliothek zu Paris
aufbewahrt.

86 Der Herausgeber gab diesem Brief den Titel: "Ad amicum aegrotum de viro perfecto" (perf 75C). Dazu bemerkt P. Courcelle
Histoire littéraire 306, daß dieser Titel im Grunde irreführend
sei: nicht die Empfängerin, sondern – wie schon F. Cavellera,
L'épître pseudohiéronymienne "De viro perfecto" 165 gesagt hat
– der Autor ist krank. Er selbst sagt es: "Stomachum meum...
curavi..." (perf 75C). – Im übrigen müßte es in der Titelangabe
der Handschrift zufolge statt "De viro perfecto" eben "De perfecto
homine" lauten.

87 Siehe P. Courcelle, **Histoire littéraire** 305-313.

88 Fr. Drewniak, **Die mariologische Deutung von Gen. 3,15 in der**
Väterzeit 58f.

89 Siehe J. Madoz, **El Renacer de la Investigación Patristica en**
España (1930–1951). Vgl. noch VLH I, 496: "...Eutropio es ya
una realidad historica, que ha venido a acrecentar el caudal
literario de la primitiva literatura hispana".

90 Gewisse indirekte Spuren gerade des Tertullian scheinen jedoch
in Eutropius nicht ausgeschlossen zu sein. Vgl. J. Madoz **Vesti-**
gios de Tertuliano, der solche in perf nachweist. Mehr wird es
wohl nicht sein.

91 E. Cuevas / U. Dominguez-Del Val, Patrologîa 448.

92 H. Savon, **Le De vera circumcisione du prêtre Eutrope** 167 bezeichnet Eutropius direkt als einen Apostel des Asketismus.

93 Vgl. des Eutropius Freundschaft mit Paulinus von Nola, dessen
Weltentsagung er bewundert!

94 So J. Barbel, **Geschichte der frühchristlichen griechischen und**
lateinischen Literatur II, 92. – Eine zusammenfassende Inhalts-
angabe zu allen Schriften bieten die beiden Artikel von F. Cavallera, **L'héritage littéraire** und **L'épitre pseudohieronymienne**
"De viro perfecto". Zu sim siehe bereits G. Morin, **Un traité**
inédit de IVe siècle, in: ETD I, 84-87, lediglich zu ergänzen und
zu korrigieren durch J. Madoz, **Herencia literaria.**

95 Vgl. G. Bardy, Art. **Direction spirituelle en occident.**

96   F. Cavallera, L'héritage littéraire 71.

97   In verschiedenen Aufsätzen zeigte er bereits Bedeutung und Notwendigkeit einer solchen kritischen Ausgabe auf. Dabei bildet
die Schrift "De similitudine carnis peccati" ein eigenes Problem,
weil sie (im Grunde) nur durch eine einzige Handschrift überliefert worden ist (s.o.). Gleichwohl bedarf auch ihr Text an manchen Stellen der Verbesserung (s.o.). Siehe H. Savon, **Le De
vera** circumcisione du pêtre Eutrope, bes. 93 Anm. 16 und ders.,
"Pseudothyrum" et faeculentia" dans une lettre du pêtre Eutrope.

1 G. Morin, Un traité inédit de IVe siècle, in ETD I, 93.

2 Siehe ebd. 81f; außerdem E. Amann, Art. S. Pacien 1720!

3 Einen guten Überblick zum spanischen Adoptianismus bietet W. Möller, Art. Adoptianismus; dazu J. Solano, El Concilio de Calcedonia y la controversia adopcionista del siglo VIII en Espana, in: Chalkedon II, 841-971.

4 L. Scheffczyk, Art. Agobard von Lyon, in: LThK [2] I, 204.

5 Agobard, Liber adversum dogma Felicis Urgellensis (PL 104, 34A): "...opportunum putavi ea quae praedictus vir male sensit, exaggeranda assumere, et verbis eius, in quibus a veritate fidei excessit, sanctorum Patrum sententias opponere, ut quisquis ...agnoscat qua cautela catholicae veritatis purissimum sensum sequatur".

6 C.J. von Hefele, Conciliengeschichte III, 650.

7 Agobard, Liber adversum dogma Felicis Urgellensis (PL 104, 59D; 60B): "Sed quia scio horum verborum quandam similitudinem esse in dictis beati Hieronymi, quae iste [= Felix]...pravo sensu effere solebat, videamus, si ab illo istius sensus et verba non discrepant. Ait namque beatus Hieronymus: 'Hic filius hominis per dei filium dei esse filius in dei filio promeretur'... Ita nos, sicut beatus Hieronymus ait, Deum hominemque iungentes, et filium hominis in Jesu, et filium dei tenemus in Christo. Hic sapientia vertitur, ut Apocalypsis ait. Hic promissae antidoti aperienda virtus. Hic Manichaeorum virus, terrestre germen Arianorum, divino, si dici fas est, semine superandum est". Dieses Zitat entspricht, fast wörtlich, sim 68 und sim 83-84. - Siehe auch G. Morin, Un traité inédit de IVe siècle, in: ETD I, 81f.

8 Ebd. 65B: "Legit etiam Felix in sanctorum Patrum Hieronymi, Augustini, Ambrosii, Hilarii, et Aviti libris, cum de incarnatione Salvatoris tractaret, intromissum nomen adoptionis, sed iuxta modum assumtionis vel susceptionis ab eis positum, quod ille alio et e contrario hausit sensu".

9 C.J. von Hefele, Conciliengeschichte III, 646.

10 Agobard, Liber adversum dogma Felicis Urgellensis (PL 104, 65B): "De qua re ut ea quae sentimus, congruentius proferamus aliquam ex illis sententiam tam plenariam, ut ubi adoptio dicitur, qualiter accipienda sit, ex praecedenti et subsequenti sensibus colligatur".

11 Ebd.: "Ait itaque beatus Hieronymus in suo brevi et elegantissimo tractatu de similitudine carnis peccati contra Manichaeos: 'Denique hoc confirmat proposita ipsa sententia...'". Nach dieser Einführung folgt dann der lange Abschnitt sim 62-69 als Zitat (ebd. 65B-66B). In ihm ist von der "adoptio" die Rede. Abschließend erklärt Agobard selber, wie in diesem Text "adoptio" zu verstehen sei (ebd. 66B-C).

Auch Vallarsi erwähnt das Lob des Agobard in seiner **Praefatio generalis** zu den Schriften des Hieronymus (PL 22, XXXV): "Alterum laudat S. Agobardus libro adversus Felicem cap. 39 (**De similitudine carnis peccati**"), eumque brevem, atque elegantissimum Tractatum de similitudine carnis peccati contra Manichaeos vocat".

12 Vallarsi selber ist sehr vorsichtig mit der Zuweisung an Hieronymus. Allerdings will er auch nicht blindlings die Autorität des Agobard in Frage stellen. Er bemerkt daher (ebd. XXXVIII) "Re autem vera cum nihil pro certo constituti possit, neque ad opus ipsum Hieronymo abiudicandum certa suppetant argumenta, ne eiusdem Agobardi auctoritatem elevare temere videamur, et si quid est operis hieronymiani inconsulter praeterire, ipsam laciniam describimus". Es folgt der von Agobard angeführte Abschnitt (lacinia) aus "De similitudine carnis peccati" (ebd.).

13 C.J. von Hefele, **Conciliengeschichte III** 675.

14 Elipandus, **Epistola IV, ad Albinum** (PL 96, 872C.D): "Incipiunt testimonia sanctorum venerabilium Patrum de adoptione in Filio Dei secundum humanitatem, et non secundum divinitatem...Beatus Hieronymus iterum dicit: Hic filius hominis per Dei filium in Dei filio esse promeretur, nec adoptio a natura separatur, sed natura cum adoptione conjungitur". – Bei diesem Zitat handelt es sich wieder um sim 68.

15 W. Heil, **Alkuinstudien I** 11.

16 Alcuin, **Contra epistolam sibi ab Elipando directam Libri Quatuor** (PL 101, 267A): "Igitur...probavimus...novas siquidem ex nominibus sanctorum Patrum fingis tibi epistolas, quatenus ex earum sententiis tuum potuisse affirmare errorem".

17 Ebd. 267B: "Nam falsidico fingis flamine quasdam epistolas beatum Hieronymum...scripsisse, in quibus crebrius adoptionis immissum nomen perspeximus, quasi illi...doctores ea de saepe dicta adoptione dixerint, quae numquam dixerunt, nec usquam in eorum reperiunter scriptis...Tam magna et tam prolixa sancti Hieronymi...opuscula legebamus, in quibus nusquam eorum quemlibet Christum invenimus adoptivum nominasse...".

18 Ebd. 267D-268C: "Ponamus tamen aliquas ex illis falsidicis epistolis sententias...Et primo sententiam deducamus in medium quam tu pravo more beati Hieronymi asseris esse. Putasti vel magis nos putare voluisti eum dicere: << filius, inquit, hominis per Dei Filium in Dei Filio esse promeretur: nec adoptio a natura separa-

tur, sed natura cum adoptione conjungitur>> ". Der Inhalt des Zitats ist abermals sim 68.

19   Dieser Briefwechsel geht dem Traktat Alkuins gegen Elipand zeitlich voraus. Für den Zusammenhang siehe H. Quilliet, Art. **Adoptianisme au VIII**[e] **siècle** 405ff.

20   Es wird wieder sim 67-68 zitiert. Auch ist sonst die Argumentationsweise seinem Brief an Alkuin nicht unähnlich. Siehe **Epistola episcoporum Hispaniae ad episcopos Franciae a.** 792-793, in: MGH Conc. II, 111.

21   F. Cavallera, **L'héritage littéraire** 62: "La destinataire étant une femme, Cerasia est bien le nom à retenir".

22   So A. Michel, **La culture en Aquitaine** 115 und P. Courcelle, **Histoire littéraire** 111 Anm. 7.

23   P. Courcelle, **Histoire littéraire** 111: "...religieuse catholique de haute noblesse...". Siehe auch L. Tria, **De similitudine carnis peccati** 17 und S. Puis y Puig, **Episcopologie de la sede Barcinonense** 46.

24   Dazu siehe sim 11. - Übrigens scheint es beim Lesen dieses Abschnittes irgendwie klar, daß - wie bei cir - die Empfängerin von sim eine Jungfrau ist (G. Morin, **Un traité inédit du IV**[e] **siècle**, in: ETD I, 84; J. Madoz, **Herencia literaria** 42; vgl. L. Tria, **De similitudine carnis peccati** 39f.). Außerdem legt der ganze Charakter dieses Abschnittes die Vermutung nahe, daß dahinter wohl ein gewisses Maß an asketischem Lebensideal steht, wie es in der frühen Kirche, vorab in Spanien und Afrika, gerade von den Jungfrauen gelebt wurde. - Wichtiger ist indes hier die Beobachtung einer Frömmigkeit, die durch die Auslegung des Hohenliedes genährt wird, so wie sie etwa die ambrosianische Frömmigkeit befruchtet hat. Wie Ambrosius in **De Virginitate** die Braut des Hohenliedes auf die Jungfrauen deutet, so tut es hier Eutropius in Bezug auf seine Korrespondentin. Zur Traditionsgeschichte der Hoheliedexegese siehe E. Dassmann, **Die Frömmigkeit des Kirchenvaters Ambrosius von Mailand** 135-241.

25   Laut J. Madoz, **Herencia literaria** 42 spricht die Enterbung durch Geruntius nicht dagegen.

26   Deswegen Eutrops befreiende Feststellung nach ihrer eigenen Genesung: "Allen bist du wiedergegeben, für alle gerettet". (sim 151).

27   Siehe sim 2!

28   Siehe sim 7!

29   Vgl. sim 5! - Dazu L. Tria, **De similitudine carnis peccati** 43 "...la vergine è 'in Domino vivens' un ramo naturale nell' olivo divino...".

30   Siehe sim 2.3!

31   Vgl. sim 5!

32   Siehe sim 4! - Dazu G. Morin, Un traité inédit du IVe siècle,
      in: ETD I, 84, "...celle qu'il appelle sa patronne..."

33   Vgl. sim 5! Siehe L. Tria, De similitudine carnis peccati 43.

34   Siehe sim 151!

35   J. Madoz, Herencia literaria 53; P. Courcelle, Histoire littéraire
      112.

36   Um diese handelt es sich wohl laut P. Courcelle, Histoire litté-
      raire 112. Ebenso J. Madoz, Arianism and Priscillianism in Ga-
      licia 5.

37   Vgl. sim 150! - Die Missionsarbeit an den Barbaren weist noch-
      mals auf das Ende des 4. Jahrhunderts hin. Ähnliches leistet in
      dieser Zeit für Oberitalien Bischof Ambrosius von Mailand. Siehe
      zusammenfassend dazu P. Courcelle, Histoire littéraire 21-24 und
      J. Vogt, Kulturwelt und Barbaren 35-37 und 41.

38   Siehe sim 4. - Dazu F. Cavallera, L'héritage littéraire 66: "...
      grande douleur [d'Eutrope] ..., qui voyait disparaître son
      appui et son protection"; ebenso G. Morin, Un traité inédit du
      IVe siècle, in: ETD I, 84.

39   Siehe sim 1! - Die Wendung "vitiato caeli tractu" (sim 1), mit
      der Eutropius seine klassische Bildung ausweist (siehe dazu A.
      Michel, La culture en Aquitain) ist eine Reminiszenz an Vergil,
      Aen. III. 138: "corrupto caeli tractus". (Ein anderes Vergilzitat
      findet sich in perf 101D; zu dessen Exegese siehe A. Michel, La
      culture en Aquitain 120!). Sie erweist zugleich, daß das Fieber
      eben eine weit um sich greifende Epidemie ist. Dazu auch P.
      Courcelle, Histoire littéraire 309. - Zu beachten ist in diesem Zu-
      sammenhang auch der Satz in perf 76A: "Fallit nos videlicet sol
      iste, decipit dies ista, tractus nos iste circumvenit".

40   Vgl. perf 75C-D: "Stomachum meum...te absente curavi...manus
      intuli medicorum"; perf 76A: "Corpusculum curavi, cum anima
      langueret"; perf 104B.C: "Corpusculo adhibui palpamenta, quod
      si negligerem, anima plus valeret, quae tunc infirmatur cum
      exterior roboratur"!

41   Vgl. sim 3!

42   Kein Wunder, daß er schon im ersten Satz (sim 1) diese Sorge
      bangend zum Ausdruck bringt.

43   Vgl. etwa perf 75C: "...ac tanto minus sapio, quanto a te latius
      separor".

44   P. Courcelle, **Histoire littéraire** 315 Anm. 3.

45   So G. Mercati, **Morin** 116.

46   Nachdrücklich ist hier auf J.W.Ph. Borleffs, **Zwei neue Schriften Pacians?** zu verweisen.

47   Borleffs tut das in seinem genannten Artikel ausführlich. Siehe ebd. 184f.

48   Ebd. 184f.

49   Dazu gehören etwa Verben wie **antiquare** 'veralten lassen' (**sim** 109); **breviare** (**sim** 135); **submus(s)itare** (**sim** 54) u.a. sowie folgende Substantiven: **benedictio** (**sim** 80); **decurtatio** (**sim** 34); **adsertor** (**sim** 132); **usurpator** (**sim** 74); **impassibilitas** (**sim** 147); **mortalitas** (**sim** 24) u.a. Dazu J.W.Ph. Borleffs, **Zwei neue Schriften Pacians?** 186f.

50   So etwa **factura** (**sim** 127); **fetulentia** (**sim** 107); **hebetatus** (**sim** 74) u.a. Siehe ebd. 187.

51   Ebd. 189.

52   Siehe L. Rubio Fernández, **San Paciano Obras** 50.52.58.60.72.74. 78.98.106.116.118.120.

53   J.W.Ph. Borleffs, **Zwei neue Schriften Pacians?** 189.

54   Vgl. J. Madoz, **Herencia literaria** 49 und P. Courcelle, **Histoire littéraire** 313!

55   Siehe dazu F. Di Capua, **Ritmo e paronomasia nel trattato "De similitudine carnis peccati" attribuito a Paciano di Barcellona,** der hier der Rhetorik ausführlich nachgeht. – Zur Bedeutung Di Capuas auf diesem Gebiet siehe A. Quacquarelli, **Ricordando Francesco Di Capua nel centenario della nascita (1879-1957),** in: VetChr 17 (1980) 5-16.

56   Siehe dazu G. Morin, **Un traité inédit du IVe siècle,** in: ETD I, 102; J.W.Ph. Borleffs, **Zwei neue Schriften Pacians?** 184; J. Madoz, **Herencia literaria** 49 und P. Courcelle, **Histoire littéraire** 312f.

57   Siehe sim 1:

"Etiamne te ausus est spiritus infirmitatis adtingere?

etiamne te vis febrium paene usque ad portas mortis inpegit?

etiamne tuam animam torrens istius incommoditatis...transire conatus est?" –

In derselben charakteristischen Weise erscheint dieser Parallelismus auch in cir 204A: "**Jamne** vides...jamne consideras...". Dazu J. Madoz, **Herencia literaria** 52.

215

58 Er schreibt sim aber an zwei Personen: Cerasia und ihre Schwester, was wohl eine stilistische Eigenheit erklärt, die sim (4.5.
8) mit cir (188D-189A) gemeinsam hat: den Wechsel vom vos zum
tu! Vermutlich schreibt er an Cerasia als Hauptadressatin, meint
gleichwohl aber beide Schwestern. So J. Madoz, **Herencia literaria** 43.

59 Sie wird schon in den ersten Zeilen deutlich. Siehe sim 3: "O me
miserum, o me infelicem!" – Ausrufe dieser Art finden sich auch
in her 48C; cir 195A.200A.201A (dazu J. Madoz, Herencia literaria 49) sowie in perf 79D.82B.97B (dazu P. Courcelle, **Historia
littéraria** 313).

60 G. Mercati, **Morin** 116. – Betr. Weitschweifigkeit und ·ermüdender
Rhetorik siehe etwa sim 47-49.73-74.77.85.95.103.137.

61 Siehe F. Cavallera, **L'héritage littéraire** 66.

62 Siehe sim 150!

63 J. Madoz, **Arianism and Priscillianism in Galicia** 5.

64 P. Courcelle, **Histoire littéraire** 112; K. Schäferdiek Art. **Germa-
nenmission** (II. **Westliche Ausbreitung: c. Suewen**), in: RAC X
(1978) 510f.

65 Kritische Ausgabe des Auffindungsberichtes von den Stephanusreliquien durch E. Vanderlinden **Revelatio Sancti Stephani**.

66 Eine bibliographische Übersicht zu diesen Ereignissen bietet
jetzt E.D. Hunt, **St. Stephen in Minorca**, in: JThSt 33 (1982)
106-123.

67 Genauer gesagt wäre es der Zeitraum 415-431. S.o. – Der Voll-
ständigkeit halber sei noch angemerkt, daß Trithemius wie Cave
angeben, der Priester Eutropius habe – der Aussage einiger Zeitgenossen zufolge – um 430 gelebt und geschrieben. Siehe Trithemius, **Liber de scriptoribus ecclesiasticis** f. 14^V : "Sunt etiam
qui scribant eum...floruisse Anno domini CCCC&XXX"; G. Cave,
Scriptorum ecclesiasticorum historia literaria 267: "Eutropius
Presbyter...claruit anno 430.

68 P. Courcelle, **Histoire littéraire** 112.

1   J. Madoz, **Herencia literaria.**

2   L. Tria, **De similitudine carnis peccati.** Dazu siehe oben Teil
     II/2a, Anm. 51!

3   Siehe etwa G. de Plinval, Art. **Eutrope, prêtre** 1730: "Le **De**
     similitudine carnis peccati est un long traité consacré à l'exe-
     gese de Romains 8,3...".

4   K.H. Schelkle, **Paulus, Lehrer der Väter. Die altkirchliche Aus-**
     legung von Römer 1-11. Düsseldorf 1956, 274 glaubte sogar, daß
     "in dem Traktat De similitudine carnis peccati...endlich die all-
     gemeine patristische Auslegung von Römer 8,3 gegen den Manichä-
     ismus ausführlich verteidigt" ist.

5   Siehe oben Teil III/2!

6   J.W.Ph. Borleffs, **Zwei neue Schriften Pacians?** 181

7   Vgl. Gennadius, **De viris illustribus** 50 (TU 14,1, S.79): "Eutro-
     pius presbyter scripsit...**Epistulas** in modum libellorum **consola-**
     torias...".

8   Siehe sim 1.2: "Etiamne te ausus est spiritus infirmitatis ad-
     tingere?...Non illi fidelitatis tuae merita resultarunt?"

9   Siehe oben Teil II/1a!

10   A. Michel, **La culture en Aquitaine** 115.

11   Für das südwestliche Gallien vgl. N.K. Chadwick, **Poetry and**
     Letters in Early Christian Gaul; für Spanien E. Cuevas / U.
     Domînguez-Del Val, **Patrologîa espanola;** J. Madoz, **Literatura**
     latinocristiana.

12   Zu deren Spiritualität und Lebensstil siehe J. Fontaine, **Antike**
     und christliche Werte.

13   Siehe A. Ebert, **Literatur** I 294; N.K. Chadwick, **Poetry** 13.

14   W. Erdt, **Christentum und heidnisch-antike Bildung** 2.4.

15   Siehe ebd. 4.

16   Vgl. P. Reinelt, **Studien** 70.83f.

17   O. Bardenhewer, **Geschichte der altkirchlichen Literatur** III 581.

18   A. Ebert, **Literatur** I 310f.

19   P. Reinelt, Studien 70.

20   Siehe W. Erdt, Christentum und heidnisch-antike Bildung 4; O. Bardenhewer, Geschichte der altkirchlichen Literatur III 580f; P. Reinelt, Studien 69.

21   Siehe G. Kaufmann, Rhetorenschule 44ff.

22   H. Hagendahl, Piscatorie 190.

23   E. Norden, Die antike Kunstprosa 464.

24   W. Erdt, Christentum und heidnisch-antike Bildung 301.

25   E. Norden, Die antike Kunstprosa 516.

26   Siehe ebd. 631.

27   Vgl. dazu P. Reinelt, Studien 73-84.

28   O. Bardenhewer, Geschichte der altkirchlichen Literatur III 581; P. Reinelt, Studien 70; E. Norden, Die antike Kunstprosa 637f.

29   P. Reinelt, Studien 83.

30   Vgl. dazu ebd. 84-91.

31   W. Erdt, Christentum und heidnisch-antike Bildung 288.

32   U. Moricca, Il "votum" 91f; M. de la Rocheterie, Saint Paulin 489 Anm. 2.

33   W. Schmid, Art. Paulinus von Nola 2234.

34   E. Norden, Die antike Kunstprosa 631-634.

35   Vgl. J. Fontaine, Antike und christliche Werte 309f.

36   B. Kötting, Art. Christentum I (Ausbreitung) 1151.

37   J. Madoz, Arianism 5.

38   Zur komplexen Geschichte des Arianismus im Westen siehe M. Meslin, Les ariens d'occident 335-430.

39   Siehe dazu den ausführlichen Überblick mit reichlichen Literaturangaben von B. Vollmann, Art. Priscillianus; außerdem sind gute Zusammenfassungen J. Madoz, Literatura latinocristiana 85-113; ders.; Art. Priscilliano e Priscillianismo; J. Quasten, Patrologia III 126-131.

40   J. Madoz, Arianism 5.15.

41   Ders.; Art. Priscilliano 41.

42   F. Winkelmann, Art. Priscillian.

43   A. Paredi, S. Ambrogio 284.

44   J. Madoz, Literatura latinocristiana 104.

45   So ist der Prozeß gegen Priszillian, weil stark politisch moti-
     viert, nicht ganz klar und seine Verurteilung zum Tode wird
     schon von Ambrosius (ep. 24, 12 26,3, in: PL 16, 1024.1039) und
     Martin von Tours (Sulp. Sev., Chron. II 50,5, in: CSEL 1, 103)
     als sehr ungerecht beurteilt. Dazu vgl. auch B. Vollmann, Art.
     Priscillianus 512 u. G. Bardy, Art. Priscillien 393.

46   A. Franzen, Art. Priscillianismus 770.

47   Siehe J. Madoz, Literatura latinocristiana 104; F. Winkelmann,
     Art. Priscillian.

48   B. Vollmann, Art. Priscillianus 490.520.523.

49   Nur so erklärt sich Priscillians eigene Priester- und Bischofs-
     weihe. Vgl. J. Madoz, Literatura latinocristiana 104.

50   B. Vollmann, Art. Priscillianus 523.

51   Ebd. 526.527.528.

52   Vgl. ebd. 516-520.

53   B. Vollmann, Studien zum Priscillianismus 174f.

54   H. Chadwick, Priscillian of Avila 11; B. Vollmann, Art. Pris-
     cillianus 559.

55   Siehe J. Fontaine, La letteratura latina cristiana 166ff.

56   Die theologische Situation ist zusammengefaßt im Aufsatz von
     W. Heil, Der Adoptianismus, Alkuin und Spanien 112-117, der
     zudem in diesen Häresien den Nährboden für den späteren Adop-
     tianismus sieht (ebd. 113).

57   Laut B. Vollmann, Art. Priscillianus 559 ist sim direkt ein Stück
     Priscillianreception. Er sieht nämlich in Eutropius einen der von
     Priscillian beeinflußten Autoren, die "sich zwar ganz besonders
     bemühten, die P. vorgeworfenen Irrtümer zu vermeiden", deren
     Denken, Sprache und Art mit der Schrift umzugehen, aber im
     Grunde stark von Priscillian geprägt sei. "Sie könnten daher
     aus gutem Grunde auch als p.ische Schriften bezeichnet werden".
     So zählt Vollmann zu den ersten Stücken, die er unter diese
     Kategorie rechnen möchte, u.a. auch den Traktat "De similitu-
     dine carnis peccati", den er dadurch in der (noch zu schreiben-
     den) Wirkungsgeschichte Priscillians ansiedelt. - M.E. ist diese
     These nur sehr nuanciert aufzunehmen; denn die Textanalyse von
     sim erweist Eutropius zu sehr als eigenständigen theologischen

Arbeiter (s.u.).

58   W. Heil, Der Adoptianismus 116.

59   Siehe J.M. Dalmau, La doctrina del pecat original en Sant Pacià
208; J. Gross, Entstehungsgeschichte des Erbsündedogmas 245f;
L. Tria, De similitudine carnis peccati 34. – Zu J. Gross, Entstehungsgeschichte und seiner einseitigen Darstellungsweise vgl.
die Rezensionen und kritischen Anmerkungen von M. Flick / Z.
Alszhegy, Il peccato originale 11; G.M. Lukken, Original sin in
the roman liturgy 52; A. Vanneste, L'histoire du dogme du péché
originel.

60   So betonte 1929 schon B. Capelle in seiner Rezension zum Artikel
von J.M. Dalmau, in: BThAM I (1929) n.6.

61   Siehe sim 83.84.106.119.

62   Siehe sim 29.32.82.84.113.114.119.127.129.143.

63   Texte bei A. Adam, Texte zum Manichäismus 6f.

64   Siehe J.K. Coyle, Augustine's "De moribus ecclesiae catholicae"
29 mit Belegen bei Ambrosius, Augustinus und Philastrius von
Brescia.

65   Dazu siehe B. Vollmann, Studien zum Priszillianismus.

66   J. Madoz, Arianism 14-17.

67   Ebd. 17.

68   G. Bardy, Art. Manichéisme 1857.1866.

69   Dazu vgl. E. Waldschmidt / W. Lenz, Die Stellung Jesu im Mani-
chäismus; E. Rose, Die manichäische Christologie; H.Ch. Puech,
Le manichéisme 81ff; ders., Die Religion des Mani 544; J. Ries,
Jésus-Christ dans la religion de Mani.

70   E. Rose, Die manichäische Christologie 54.

71   W. Geerlings, Der manichäische "Jesus patibilis" 125.

72   E. Rose, Die manichäische Christologie 63.

73   Ebd. 57f.

74   W. Geerlings, Der manichäische "Jesus patibilis" 125.

75   C. Mayer, Die Zeichen II 218.219.

76   Ebd. 220.

77 Vgl. A. Michel, **La culture en Aquitaine** 123: "Eutrope semble avoir appartenu au milieu aquitain. L'on admire, chez lui, la rencontre de...l'ascétisme de Jerôme et des moines du desert...".

78 Dazu siehe ebd. den ganzen Aufsatz.

79 Vgl. P. Reinelt, **Studien** 78.81.

80 Siehe W. Erdt, **Christentum und heidnisch-antike Bildung** 10.

81 So urteilte bekanntlich G. Mercati, **Morin** 116. Siehe auch oben Teil III/3!

1   Sim 18: "Nullus infirmitati ad sanctos locus...".

2   Vgl. sim 20!

3   Sim 6: "Quae dum ipsa carnaliter infirmatur, spiritaliter correxit infirmos, et in suo secura discrimine, tamen salutem timentibus adquaesivit...".

4   Sim 19: "...etiam gratiae habendae sunt infirmitati, si operatione mali fit ministra melioris...".

5   Sim 8: "...castigationemque morum pro remediis infirmitatis utuntur...et miro modo mors operata est in salutem, dum per eam
christiani fiunt, qui per vitam non erant christiani".

6   Dazu siehe E. Nowak, **Le Chrétien devant la souffrance** und L.
Beato, **Teologia della malattia in S. Ambrogio.**

7   Das ist bei Eutropius nicht so formuliert, aber sachlich doch so
gemeint. Von der Krankheit als Gut handelt ausdrücklich Johannes Chrysostomus. Dazu siehe E. Nowak, **Le Chrétien devant la
souffrance** 140-143!

8   Sim 5: "(An) propterea et vos vel quid sustineţis, ut magis
timeant peccatores, et ut vestra tribulatio nostra sit castigatio
...ad reformationem disciplinae...". - Hinter "sustinere" steckt
"patientia", also hier die Tatsache der Krankheit.

9   Siehe E. Nowak, **Le Chrétien devant la souffrance** 73-82; L. Beato, **Teologia della malattia in S. Ambrogio** 79-90.

10   Eutrops Gedanken wurden hier ziemlich frei zusammengefaßt.

11   Sim 9: " O quam...febrem minime detestandam!"

12   Die Natur und ihre Qualitäten werden weiter unten zur Sprache
gebracht.

13   Sim 9: "...bonos sustulit, et malos mutavit...illos non fraudavit, nobis hos reddidit sanctiores".

14   Sim 10: "...oportunum erat infirmitatis spiritum argumento divinae sapientiae sic punire, ut, dum piorum corpora conatur
invadere, mentem amitteret impiorum, et dum terrificat quos
terrere non valet, a suis quoque relinqueretur...". Dieser Satz
wurde hier bewußt frei paraphrasiert. - Zur philosophisch-thea-
tralischen Bedeutung von **argumentum** siehe den entsprechenden
Artikel in TLL II, 542-549!

15   Vgl. sim 10–11: "...in alienos tetendit...tantus error adfecerit iniustos...".

16   Vgl. sim 11: "...alia tua ratio in hac aegritudine...alia peccantium...". Zur hier implizierten Eschatologie vgl. L. Tria, **De similitudine carnis peccati** 33f. – Siehe auch oben Teil III/2.

17   Vgl. perf 77C–D: "...homo...pro virtutibus suis aut vitiis, et formas sumit et nomina...corporis nostri certus est status, ut omnium animantium: sed...apud Deum non de statu corporis nostri, sed de vitae meritis judicamur, apparet onnem hominem mente sua sibi ipsi statum nomenque formare. Quod utique ex illius quem describimus invisibilis hominis, aut culpa aut virtute praestatur".

18   Vgl. M. Pohlenz, **Die Stoa I** 41., – Bei Eutropius erscheint diese Unterscheidung vielleicht am eindeutigsten in **sim** 27: "Et cum hinc habeas de **institutione** iustitiam, trahis tamen de **hereditate** peccatum", wobei **institutio** als θέσις und **hereditas** als φύσις zu verstehen ist; d.h. **institutio** bedeutet das eigene **meritum**, während uns die Natur (= **hereditas**) das fremde **meritum** (= **peccatum**) übereignet.

19   Siehe St. Otto, **"Natura" und "Dispositio"** 32.

20   Siehe sim 12!

21   Vgl. sim 17: "Ibi [= in iudicio] ergo vitae nostrae merita pensanda, voluptatumque nostrarum rationes habendae...". – Zur Traditionsgeschichte der hier implizierten Eschatologie siehe L. Atzberger, **Geschichte der christlichen Eschatologie innerhalb der vornizänischen Zeit**!

22   Sim 12–13: "...ita demum conveniat, nullum futurum esse iudicium, si nullus est omnino qui iudicet. Sed esse deum omnium conditorem, omnium retributoremque gestorum, apertius est quam ut demonstretur". Vgl. dazu perf 87B: "...Cleombrotus Ambraciota in Platonis libro disputante...se altissimo praecipitavit e muro, dum et nullum post mortem autumaret esse iudicium".

23   Siehe sim 15! Vgl. außerdem sim 17: "...omnis...mercis **ex iustitia iudicantis**".

24   Siehe sim 24–25: "...in nobis **anterior** est **natura** quam meritum. Mortales gignimur, **meritum gignimus**; mortales nascimur, boni efficimur". – Dahinter steht der Streit der Stoa, ob dem Naturverständnis zufolge beim Menschen eine Entwicklung zur Natur oder Person vorläge.

25   Sim 6: "...dum naturae praeiudicium...operari cernerent etiam contra bonorum privilegia meritorum".

26   Sim 26: "...prius mortalis coepit esse quam bona et **ante** hausit maledictionis elogium **quam** suspiraret iustificata suffragium...et **gignentis debita** [= meritum] dum moritur exsolvit, et sua consequitur dum resurgit".

27   Siehe sim 14: "...natura hoc solitum..."; sim 15: "...natura hominum est...".

28   Ebd.: "...constat natura communione..."; vgl. außerdem **sim 25**: "...unius materiae una conditio est" und **perf 85B**: "...secundum consuetudinem naturamque communem...".

29   **Sim 15**: "Natura generat, ut vivamus...omnes pari sorte emittit in lucem...".

30   Siehe sim 21: "...Substantia nostri corporis fragilis et caduca: ut mortalis quippe nulli valitudini excusatur, ex quo censum in se omnium infirmitatum vel dolorum per transfusionem seminis... cunctamque mortalitatis fecem morborum capax, dum generatur, excepit" und **sim 24**: "Una ergo omnium in fragilitate substantia est, una sors...".

31   Sim 25: "Mortales gignimur...mortales nascimur...".

32   Siehe sim 20: "...cum mortem viderit esse communem...et ea utique quae operantur interitum" und **sim 24**: "...et conditione mortis omnis adstringitur gens humana...".

33   Zum stoischen Physisbegriff siehe die Zusammenfassung bei St. Otto, **"Natura" und Dispositio"** 30f.

34   Siehe dazu H. Merguet, **Handlexikon zu Cicero** 432f.

35   Siehe St. Otto, **"Natura" und "Dispositio"** 30f.

36   Siehe sim 25: "...gignimur...nascimur...".

37   **Sim 25-26**: "Illud provenit sine sensu...non mutatur ex opere...".

38   **Sim 21**: "Substantia nostri corporis...censum...omnium infirmitatum...**per transfusionem seminis**...**cunctamque** mortalitatis fecem ...dum generatur excepit"; vgl. **cir 201A**: "...a quibus **maiorum caeca haereditas** deviavit" und **sim 22-23**: "...proles...non in praesenti vicens merito, quod hausit antequam mereretur. **Prius enim generamur, et sic vivimus...".

39   **Sim 27**: "Hinc omnibus par conditio, ut una generatio..."; vgl. **perf 79B**: "...naturam tamen omnium...reputamus...".

40   **Sim 71**: "...humanum genus pro conditionis aequalitate constituit...".

41 Vgl. sim 38: "...quae **legem** mortis...oblitterare non poterit". – Ähnlich sagt Ambrosius, daß der Tod ein Gesetz sei, das für alle gelte, so wie auch die Geburt. Keiner könne sich ihr entziehen, sei er arm oder reich oder selbst ein König. Siehe Ambr., De **Exc. fr.** I,4; II,3.4 und De **Ob. Val.** 48 (CSEL 73, 211.252.253).

42 Siehe M. Pohlenz, **Die Stoa I** 409.

43 Das erinnert an die theologische Ethik des Seneca, der zufolge das höchste Gut für den Menschen darin besteht, gemäß der Natur zu leben. Es ist das Ideal des "sapiens", das Gesetz der Natur zu befolgen; denn darin besteht die Glückseligkeit, die "vita beata". Siehe Seneca, **Dial.** 8,5: "Solemus dicere summum bonum esse secundum naturam vivere".

44 Vgl. sim 6: "...**naturae** praeiudicium in reditus conditione formident..." und sim 40: "...caro naturalibus officiis respondendo ...".

45 Das meint er auch wohl, wenn er sagt: "Natura omnes pari sorte emittit in lucem" (**sim** 15).

46 Sim 24: "...quoniam in nobis **anterior natura** quam meritum".

47 Vgl. sim 12: "...ne...putent...posse...nec temeritatem...**prae-iudicare** naturae...".

48 In **her** bezeichnet Eutropius den Menschen als die Synthese zweier (Teil-)Substanzen, der Seele und des Leibes. Vgl. **her** 48D: "...homo ex duabus substantiis constat...ex corpore et anima...". Und er fügt sogleich hinzu: "...nec anima sine corpore homo dici potest, nec corpus sine anima homo est: cum tamen anima et corpus homo" (ebd.). Wenig später ergänzt er: "...duas substantias, quae hominem sui coniugatione faciebant ..." (**her** 49C). Vgl. noch **perf** 81A: "...ex duabus substantiis, unicam hominis perfectamque naturam...". Damit vertritt hier Eutropius die klassische Auffassung vom Menschen, die sich häufig auch in den Schriften des Ambrosius findet. Siehe etwa Ambr., **Expos. Lc.** II,79 (CC 14,65): "...ex duabus naturis homo, id est ex anima subsistat et corpore..." und De **Incarnationis Dominicae sacramento** 2,11 (CSEL 79,229): "...homo ex anima rationali constat et corpore". Siehe dazu J. Niederhuber, **Die Lehre des hl. Ambrosius vom Reiche Gottes auf Erden** 2; L. Beato, **Teologia della malattia in S. Ambrogio** 37f. – In **sim** betrachtet Eutropius den Menschen ganzheitlicher, so daß der Substanzbegriff mit dem Begriff der Natur identisch (geworden) ist.

49 Vgl. sim 16: "...naturalis...infirmitas...est". Die Krankheit ist also durch die Natur bedingt und gehört zu ihr.

50 Siehe sim 15: "...natura hominum est...".

51 Die Wendung "caro peccati" wurde frei gebildet.

52 So sagt Ambrosius (**De Isaac** 2,3, in: CSEL 32/1,643f), daß in Gen. 42,26 und 6,3 zu lesen stehe, daß der Mensch sowohl nach der Seele als auch nach dem Fleisch benannt werde. Es bestehe aber der Unterschied, daß, wo "Seele" für "Mensch" eingesetzt wird (Prov. 11,20), der nicht dem Fleische, sondern Gott ergebene Hebräer zu verstehen ist, wogegen aber der Terminus "Fleisch" für "Mensch" gebraucht wird (Röm 7,14), wenn er als Sünder bezeichnet wird. – Siehe auch J. Niederhuber, **Die Lehre des hl. Ambrosius vom Reiche Gottes auf Erden** 2.

53 Vgl. sim 40: "...natura carnis...delinquens...". Dieser Abschnitt gehört zwar zur Christologie, ist aber durchaus auch anthropologisch zu verstehen.

54 Auch Eutropius zitiert einmal Gen 2,3 und erklärt im Anschluß daran, daß der sündige Mensch "Fleisch" genannt werde. Siehe perf 77C: "Denique cum Dominus diluvio delere humanum genus cogitaret iratus: **Non permanebit**, inquit, **Spiritus meus in hominibus, quoniam caro sunt.** Et quia utique omnes carne vestimur, et sine dubio in carne non sumus, qui non secundum carnem ambulamus, hinc etiam gignitur, ut non semper homo isto appellationis nomine censeatur. Nam pro virtutibus suis aut vitiis, et formas sumit et nomina".

55 **Sim 27:** "...omnibus...una generatio...Et...hinc...trahis...de hereditate peccatum".

56 **Sim 21:** "...mortalis...censum...omnium...infirmitatum vel dolorum per transfusionem seminis de transgressionis traxit auctore...".

57 **Sim 38:** "Caro...per transgressionem legem ad se mortis admisit ...".

58 **Sim 22:** "Sic facta est posteritati natura, quae fuerat culpa generanti; dum vitiato semini proles corrupta respondet...".

59 Siehe sim 7!

60 **Sim 24:** "...conditione mortis omnis adstringitur gens humana, auctoris offensam crepundiis quibusdam consignatae sibi mortalitatis adsignans...".

61 Tert., **De test. an.** III.2 (CC 1,178): "...homo a primordio circumventus, ut praeceptum dei excederet, et propterea in mortem datus exinde totum genus de suo semine infectum suae etiam damnationis traducem fecit".

62 A. Gaudel, Art. **Péché originel** 364. Siehe auch J. Gross, **Entstehungsgeschichte des Erbsündedogmas** 118.

63 A. Gaudel, Art. Péché originel 366f. – Zur Idee des verdorbenen Samens siehe auch A. Michel, Art. **Traducianisme.** Vgl. noch perf 82 D: "...iam tunc in Adam semen humanae generationis... transgressionis vitiatum...".

64 Siehe Aug., **Contra sec. Juliani resp. imperf.** 6,33 (PL 45, 1587): "...Caro enim nostra peccati..."; vgl. außerdem ebd. 2,225 (PL 45, 1242) und sermo 27,2 (CC 41, 362).

65 T. van Bavel, **Recherches sur la Christologie de S. Augustin** 85f.

66 Siehe sim 40.43.88: "...natura **carnis**...quae...habeat et **peccati substantiam subiacentem**...carnem...**maledictam**...". – Diese Abschnitte bilden für die Christologie eine innere Einheit. Die eigens hervorgehobenen Worte sind m.E. parallel zu verstehen und somit identisch.

67 Vgl. sim 87f: "Subvenit ergo per eam carnem...in qua maledictionis chirographum per formam maledictionis deo in ligno pendente aboleret...Novam igitur suscepit carnem, fragilem, infirmam, postremo maledictam, atque exinde mortalem".

68 Diese Wendung wurde aus dem Text heraus gebildet. Siehe unten Anm. 79.

69 Zur Persönlichkeit des Faustus siehe A. Bruckner, **Faustus von Mileve**; P. Monceaux, **Histoire littéraire de l'Afrique chrétienne** VII 1-43 und F. Decret, **Aspects du manichéisme** 51-70.

70 Kritischer Text in: CSEL 25, 249-797.

71 Eine kurze Charakteristik dieser Schrift in C. Mayer, **Die antimanichäischen Schriften Augustins** 298-303.

72 CSEL 25, 401-415.

73 **C. Faust.** XIV, 2 (CSEL 25, 404): "Pius homo Faustus dolet Christum esse maledictum a Moyse et ob hoc odit Moysem...".

74 Ebd. XIV, 10 (CSEL 25, 411). – Siehe auch F. Decret, **Aspects du manichéisme** 297.

75 **C. Faust.** XIV, 10 (CSEL 25, 411).

76 Vgl. ebd. XIV, 2 (CSEL 25, 404): "...istos pios homines interrogo...".

77 Ebd.

78 Ebd. XIV, 3 (CSEL 25, 404f.).

79 Ebd. XIV, 4 (CSEL 25, 405f.).

80 Ebd. XIV, 7 (CSEL 25, 408): "...eum dixit maledictum...ex con-
    dicione poenae nostrae...in qua veram mortem pateretur...si
    autem confiteris mortuum, confitere suscepisse poenam peccati
    nostri sine peccato nostro".

81 Ebd. (CSEL 25, 408f.).

82 Siehe ebd. XIV, 5 (CSEL 25, 406): "Ex ingenio meo ista dixerim,
    si non apostolus totiens hoc inculcat, ut et dormientes excitet
    et calumniantes offocet, misit, inquit, deus filium suum in
    similitudinem carnis peccati, ut de peccato damnaret peccatum
    in carne. non erat ergo illa caro peccati, quia non de traduce
    mortalitatis in Mariam per masculum venerat; sed tamen quia
    de peccato est mors, illa autem caro quamvis de virgine, tamen
    mortalis fuit, eo ipso, quo mortalis erat, similitudinem habebat
    carnis peccati".

83 Näheres darüber als genus litterarium des Rahmens unten in Teil
    VII/1.

84 Siehe dazu, was oben in Teil III/2 gesagt wurde. Vgl. auch
    sim 27!

85 Sim 27 löst also sim 28 bzw. das Zitat von Röm 8,3 aus.

86 Vgl. sim 29: "Et quoniam haec...sententia...in buccam cedidit...
    illam explicemus...".

87 Siehe sim 115: "Homo noster est ergo dum metuit, ut sit noster
    homo cum patitur, nostramque in se naturam gerens..."; sim
    129: "...Cunctos licet motus dominus susceperit animorum, et in
    omnes flexus nostri sensus non alienum incurrat..."; sim 130:
    "...o hominem, et suae naturae non nescium...".

88 Sim 30-31: "Igitur...medicamentum tibi...confectum...contra
    inimicorum venena transmisi...Hinc ad opus domino volente pro-
    missae confectionis accingar"; und gleichsam um die Einlösung
    des Versprechens zu prüfen, heißt es in sim 84: "...hic promissi
    antidoti aperienda virtus; hic Manichaeroum virus...Arrianorum
    ...superandum est".

89 Siehe sim 1.4: "Etiamne te ausus est spiritus infirmitatis ad-
    tingere?...Terruerunt nos litterae vestrae, quae te per biduum
    exanimem iacuisse loquuntur..."; sim 29: "...illam contra haere-
    ticos explicemus, ne post infirmitatem tuam litteras tibi sine
    caelesti antidoto misisse videamur...".

90 Infirmitas hat ab jetzt eine andere Bedeutung: die Schwachheit
    der menschlichen Natur ganz allgemein, die in der Menschwer-
    dung angenommen wurde. Siehe sim 68.107.113.119.123.124.126.
    130.133.134.136.137.148.

91 Die Frage aus sim 13 ist bis sim 27 geklärt.

1   Sim 56: "...ut et tibi obtemperasse...nos constet...cui ista con-
     pono...".

2   Siehe sim 54: "Hic tibi forsitan sensus aliquis submusitanti cogi-
     tatione suggerit, quod..."; sim 57: "Digeramus, si placet, ipsas
     ante sententias, quas...".

3   Siehe sim 74: "Licet ex eo, si bene te novi, maiorem apud te
     mereatur offensam...haec...vere neque calida neque frigida...";
     sim 102: "Offenderim forte...sed da veniam, quaeso, conpensabi-
     mus alia...Haec interim...tua permissione percurram...".

4   Sim 106: "Postremo et superflua scibere...tibi necessarium iudica-
     vi".

5   P.v. Moos, Consolatio. Darstellungsband 38. - Darüber mehr
     unten im 7. Teil.

6   Siehe oben Teil III/3 und IV/4!

7   Siehe sim 47: "Exigit tractatus ipse...ut...videamus..."; sim 77:
     "Hactenus...sequitur iuxta promissam divisionem, ut etiam...";
     sim 85: "Sed ad coepta redeamus..."; sim 89: "Ac...cernamus;
     tum...contemplemur..."; sim 95: "...nimis celeriter ad ista
     descenderim..."; sim 103: "Restat, ut...demonstretur..."; sim
     106: "...Nos tamen...revolventes historias retexamus..."; sim
     113: "Etiam maiora proponamus..."; sim 120: "In ista quidem
     sequentia, sed adhuc ipsa loquamur..."; sim 129: "Haec de
     oratione dominica Manichaeis: verum de eadem oratione peculia-
     rius nobis ista quae sequuntur..."; sim 137.138: "Latius eva-
     gatus sum...Nunc, quod ad mensuram propositi vel promissi
     restat, addendum...".

8   Siehe oben Teil IV/1, nebst Anm. 4!

9   Siehe oben Teil V/8a!

10   So kennen wir es bei Paulinus von Nola, der sich nicht selten
     durch ein auffallendes Wort, das vielleicht einer rhetorischen
     Figur zuliebe gesetzt wurde, zu Abschweifungen verleiten ließ.
     Siehe P. Reinelt, Studien 81.

11   Siehe sim 28 und die Ausführungen oben in Teil V/8a!

12   Die Schrift "De similitudine carnis peccati" enthält 102 Bibelzita-
     te und 151 Anspielungen an Bibelstellen. Davon entfallen auf den
     Vers Römer 8,3 nur 7 Zitate bzw. 12 Anspielungen. Dazu siehe
     oben den Text in Teil I, der zu jedem Textabschnitt die Bibel-
     stellen anführt. - Was überhaupt den Römerbrief, aus dem Eutro-
     pius übrigens 13 Verse anführt, bei den spanischen Vätern an-

langt, siehe J. Campos, **La epistola "Ad Romanos" en los escritores Hispanos**, der sein Augenmerk vor allem auf die lateinischen Übersetzungen des Römerbriefes richtet.

13 Folgende Textabschnitte zitieren wörtlich den Vers Römer 8,3: sim 28.32.35.36.42.113; folgende bieten nur eine Anspielung auf ihn: sim 29.33.39.40.87.106.107.139.145.148.

14 Das zeigt sich allein schon daran, daß fast alle Stellen, die Röm 8,3 anführen, sich nur für die 1. Vershälfte, d.h. "die Gestalt des sündigen Fleisches" interessieren; nur 3 Stellen sprechen von der 2. Hälfte, d.h. vom "Fleisch, in welchem die Sünde um der Sünde willen verurteilt werden sollte" (sim 87.107).

15 Es gibt unter den zahlreichen angeführten Bibelstellen auch noch andere, die Eutropius sehr bevorzugt. Dazu zählen besonders 1 Cor 15,45.47 sowie Mt 26,38-42; Bibelstellen, die sehr ausführlich behandelt werden. Siehe sim 47-77.113-136.

16 Daß "De similitudine carnis peccati" kein Beitrag zur Exegesegeschichte von Römer 8,3 sein kann, ist m.E. auch daraus zu ersehen, daß "nicht einmal Tertullian, **De carne Christi**, deren Benutzung für Eutropius (in diesem Falle doch) am nächsten gelegen hätte – Rm 8,3 daselbst c 16 angeführt –...benutzt (ist)" (J.W.Ph. Borleffs, Zwei neue Schriften Pacians? 190).

17 Siehe oben die Ausführungen in Teil IV/3c/bb zur **manichäischen Christologie**; vgl. außerdem F. Decret, **Aspects du manichéisme** 297 Anm. 3, wo aus den drei antimanichäischen Schriften des Augustinus, **Contra Faustum; Contra Felicem** und **Contra Fortunatum** die Stellen angegeben werden, an denen die manichäische Meinung besprochen wird, Christus kenne keine Menschwerdung.

18 Daher E. Cuevas / U. Dominguez-Del Val, **Patrologîa** 449: "Desde las primeras páginas se advierte en Eutropio un intento de polemizar principalmente con los maniqueos...". – So heißt es gleich in **sim 32**, dem ersten Textabschnitt des **corpus**, nach Erwähnung des Apostelwortes: "...Hac sententia...maxime Manichaeorum furor armatur...", welchen Satz man im Deutschen m.E. am besten mit "übrigens" beginnen sollte. Siehe oben Teil I!

19 Siehe oben die Ausführungen zum **Kirchengeschichtlichen Hintergrund** und zur **Theologischen Situation** in Teil IV/3bc!

20 B. Altaner, **Patrologie**[9] 370.

21 Genau dies leugnen die Manichäer. Siehe **sim 32**: "...in destructionem carnis dominicae...Manichaeorum furor armatur..."

22 Zum (lateinischen) Begriff der **similitudo** siehe unten!

23 Zur Exegese von Römer 8,3 siehe H. Schlier, **Der Römerbrief** 239-243; U. Wilkens, **Der Brief an die Römer** 124-128!

24 Siehe sim 33.35: "Similitudinem, clamant [= Manichaei], carnis habuit salvatoris imago, non carnem...Non enim apostolus ait 'misit deus filium suum in similitudine carnis', sed 'misit filium suum deus in similitudine carnis peccati'...".

25 Dazu siehe unten die Ausführungen zum "Leben Jesu als Beweis für die Gestalt des sündigen Fleisches".

26 Zum Begriff der **veritas** (carnis) siehe unten!

27 Siehe sim 119: "...homo verus, quem non audet suscipere Manichaeus"; **sim** 127: "Quid ad haec, Manichaee? fidemne tibi non facit totiens per passionis metum deprecatio expressa, quod homo est, quod in similitudinem peccati carnis advenit?...Quod si non timuisset, non trepidasset...quis crederet illum habuisse carnem, cum per haec, quae similitudo peccati carnis sunt, hodie illum, Manichaee, carnem habuisse non credas?" Vgl. außerdem **sim** 114!

28 W. Geerlings, **Christus Exemplum** 250.

29 Ebd. Anm. 73, wo u.a. auch auf Aug., C. **Faust.** II,1; XXXIII, 1–4 (CSEL 25, 253.707–710) verwiesen wird.

30 Siehe sim 89–94. Diese Texte haben zwar keine antimanichäische Spitze – die genannten mattäischen Verse werden hier als Beweis für die **qualitas carnis** herangezogen (s.u.) –, sind aber m.E. auch in Eutrops antimanichäische Haltung einzuordnen.

31 In diesem Falle wäre wohl über die Manichäer ausführlicher die Rede.

32 Schon G. Morin, **Un traité inédit de IV**[e] **siècle**, in: ETD I, 87: "Relativement à l'Incarnation, notre théologien professe des sentiments tout à fait orthodoxes. Il s'attache surtout...à soutenir la réalité de la chair humaine dans le Christ...".

33 Siehe oben Teil IV, Anm. 62.

34 Hätte Eutropius nur die Manichäer (und sonst nichts) im Blick, kämen diese wohl nicht nur so gelegentlich zur Sprache, wie es etwa in sim 82 der Fall ist.

35 Alle literarischen Produkte tragen ja kontroverstheologischen Charakter. Siehe J. Madoz, **Arianism** 15.

36 So bestätigt schon Eutropius unsere Erkenntnis, daß echte Theologie zugleich Seelsorge ist und zur Verkündigung drängt.

37 Die wenigen antiarianischen Bemerkungen (zu den entsprechenden Texten siehe oben Teil IV, Anm. 61) brauchen nicht eigens besprochen werden. Sie geben nicht einmal ein Kolorit ab. Es gehörte im 4./5. Jhdt. einfach zum guten Ton, **auch die** Arianer zu erwähnen. Dazu siehe J. Madoz, **Arianism** und A. Michel, **La culture en Aquitaine**!

38   Zu seinem Umfang zählt natürlich auch das Adjektiv **verus**.

39   Das geschieht ausdrücklich in **sim** 32-46, ausgelöst durch Röm 8,3; einen Vers, mit dem Paulus "das Fleisch nicht seiner Wirklichkeit berauben, sondern diese gerade erweisen wollte" (**sim** 113).

40   Siehe A. Blaise, **Dictionnaire** 842! - So wird **veritas** schon von Tertullian (**Adv. Marc.** 5,8, in: CC 1,686) gebraucht, um ·die Wirklichkeit von Fleisch und Blut des Herrn gegenüber Marcion zu verteidigen.

41   Siehe **sim** 35-36!

42   T. van Bavel, **Recherches sur la Christologie de S. Augustin** 85f.

43   Tert., **De carne Christi** 16 (CC 2,903): "Non quod similitudinem carnis acceperit, quasi imaginem corporis, et non veritatem; sed similitudinem peccatricis carnis vult intellegi: quod ipsa non peccatrix caro Christi eius fuit par, cuius erat peccatum, genere, non vitio adaequanda".

44   Hil., **De Trin.** X,25 (PL 10,365): "...ut dum...in similitudine hominis constitutus et habitu repertus ut homo est, species quidem et veritas corporis hominem testetur, sed naturas vitiorum, qui ut homo sit habitu repertus, ignoret. In similitudine enim naturae, non in vitiorum proprietate generatio est".

45   Ambr., **Expl.** ps. 118,6,21 (CSEL 62,118-119): "...mittens eum non in peccato, in quo erant omnes homines, sed in similitudine carnis peccati...Peccatum erat caro secundum illud, quia hereditario erat damnata maledicto, peccatum erat inlecebra, et ministra peccati"; expl. ps. 37,5 (CSEL 64, 139-140): "Huius carnis iam reae, iam praeiudicatae similitudinem Christus in sua carne suscepit..." - Zur Deutung dieser Väterstellen siehe T. van Bavel, **Recherches sur la Christologie de S. Augustin** 92.

46   Siehe **sim** 119!

47   Siehe **sim** 52: "...quia filius hominis...Christus secundum carnem...quis audebit ei carnis auferre veritatem..."

48   Vgl. **sim** 38: "...ne similitudinem quidem peccati habere poterit sine carne...".

49   Zu diesem soteriologischen Sinn der Menschwerdung siehe **sim** 46: "...unus et solus est dominus noster, qui et carnem cum spiritu pro carnis salute coniunxit...".

50   Deshalb werden sie in diesem Paragraphen gemeinsam besprochen.

51   C. Prantl, **Geschichte der Logik** I 514ff. Vgl. dazu I.M. Bochenski, **Formale Logik** 61-64.

52   J.M. Bochenski, **Formale Logik** 61.

53   Vgl. sim 126: "...Cuius caro? nempe hominis...".

54   Siehe oben in Teil V/5 die Ausführungen zur "Theologischen Inter-
     pretation der menschlichen Natur"!

55   **Sim 76**: "Eorum ergo carnem indubitanter adsumpsit, quorum
     fluxit ex carne...".

56   **Sim 49**: "De qua [= proprietate] puto ambigendum non esse, si
     carnis ipsius repetamus auctorem. Proprietas quidem carnis ad
     patrem carnis est reducenda...".

57   Dazu siehe M. Kaser, **Das römische Privatrecht** 582-585!

58   Siehe sim 53: "...Qui si vere per ipsorum traduces transfusiones-
     que descendit, quis illum in carne genitorum substantiae neget
     heredem, quem non neget fluxisse per carnem?" und **sim 77**:
     "Hactenus de proprietate carnis, quae domino...tamquam legitimo
     heredi debebatur...".

59   Vgl. **sim 79**!

60   W. Geerlings, **Christus exemplum** 76.

61   Siehe oben Teil V/6!

62   Er läßt sich in den Themen "Christus und Adam" wie "Christus
     exemplum" entdecken (s.u.).

63   Dazu siehe unten!

64   Siehe nochmals **sim** 47!

65   Siehe dazu **sim 89**: "Ac ne sine testimoniis reloquamur, rivum
     idipsum dominici sanguinis...cernamus; tum ut ipse dominus
     natus sit, postremo quae gesserit, contemplemur, ut aliquando
     peccati carnis similitudo...eluceat...". - Klarer könnte der Text
     nicht sein.

66   Sie wird in **sim** 47-77 entfaltet.

67   Siehe **sim 57**: "Digeramus...ipsas...sententias...apostolus...in
     quibus dominum nunc Adam novissimum, nunc secundum hominem
     praedicavit...".

68   Zur Exegese dieser Korintherbriefverse siehe F. Altermath, **Du
     corps psychique au corps spirituel** 1-51; H. Conzelmann, **Der er-
     ste Brief an die Korinther** 332-351; J. Weiß, **Der erste Korinther-
     brief** 367-380.

69   Bei Paulus zielen alle seine Themata auf die eine Grundfrage nach dem "In-Christus-Sein", aus der sich (auch) die Parallelisierung von Christus und Adam in 1 Kor 15 erklärt. Vgl. dazu H. Schlier, **Über das Hauptanliegen des 1. Briefes an die Korinther** 148 sowie ders., **Der Römerbrief** 158!

70   Dies soll unten (§ 1b) durch die Interpretation von sim 59 gezeigt werden.

71   Dazu siehe J. Weiß, **Der erste Korintherbrief** 376!

72   Siehe P. Lengsfeld, **Adam und Christus** 57.59ff; vgl. auch H. Traub, Art. οὐράνιος, in: ThWNT V, 536-543! - Im Unterschied dazu wollen Eutropius und seine Zeitgenossen gerade durch die **Hinzufügung** des Attributes **caelestis** dasselbe erreichen (s.u.). Vgl. sim 57 mit sim 69!

73   Zur patristischen Exegesegeschichte der Verse 1 Kor 15,35-49 siehe die Studie von F. Altermath, **Du corps psychique au corps spirituel**!

74   Siehe Ambr., **ep.** 43,18 (PL 16, 1135B-C); De inst. virg. 72 (PL 16, 323B); Expos. Lc. 5,31 (CC 14,147); Expos. de Ps. CXVIII 15,36 (CSEL 62,349).

75   Siehe Aug., **Contra Adim.** 12 (CSEL 25,141); ep. 187,30 205,12 (CSEL 57,107.333); **Contra Faustum** 2,4 (CSEL 25,257); **De Genesi ad litt.** 6,19 (CSEL 28/1, 193); **Contra sec. Juliani resp. imperf.** 6,40 (PL 45,1599); **De moribus eccl. cath.** 1,36 (PL 32,1326); **Enarr. in Ps.** 8,10 9,4 (CC 38,53.60) 73,2 (CC 39,1006) 102,21 136,18 (CC 40, 1469.1975).

76   Siehe Hil., **Tract. myst.** 1,2,2 1,3,5 (CSEL 65,4.6)

77   **C. Faust.** II, 4 (CSEL 25, 257): "quapropter · dominus et salvator noster Jesus Christus, verus et verax dei filius, verus et verax hominis filius, quod utrumque de se ipse testatur, et de vero deo divinitatis aeternitatem et de vero homine carnis originem duxit. non novit apostolica doctrina primum hominem vestrum. audite apostolum Paulum: primus homo, inquit, de terra terrenus; secundus homo de caelo caelestis. qualis terrenus, tales et terreni; qualis caelestis, tales et caelestes. sicut portavimus imaginem terreni portemus et imaginem eius, qui de caelo est. primus itaque homo de terra terrenus ille Adam de limo formatus, secundus autem homo de caelo caelestis dominus Jesus Christus: qui dei filius venit ad carnem, qua suscepta et homo exterius fierit et deus interius permaneret, ut et dei filius verus esset, per quem facti sumus, et hominis filius verus fieret, per quem refecti sumus".

78   Siehe sim 57!

79 Danach folgt der von Eutropius zitierte Paulustext mit **caelestis**. Siehe sim 57!

80 Siehe oben Teil V/4.5!

81 So bei Augustinus! Siehe dazu W. Geerlings, **Christus Exemplum** 74f. – Schon in der einheitlichen Sicht des Irenäus von der Heilsgeschichte hat die **Adam–Christus–Parallele** (in Röm 5!) eine besondere Bedeutung, indem sie illustriert, daß zwischen dem Kommen des Erlösers und dem Grund seines Kommens eine sachgemäße Korrespondenz besteht. Vgl. etwa **Adv.Haer.** III 21,10 u.ö. Dazu siehe N. Brox, **Offenbarung, Gnosis und gnostischer Mythos bei Irenäus von Lyon** 187f. und ders., **Irenäus** 17f.

82 Siehe dazu E. Franz, **Totus Christus** 8-20. Von dieser Studie ist einige Anregung zum Aufbau dieses Paragraphen ausgegangen.

83 Zur biblischen Vorstellung der korporativen Persönlichkeit siehe J. de Fraine, **Adam und seine Nachkommen**; vgl. auch die Rez. von K.H. Bernhardt, in: ThLZ 87 (1962) 918ff!

84 Vgl. E. Franz, **Totus Christus** 6-94. Einschränkungen sind indes bezüglich der Kirchenstiftung zu machen, die Franz nicht genügend auf die Inkarnation hinordnet.

85 W. Geerlings, **Christus Exemplum** 75. Allerdings handelt es sich hier um die Adam–Christus–Parallele in Röm 5!

86 Siehe sim 50.52.64.71: "Hic...Adam, sine cuius carne...nec mulier; quam etiam **ex se** genuit...et...omnes homines **ex Adam** ...**Homo Adam** accipiendus est...unumque **Adam**...humanum genus ...constituit...". – Die eigens hervorgehobenen Worte verdeutlichen m.E., daß Adam ein Individuum ist und als solches die Menschheit verkörpert.

87 Dazu siehe C. Colpe, **Die religionsgeschichtliche Schule**!

88 E. Franz, **Totus Christus** 9.

89 Siehe ebd. 9f.

90 Siehe sim 59! – Dazu weiter unten bei der Charakteristik der beiden Stammväter (§ 2).

91 Siehe oben Teil V/1.4.

92 Augustinus mußte freilich angesichts pelagianischer Einwände über einen solchen Unterschied diskutieren, obwohl er auch für ihn hinfällig ist, da er ihn aufgehoben sieht durch die Gemeinsamkeit der "natura universa humana", an der alle teilhaben. Dazu siehe E. Franz, **Totus Christus** 10f, mit Angabe der Texte in Anm. 29.

93 Siehe sim 22!

94   Siehe E. Franz, **Totus Christus** 11f.

95   Siehe sim 22, außerdem die Ausführungen oben in Teil V/5!

96   **Sim 24.**

97   **Crepundia** bedeutet ursprünglich Kinderklapper, dann auch einen anderen Gegenstand, an dem man ausgesetzte Kinder wiedererkennen konnte. Vgl. Ch. Du Cange, **Glossarium mediae et infimae latinitatis** II 616. – Die Wendung "crepundiis...mortalitatis" (sim 24) ist durchaus wichtig für das Thema der Erbsünde, das aber von Eutropius, wie schon oben in Teil IV/3b gesagt wurde, nicht weiter entfaltet wird. – Siehe, mit Vorbehalt, J. Gross, **Entstehungsgeschichte des Erbsündedogmas** 245ff.

98   So meint es doch Eutropius in dem oben angeführten Kerntext für das Inklusivverhältnis sim 59: "...primus Adam habeatur, quisquis per vestigia eius erroris incesserit...".

99   Vgl. sim 70: "...apostolus...priori [scil. Adae] adsignat quidquid posteritas per Adae transgressionem passa sortitur"; eine illustrative Ergänzung zu sim 59.

100   Da Eutropius in diesem Teilaspekt dem augustinischen Denken recht nahe steht, dürfte so auch seine Grundoption klargeworden sein. Zum Gesamt der Thematik des "In-Adam-Sein" bei Augustinus siehe E. Franz, **Totus Christus** 8–17!

101   Siehe sim 52.57.59.62.63.64.65.66.69.70.71.72!

102   Zum Christsein als "In-Christus-Sein" bei Augustinus siehe E. Franz, **Totus Christus** 17–20.

103   Es ist die zu Beginn dieses Paragraphen angekündigte Demonstrierung des 2. Teiles von sim 59, des Kerntextes für das Inklusivverhältnis. Allerdings ist das "In-Christus-Sein" bei Eutropius nicht so explizit ausgeführt, weil die Argumentation letztlich auf Christus und die Wirklichkeit seines Fleisches tendiert (s.u.).

104   Sim 111: Quod si tantum illis donatum est, qui a Christo sunt **innovati**, quantum his qui a Christo sunt **generati**. Et si tantum parentibus, quid filiis...?". Wie das theologisch näher zu denken ist, brauchte Eutropius im Rahmen seines Gesamtthemas nicht weiter auszuführen. Daher erübrigt es sich zu vermuten, daß für ihn Adamsmenschheit und Christusmenschheit womöglich deckungsgleich seien oder er gar eine Apokatastasis lehren wollte. Siehe E. Franz, **Totus Christus** 18.

105   Siehe sim 52.71.72!

106   Siehe sim 62.63!

107   Sie schließt die gesamte Adamsmenschheit ein.

108 Siehe oben Teil V/3.4!

109 Auch bei Ambrosius läßt sich beobachten, wie die Parallelität zwischen Adam und Christus, die jeden von beiden als Stammvater eines Geschlechtes zeichnet, zugleich das ihm wesentliche Anliegen durchscheinen läßt, in diesem Falle: Christus ist größer als Adam. Dazu wie zur christlichen Traditionsgeschichte der Adam-Christus-Parallele, die bei Paulus beginnt und von nahezu allen Kirchenschriftstellern in je verschiedener Akzentuierung aufgegriffen wird, siehe den Exkurs: Christus - neuer Adam, in: A.-L. Fenger, **Aspekte der Soteriologie** 59-65!

110 Als solche stehen sie natürlich nicht allein, sondern **schließen** andere mit **ein**.

111 **Sim 58.59.69:** "...nunc...specialitas quaeritur...cur homo secundus...aut cur Adam novissimus...Ratio hic...operationis est intuenda, quam apostolus...explicavit, dum Adam veterem et dominum nostrum ad primitias rerum malarum bonarumque...reducit duas formas vitales collocans in duobus [Es schließen sich unmittelbar die Worte an, die den Kerntext für das Inklusivverhältnis ausmachen] ...Et ideo cum dicitur 'prior homo de terra terrenus, secundus e caelo caelestis', non corporis materia separatur, sed forma vitalis...".

112 Zum komplexen Begriff der Erlösung wie seiner Geschichte siehe C. Andresen, Art. **Erlösung!**

113 **Sim 71:** "unumque Adam...humanum genus pro conditionis aequalitate constituit; secundum vero, a veteribus hominibus meriti fruge discretum, in semen a se generandae iustificationis elicit; ut perspicue duo videantur, unus in mortem generis, alius in salutem, ipso apostolo Romanis quoque sic interpretante: **Sicut per unius delictum in omnes homines in condempnationem, sic et per unius iustitiam in omnes homines in iustificationem vitae?"**

114 Zur Exegese von Röm 5,12-21 siehe H. Schlier, **Der Römerbrief** 158-178; M. Theobald, **Die überströmende Gnade** 63-127; U. Wilkkens, **Der Brief an die Römer I** 305-337!

115 W. Geerlings, **Christus Exemplum** 75f.

116 **Sermo 239,9** (PL 38, 1333): "Quia nemo ad mortem nisi per Adam, nemo ad vitam nisi per Christum". - Weitere Variationen sind etwa **en. in ps.** 35, 12 (CC 38,331): "Et si vultis discernere ista dua genera hominum, duos homines primo adtendite, Adam et Christum. Audi apostolum: Sicut enim in Adam omnes moriuntur, sic et in Christo omnes vivificabuntur. Nascimur de Adam ut moriamur; resurgimus per Christum, ut semper vivamus"; **en. in ps.** 70 I,3 (CC 39,943): "Confusi estis in Adam: recedite ab Adam, accedite ad Christum, et jam non confundemini".

117 Sim 61: "Interim novissimus de primo ex eo dicitur dominus, quod usque ad ipsum mors...descendit, quod usque ad crucem Domini lapsus pristini hominis habuit potestatem, quem postremus Dominus dum per mortem expungit oblitterat. Et ideo morti novissimus, non saluti: qui solus chirographum illum adversarium nobis...ut moriendo solvit, sic resurgendo delevit".

118 Siehe sim 63: "...ille primus vivens, hic novissimus vivificans, ille sibi data vix possidens, hic possidenda condonans".

119 Vgl. sim 65: "...ob primi commemorationem novissimus visitatur, et per novissimi visitationem salvatur et primus". – Die hervorgehobenen Worte sollen die Universalität des Heils demonstrieren. Der Satz als solcher kreist um Ps 8,5, auf den Eutropius nun zu sprechen kommt. (S.u.).

120 Sim 64: "...Homo Adam accipiendus est; filius hominis dominus intellegendus est...".

121 Statt "Erster"-"Zweiter Adam" lautet die Antithese nun: "Mensch"-"Menschensohn".

122 Siehe sim 64!

123 Sim 64.65: "...filius hominis...in memoriam veteris visitatur, et in defuncti reconciliatione spiritu salvationis impletur:...Nam defunctis memoria debetur, visitatio viventibus exhibetur...".

124 Ps 8,5 hat in der lateinischen Tradition keine allzu großen Spuren hinterlassen. Von Eutrops Zeitgenossen zeigen Ambrosius und Augustinus ein gewisses Interesse für diesen Vers, wobei natürlich Ambrosius ob der antiarianischen Anlage seiner Christologie unsere Aufmerksamkeit weckt; denn im Kampf gegen den Arianismus geht es letztlich um die salus carnis. Es sei nur auf De fide 2,62.63 (CSEL 78,78) hingewiesen, wo Ps 8,5 im antiarianischen Sinne ausdrücklich eingesetzt wird. – Kurze Zusammenfassung der ambrosianischen Christologie in B. Studer, Soteriologie 155f. – Auch Eutropius geht es in der Rede von der Menschwerdung um die salus carnis, wie die Gegenüberstellung von mors und salus zeigte. Vgl. dazu noch sim 82: "...cum humilius aliqua de carne domini dicere coeperimus...id carnis ipsius probamenta desiderant et ratio nostrae salutis expostulat...". Auf den soteriologischen Sinn der Menschwerdung, d.h. die salus carnis, wurde oben in VI/I/3a/aa (veritas carnis) mit Hinweis auf sim 46 in Anm. 49 schon hingewiesen.

125 Dieses spezifische Handeln Christi ist (indirekt) durch das Attribut caelestis ausgedrückt, da es eben nur einen moralischen Sinn hat. Das heißt: es meint nicht ein Sein, sondern zeigt die Lebensart (Christi) an (s.u.). Vgl. sim 69!

126 Folglich sim 69: "...cum dicitur '...secundus e caelo caelestis', non...caro tollitur..."; siehe außerdem sim 76: "...nec filius hominis sine carne hominis erit, nec caro hominis nisi in filio

hominis esse non poterit".

127 Siehe sim 69: "...cum dicitur '...secundus e caelo caelestis'... carnis susceptor ostenditur...".

128 Vgl. sim 64!

129 Sim 75: "Adae carnem dominum nostrum intulimus habuisse..."; so beschließt Eutropius die Adamstheologie. – Wer etwas besitzt (habet), trägt es auch. Zu habere in der Bedeutung von "tragen", "als wesentlichen Bestandteil an sich haben" siehe etwa K.E. Georges, Lateinisch-Deutsches Schulwörterbuch 413!

130 Siehe oben die Vorbemerkung 3 und 4!

131 Siehe sim 52: "...Et cum secundus Adam esse dicatur, quis audebit ei carnis auferre veritatem, quem in carnales homines venisse sonat et nomen?" – Die hervorgehobenen Worte mögen das Urteil besonders verdeutlichen.

132 Ebd. abschließend nämlich ganz plausibel: "...Si enim primus Adam sine carne, sequitur ut et secundus sine carne teneatur; quod si prior cum carne, secundus quoque cum carne".

133 Es ist sinnvoll, sim 52 nun im Zusammenhang aufzunehmen.

134 Siehe oben Teil VI/3a/bb!

135 Dort sprach er vom "steuerpflichtigen Vermögen des Fleisches" (sim 52), das der Erlöser besitze, da er "zum Stand der fleischlichen Menschen" (ebd.) gehöre. Dahinter steht, so sei hier noch hinzugefügt, der rechtliche Sachverhalt, daß jeder, der zu einem Stand (ordo) gehört und dort das Bürgerrecht erworben hat, auch die pflichtmäßigen Abgaben zahlt; denn ein Bürger hat eo ipso ein steuerpflichtiges Vermögen. Näheres dazu in Th. Mommsen, Abriß des römischen Staatsrechts 3-80!

136 Immerhin sind hier solche Rechtskategorien für unser modernes, personhaftes Denken recht befremdlich. Aber der Sinn von Eutrops Rede ist klar: es geht um die Wirklichkeit des Fleisches.

137 Die Adamstheologie ist im Grunde (nur) eine Ergänzung bzw. inhaltliche Illustrierung zum Begriff der proprietas.

138 Siehe sim 53: "Nam cur in ordinem carnalium redigatur, si censu carnis alienus est? Cur illius [= Adae] nomine signatur, cuius substantia non tenetur? Aut quid conparantur [scil. primus et secundus Adam], si natura dividuntur?...".

139 Siehe sim 43: "Aliud est enim adsumpsisse formam, aliud suscepisse naturam...". – Dieser Textabschnitt wird unten in Teil VI/IV unverkürzt zu zitieren und zu besprechen sein; gleichwohl ist er hier schon von Bedeutung. Ohne innnere Annahme der Natur Adams wäre es nämlich nicht möglich, hernach von der "Ge-

stalt des sündigen Fleisches" zu sprechen.

140   Siehe sim 113.114.115.119.127!

141   Siehe oben Teil V/8a!

142   Siehe sim 129: "Haec de oratione dominica Manichaeis: verum de eadem oratione peculiarius nobis ista quae sequuntur...".

143   Siehe oben die 4. Vorbemerkung zu Beginn von Teil VI!

144   Vgl. oben Teil V/8a!

145   Siehe sim 129: "...Quam [= sarcinam] ad sufferendum blandius natura suscepti hominis temperavit, quae legem nobis in se constituens id praecepit sufferri, quod sustulit in ipsa qui praecepit".

146   Siehe sim 131!

147   Es handelt sich in der Tat um keine tiefgehende Exegese der Verse Mt 26,38f.42. Wie die entsprechenden Textabschnitte (siehe sim 114.118.121.125.126.128.130.131.132.133.134.135.136) zeigen, sind diese Verse einfach gut geeignet, das Leben Jesu als Lehre und Beispiel zu erfassen.

148   Unten in Teil VI/IV wird das **ganze** Leben Jesu (als Beweis für die Gestalt des sündigen Fleisches) zu besprechen sein.

149   Dieser Christustitel wurde in Anlehnung an sim 131 formuliert. Das dort angeführte **exemplum divinum** bezieht sich nämlich auf Christus und seine Inkarnation, welche nicht ohne Wirkung für das Leben bleibt.

150   Siehe sim 115.

151   Diese werden m.E. durch die Kelchworte illustriert, da sie den ganzen menschlichen Kampf in der Seele des Gottmenschen aufweisen; eine Folge der Annahme des **sündigen** Fleisches. Vgl. sim 116: "Mori ergo, non solum quasi homo, sed quasi et peccator pavet...Et ideo mirum fuit hunc deum credere, quem in similitudinem carnis peccati suscepti hominis natura deduceret".

152   Zur Geschichte des **exemplum**-Begriffs in der vorchristlichen Latinität und in der lateinischen, kirchlichen Tradition vor Augustin siehe E. Geerlings, **Christus-Exemplum** 146-168. Einen reich dokumentierten, geschichtlichen Überblick über die nichtchristliche Bedeutung von **exemplum** bietet außerdem A. Lumpe, Art. **Exemplum**, in: RAC 6, 1229-1257.

153   Dazu B. Studer, **Soteriologie** 94.101, mit Angabe der Texte.

154   W. Geerlings, Christus Exemplum 191.

155 **En. in Ps.** 63,18 (CC 39,821): "Nonne infirmitatem tuam portabat, quando dixit: Tristis est anima mea usque ad mortem?".

156 Eutropius staunt nämlich über die Eindeutigkeit der Kelchworte betreffs des wahren Menschseins Christi. Siehe sim 130: "...o preces mirandas...o hominem, et suae naturae non nescium...".

157 Siehe oben Teil V/4.5!

158 Sim 116: "...ut mortem non modo ipsa sua publica conditione, verum etiam peculiari conscientia...videatur horrere..."; sim 120: "...cum illum pro nobis, dum nos ubique circumfert, et sic timuisse et sic orasse non pudeat...".

159 W. Geerlings, **Christus Exemplum** 192f.; vgl. dazu B. Studer, **Soteriologie** 156–174.

160 Vgl. sim 117!

161 Vgl. sim 119!

162 Vgl. W. Geerlings, **Christus Exemplum** 191!

163 Vgl. sim 131!

164 **En. in Ps.** 93,19 (CC 39, 1319): "...ex persona infirmorum, compatiens illis, ait: Pater, si fieri potest..." und ebd. 100,6 (CC 39, 1411): "Multi adhuc infirmi contristantur futura morte: sed habeant cor rectum; vitent mortem, quantum possunt; sed si non possunt, dicant quod ipse Dominus non propter se, sed propter nos dixit. Quid enim dixit? **Pater, si fieri potest, transeat a me calix iste.** Ecce habes voluntatem humanam expressam; vide iam rectum cor; **verum, non quod ego volo, sed quod tu vis, Pater.** Si ergo rectum cor sequitur Deum, pravum cor resistit Deo".

165 Vgl. sim 129: "...ad formandos nos non solum divinitas laborat in Christo, verum etiam communis et nostra mortalitas...".

166 Dazu siehe B. Studer, **Soteriologie** 94.101ff.111f.

167 Siehe sim 131!

168 Vgl. sim 120–121!

169 Vgl. sim 132: "...eum...in patria voluntate frenavit..."; sim 134: "...Sic passione...ligamur, cum intra cancellos divinae voluntatis inclusis non est liberum sperare, quod fuit liberum supplicare".

170 Siehe sim 87! Vgl. auch oben Teil V/5 mit Anm. 65 und 66!

171 Die Thematik des **exemplum Christi** ist bei Eutropius nicht so breit angelegt wie in den Schriften Augustins. Anderseits ist **exemplum** als Begriff bedeutend genug, um auch bei Eutropius

beachtet zu werden, zumal er in der ganzen Latinität, besonders dann bei Augustin, nicht bloß ein moralisches Vorbild meint, sondern zugleich einen Beweis für etwas impliziert. Dazu B. Studer, **Soteriologie** 164ff.

172   Siehe oben die Teile V/8a und VI/I/1.3b!

173   Siehe sim 35.36.37.38.40.41.43.45.46.47.89.93.95.96.99.105.106.112. 116.122.123.127.138.139.140.143.145.147.148!

174   Siehe auch oben Teil V/7!

175   Siehe oben Teil VI/I/3a!

176   Vgl. sim 37!

177   Vgl. etwa sim 103!

178   Quint., **Institutio oratoria** 5,11,5.

179   Dazu siehe H. Lausberg, **Handbuch der literarischen Rhetorik I** 419-422.

180   Interessant ist in diesem Zusammenhang ein Passus in **cir**, in dem Eutropius anschaulich den Finger auf den Glauben zu legen versteht, indem er sagt: so wie es nur einen Vater des Glaubens geben könne, wenn es auch Glaubende gibt, so erkenne man auch die Söhne des Glaubens nicht am Zeichen der Beschneidung, sondern am **gleichen** Handeln (operis similitudine), eben dem Glauben, der sich durch ein entsprechendes Leben ausweist. (Und das ist doch etwas höchst Konkretes und ganz Reales!) Vgl. cir 202D: "Sed et fidei pater non potest esse nisi credentium: et filli non de signo circumcisionis, sed **operis similitudine** [= fide] recognoscuntur...Tunc autem filii Abrahae sunt dicendi, si ad formam parentis non facie, sed vita respondeant".

181   Vgl. sim 36!

182   Vgl. sim 43!

183   Augustin war der schillernde Begriff der similitudo von seiner Ontologie her bestens vertraut. Dazu siehe C. Mayer, **Die Zeichen I** 196ff.

184   Ebd. II, 220.

185   C. Faust. XIV, 12 (CSEL 25, 414): "Vos autem cum horretis maledictum Christum, fatemini vos horrere mortem Christi. ubi adparet vestra non anicularis maledictio, sed diabolica simulatio, qui mortem corporis Christi animae vestrae morte non creditis. quam tamen mortem Christi non veram, sed simulatam suadetis, quasi non audeatis per nomen christianum homines fallere, nisi **ipsum Christum magistrum fallaciae faciatis**". Dazu siehe C. Mayer, **Die Zeichen** II 220!

186 **C. Faust.** XVI, 15 (CSEL 25, 455f.): "nec illud nego de Christo
esse praedictum, quod tu tamquam facile refellendum elegisti,
ubi deus loquitur ad Moysen dicens: 'sucitabo illis prophetam
de fratribus ipsorum similem tibi'...quasi vero cum simile aliquid dicitur, ex omni parte atque ex omni modo simile intelle-
gatur, quia non ea tantum, quae unius eiusdemque naturae
sunt, dicuntur inter se esse similia, sicut gemini homines vel...
verum etiam naturae **disparis** sunt et dicuntur multa similia".
– Dazu siehe C. Mayer, **Die Zeichen** II 224!

187 Siehe oben Teil VI/III!

188 Um das Sündenfleisch, d.h. die Wirklichkeit des Fleisches kreist
ja schließlich Eutrops Traktat.

189 Siehe oben Teil IV/3c/bb!

190 C. Mayer, **Die Zeichen** II 220.

191 Ebd. 219. – Siehe auch Aug., **C. Faust.** XXXIX,1 (CSEL 25, 744)!

192 Vgl. auch oben in Teil VI/I/3a/bb die Ausführungen über **qualitas carnis!**

193 Zur frühchristlichen Engellehre siehe J. Michl, Art. **Engel**, in:
RAC 5, 109–200, bes. 124f.

194 **Sim** 42: "...Nam etsi angeli saepe in hominum specie sese videntibus temperant...non tamen in similitudinem carnis peccati".

195 Diese Formulierung steht so nicht im Text, ist aber sachlich
wohl so gemeint. Schon durch die Ausführungen in Teil VI/III
ist dies klar. – Interessant ist es nebenbei zu sehen, wie in
der Theophanie-Exegese des 4. Jahrhunderts, welche zugleich
eine anti-arianische Kontroverse war, bei Ambrosius die Unterscheidung zwischen **Natur** und **Form** oder **Gestalt** grundlegend ist.
Dabei ist es nicht leicht, ihren Sinn genau zu umreißen, da
philosophische Begriffe hellenistischer Herkunft und biblische
Themen vermengt werden. Auf jeden Fall geht es dem Bischof von
Mailand darum, zwischen der körperlichen Erscheinungsgestalt
und der körperlichen **Natur** zu unterscheiden. Für die Ebene der
Christologie bedeutet das laut Ambrosius, daß der Sohn Gottes
sich **secundum naturam corporis** gezeigt hat, was dann sachlich
der Formel des Hilarius et **visum et natum** entspricht. Dieser,
wenn auch nur kurze Hinweis auf einen ganz anderen Traditions-
zusammenhang mag genügen, um für den Text des Eutropius lediglich einen hilfreichen Verstehenshorizont anzugeben. Der Text
sim selber bietet keinen Anhalt, der es erlauben würde, ihn mit
der Theophanie-Exegese der lateinischen Autoren des 4. Jahrhunderts in Verbindung zu bringen. Dazu siehe die Studie von B.
Studer, **Zur Theophanie-Exegese Augustins**, bes. 46–53, wo das
gerade Besprochene (Texte und Lit.) ausgeführt ist.

196 Greg. Elv., **Fid. orth.** 78 (CC 69,242): "Nam si angeli in figura hominum saepe sunt visi et tamen alius non sunt, quam quod se esse norunt neque substantiam mutant, cum formam humani corporis sumunt...".

197 Im Zuge der genannten Theophanie-Exegese, in der es um das Problem der Sichtbarkeit und Veränderlichkeit Gottes ging, kommen die Väter auch auf die Rolle der Engel zu sprechen und stellen klar, daß es sich bei deren Erscheinungen gleichwohl um die **freigewählte Erscheinungsgestalt** handelt, – allerdings ohne substantielle Veränderung. Die Engel verwandeln sich vielmehr in eine andere Form. Christus dagegen, so wird jeglicher Form des Doketismus gegenüber betont, ist (durch die Bekleidung mit dem Menschen oder mit der Annahme des Fleisches) wirklich Fleisch und Mensch geworden. Dabei ist zu beachten, daß gerade, wenn die Väter die Erscheinungen (Gottes oder der Engel) erklärten, nichtchristliche (gnostische) Einflüsse stark waren, was nicht zuletzt auch auf die hellenistische Terminologie zurückgeht. Zu diesem komplexen Zusammenhang siehe B. Studer, **Zur Theophanie-Exegese Augustins** 86–90 (Texte); vgl. auch J.L. Maier, **Les missions divines** 101–121!

198 Siehe nun im Zusammenhang **sim 43**: "Aliud est enim adsumpsisse formam, aliud suscepisse naturam: ac perinde non habuerunt corpus humanum, quam peccati similitudine caruerunt. Eius est autem habere peccati similitudinem, qui habeat et peccati substantiam subiacentem". – Dazu vgl. auch **sim 37.44**!

199 Vgl. **sim 41–42**!

200 Siehe **sim 40**: "...[scil. caro Domini] et naturalibus officiis respondendo..."!

201 Dies liegt in seiner inkarnationsfeindlichen Christologie begründet. Dazu siehe oben Teil IV/3c/bb!

202 Aug., **C. Faust.** III, 1 (CSEL 25, 261): "...Accipis ergo generationem? equidem conatus diu sum hoc ipsum, quaelecumque est, persuadere mihi, quia sit natus deus, sed offensus duorum maxime evangelistarum dissensione, qui genealogiam eius scribunt, Lucae et Matthaei, haesi incertus, quemnam potissimum sequerer. fieri enim posse putabam, ut, quia praescius non sum, quem mentiri existimarem, ipse diceret verum, et quem vera loqui, ipse forsitan mentiretur". Vgl. außerdem ebd. XXIII,3 (CSEL 25, 708f.). – Dazu siehe C. Mayer, **Die Zeichen II** 218.

203 **C. Faust.** XXIX, 1 (CSEL 25, 743f.): "vos nativitatis aut nullum praestatis aut falsam; denique nos specie tenus passum confitemur nec vere mortuum; vos pro certo puerperium fuisse creditis et utero muliebri portatum, aut si non ita est, fatemini et vos, quia hoc etiam imaginarie sit factum, ut videretur natus, et omnis nobis erit profligata contentio". – Dazu siehe C. Mayer, **Die Zeichen II** 219; F. Decret, **Aspects du manichéisme** 276!

204 Aug., **Div. quaest.** LXVI,6 (CC 44A, 157): "...Deus filium suum
misit in **similitudinem carnis peccati.** Non enim caro peccati
erat...sed tamen inerat ei similitudo carnis peccati, quia mortalis caro erat: mortem autem non meruit Adam nisi peccando";
Expos. ad Rm. 40 (48) (CSEL 84, 21f.): "Ideo liberator noster
dominus Jesus Christus suscipiendo mortalem carnem, venit in
similitudine carnis peccati. Carni enim peccati debita mors est.
At vero illa mors domini, dignationis fuit, non debiti...". –
Dazu siehe C. Mayer, **Die Zeichen II** 223!

205 Vgl. **sim** 89: "...quae [scil. similitudo carnis peccati] ut ante
transgressionem esse non potuit, ita post transgressionem in eo
esse debuit per naturam carnis, qui in ipsa carne peccata
nesciit, et cum propria illi esset innocentia, tamen ei similitudo peccati esset adsumpta".

206 So spricht Quintilian, **inst.** 4,22,1 von der "sors nascendi et
educatio" (A. Hey, Art. **educatio,** in: TLL V/2, 112) und Cicero,
Cato, Varro gebrauchen im übertragenen Sinn **actus** und sprechen
"de **vitae,** disputationis, sim. **partibus**" (A. Klotz, Art. **actus,**
in: TLL I,451).

207 Siehe auch oben Teil VI/II/3 mit Anm. 135!

208 Dazu vgl. noch **sim** 48: "**Cuius** [scil. carnem] ergo habuit, et
quam habuit, est quaerendum, ut anne et **origini** responderit,
et speciem eius reddiderit, contemplemur". – Die hervorgehobenen
Worte verdeutlichen den thematischen Zusammenhang von **proprietas, qualitas** und **origo.**

209 Siehe oben Teil VI/II/1a.2 mit Anm. 84 und 112!

210 Rahab, die Mutter des Boas (vgl. Mt 1,5), ist der vierte Frauen-
name im mattäischen Stammbaum Jesu. Eutropius hat ihn allerdings nicht zitiert. Vgl. **sim 90!** – Zu einem (exegetischen) Verständnis von Mt 1,3.5.6 siehe K.H. Schelkle, **Die Frauen im
Stammbaum Jesu;** vgl. dazu auch O. Knoch, Die **Botschaft des
Matthäusevangeliums,** bes. 46.

211 K.H. Schelkle, **Die Frauen im Stammbaum Jesu** 114.

212 Im Gegenteil! Siehe **sim** 91: "Ducit enim [scil. evangelista] stemmata sacosancta per alienigenas, per adulteras, nec tantae permistioni cavet...**sed** filium per **vera** ducit **securus** et mystica".
– Die hervorgehobenen Worte belegen, daß Auswahl und Nennung
der Frauen im Stammbaum des Mattäusevangeliums mit Absicht geschieht.

213 Ambr., **Expos. Lc.** III,35-36 (CC 14,95): "videmus igitur mulierum commemorationi historiam mores mysterium convenire.
neque tamen abnuo...peccatores quoque inter maiores dominici
generis conputatos, quorum commemorationem sanctus Lucas declinare desiderans alium quendam ordinem tenuit...ut immaculatam
sacerdotalis generis seriem declararet, sed ut illi consilii sui

ratio subsistit ita etiam sancti Matthaei consilium a rationis iustitia non abhorret. nam cum evangelizaret dominum secundum carnem esse generatum, qui omnium peccata susciperet, subiectum iniuriis, subditum passioni, ne huius quidem putavit exsortem adserendum esse pietatis, ut maculatae quoque originis non recusaret iniuriam, simul ne puderet ecclesiam de peccatoribus congregari, cum dominus de peccatoribus nasceretur. postremo ut beneficium redemtionis etiam a suis maioribus inchoaret, ne quis putaret originis maculam inpedimento posse esse virtuti...".

214 Hier., Comm. in Math. I,1,3 (CC 77,8): "Notandum in genealogia Salvatoris nullam sanctarum adsumi mulierum, sed eas quas scriptura reprehendit, ut qui propter peccatores venerat, de peccatricibus nascens omnium peccata deleret". – Die (oben gegebene) Übersetzung dazu wurde aus K.H. Schelkle, **Die Frauen im Stammbaum Jesu** 115 übernommen.

215 Siehe sim 92: "...enim...electior patriarcharum illa rubrica... vitiorum maculis..."!

216 Siehe sim 93: "...nos suscipiebat et nostra..."!

217 Ebd.: "...iuncta in dominum vitiorum nostrorum sentina per transfusionem sanguinis, non ipsum pollutura, sed per ipsum purganda defluxit: purganda autem per mortem, quae in domino fuit similitudo peccati, qui cum peccatum non fecisset, mortuus est".

218 Siehe sim 103: "...similitudo carnis peccati, quae in domino per originem...deducta est...".

219 Sim 95: "...nobis ut natus fuerit sit dicendum quando a quibus natus sit iam fuerit ostensum...".

220 **Educatio** scheint sowohl "Geburt" wie auch "erste Kindheit" zu bedeuten. Vgl. sim 95.103!

221 Ebd.: "...etiam et ipsa nativitate peccati carnis similitudo monstretur...".

222 Vgl. sim 96.101!

223 Die Magier sind freilich nicht mehr Teil der Geburt Jesu, sondern bereits eine Begebenheit seiner ersten Kindheit. Siehe oben Anm. 219!

224 Sim 96: "...despectus opifex tamen pater putatur. Adeo perstruitur similitudo carnis peccati, ut iam futurae disputationi materia praeparetur per quam dominum necesse erat audire: **Nonne hic est fabri filius?**"!

225 Es mag genügen auf sim 143 zu verweisen.

226 Hier., Comm. in Math. II,13,55 (CC 77,15): "Error Judaeorum salus nostra est et hereticorum condemnatio. In tantum enim cernebant hominem Jesum Christum ut fabri putarent filium...".

227 Sim 96: "...O mysterium! de fabro creditur generatus, qui de rege promissus est".

228 Diese Interpretation läßt sich aus sim 95-96: "...peccati carnis similitudo...tunc apparebit, si despecta [scil. nativitas]...fuerit inventa...quando per antiquitatem fide sanguinis obscurata remanet in sola persona sancti Joseph fastidiosa despectio..." herauslesen, wobei die hervorgehobenen Aussagen einander interpretieren und so das oben Gemeinte verdeutlichen. Es ist letztlich die Schicksalsgemeinschaft zwischen Menschensohn und Menschen, die in diesem Text erneut durchbricht und ihre Begründung in der natura communis humana hat. – Dazu vgl. auch nochmals jenen interessanten Ambrosius-Text, der oben in Teil V, Anm. 41 zitiert wurde, um – von der gemeinsamen Natur her! – die Gleichheit aller zu illustrieren!

229 Das ist (nur) die Formulierung des Ergebnisses der Interpretation von sim 95-96 in diesem Paragraphen.

230 Sim 97: "Jam quid de incunabulis loquar?...non...in aula regali ...sed in praesepe ponitur...quid autem est, quod ipse non angelos...ad attestandam subolem David, sed pastores maluit commonere?

231 Im 4. Jahrhundert entwickelte sich durch die arianische Kontroverse ein spürbarer Christozentrismus, der u.a. auch dem politisch orientierten Christusbild der Reichskirche eignete und sich stark auf Liturgie und Frömmigkeit ausprägte. Dazu siehe B. Studer, Soteriologie 145ff.; vgl. auch 121-125!

232 Eutropius verdeutlichte oben die Menschwerdung pro nobis, indem er von Christus magister vitae sprach. Siehe oben Teil VI/III/2!

233 Zum "Christus omnia" bei Ambrosius von Mailand siehe die Zusammenfassung bei B. Studer, Soteriologie 155f.!

234 Die Gedanken des Ambrosius sind hier etwas freier als im nächsten Abschnitt wiedergegeben, weil wir glauben, daß so die Sinnspitze, um die es uns im Hinblick auf Eutropius geht, sogar besser hervortritt. Der Text wird in der nächsten Anmerkung im Zusammenhang zitiert (s.u.).

235 Ambr., Expos. Lc. II, 40-41 (CC 14,49): "...consequens est ut nunc quoque sanctus Lucas evangelista nos doceat et vias domini secundum carnem crescentis ostendat. nec quemquam movere debet quod altiore consilio Johannis infantiam diximus praetermissam. Christi vero infantiam adserimus esse descriptam; non enim omnium est dicere: factus sum infirmibus infirmus, ut infirmos lucrifaciam; omnibus omnia factus sum, neque de quoquam ita alio dici potest quia vulneratus est propter iniquitatem nostram

et infirmatus propter peccata nostra. ille igitur parvulus, ille infantulus fuit, ut tu vir possis esse perfectus: ille involutus in pannis ut tu mortis laqueis absolutus: ille in praesepibus, ut tu in altaribus...qui cum dives inquit esset, propter vos pauper factus est, ut illius inopia vos ditaremini...non prodesset nasci, nisi redimi profuisset". - Dieser ambrosianische Verstehenshorizont dürfte die Bedeutung der Windeln im Eutropiustext genügend erhellt haben. Sie entspricht auch seinem Grundthema.

236   Sim 97: "...in praesepe ponitur, in quo utique per figuram iacebat nostra cibatio, iuxta illud: **Caro mea vera est esca**". - Durch die **figura** weist Eutropius selber darauf hin, daß mit der Krippe eine (geistige) Bedeutung verbunden ist.

237   Eutropius benennt die Hirten zwar nicht ausdrücklich als Priester, aber diese Ausdeutung dürfte in der Konsequenz der Interpretation der Krippe als Altar liegen. Sie entspricht auch der Aussageabsicht des Textes. Siehe unten Ambrosius!

238   Diese Beschreibung einer **priesterlichen Funktion** der Hirten entspricht doch ihrer **Benennung** als Priester. Auch diese Deutung wird man Eutropius unterstellen dürfen. Siehe unten Ambrosius!

239   Ambr., Expos. Lc. II, 50,53 (CC 14, 53.54): "videte ecclesiae surgentis exordium: Christus nascitur et pastores vigilare coeperunt qui gentium greges pecudum modo ante viventes in aulam domini congregarent, ne quos spiritalium bestiarum per offusas noctium tenebras paterentur incursus. et bene pastores vigilant, quos bonus pastor informat. grex igitur populus, nox saeculum, pastores sunt sacerdotes...simplicitas enim quaeritur, non ambitio desideratur. nec contemnenda putes quasi vilia verba pastorum, a pastoribus etiam Maria fidem colligit, a pastoribus populus ad dei reverentiam congregatur...".

240   Vgl. sim 95: "...peccati carnis similitudo...tunc apparebit, si ...**humilis** [scil. **nativitas**]...fuerit inventa".

241   Sim 98: "Ne historia praedestinato vacuaretur effectu, magi etiam, qui...incunabula regis parvuli ab Herode rege...perquirunt; quo non in palatio...invento...Bethleem ire praecepti sunt ...Quo adorato, Herodem iterum non viderunt".

242   Diese Themen werden später bei Augustinus beherrschend sein. Siehe B. Studer, **Soteriologie** 155!

243   Ambr., Expos. Lc. II, 46f. (CC 14, 51): "Accipe aliud documentum. alia venerunt via magi, alia redeunt; qui enim Christum viderant, Christum intellexerant meliores utique quam venerant revertuntur...**via Christus** est, qua reditur ad **patriam**...ut patriae caelestis...consequamur habitaculum...praemia ista proposita sunt...omnibus, quoniam omnia et in omnibus Christus...".

244 Vgl. sim 95: "...peccati carnis similitudo...tunc apparebit...si **nihil** in se ad tempus **gloriae habens** [scil. nativitas] fuerit inventa".

245 Furcht und Angst als Ausweis der Gestalt des sündigen Fleisches kommt in den Kelchworten zum Ausdruck, die oben in VI/III behandelt wurden. So können wir uns hier auf die Tat zu Beginn und am Ende des Lebens Jesu beschränken: die Heiligungsriten und die Passion.

246 Vgl. sim 105!

247 Ambr., **Expos. Lc.** II, 55 (CC 14, 54): "Circumciditur itaque puer. quis ille puer nisi ille de quo dictum est: puer natus est nobis, filius datus est nobis? factus est enim sub lege, ut eos, qui sub lege essent, lucrificaret".

248 Ebd. II, 81 (CC 14, 67): "baptizatus ergo est dominus non mundari volens, sed mundare aquas, ut ablutae per carnem Christi, quae peccatum non cognovit, baptismatis ius haberent. et ideo qui ad Christi lavacrum venerit peccata deponit".

249 Auch Eutropius weiß, daß sich die wahre Gottheit in der **(uns)** heiligenden Kraft erweist; denn der Herr "ist Mensch...weil er auch Gott ist" **(sim 144)**. So geschehen die Heiligungsriten unseretwegen! Das bedeutet rückwirkend ‧für die Ahnen, daß "im Herrn...die Unzucht Judas beschnitten...in gleicher Weise...die Taufe die eheliche Verbindung mit den Moabitern rein erklärt und...der Ehebruch des gesalbten Königs...durch das Salböl des hl. Geistes getilgt (wird)...". – Das ist ein kleiner anti-arianischer Exkurs, der im Hinblick auf das Grundthema nicht weiter zu verfolgen ist.

250 Vgl. sim 103!

251 Ambr., **Expos. Lc.** X, 107–108 (CC 14, 376): "non...suam sed nostram crucem Christus ascendit, nec mors illa divinitatis, sed quasi hominis fuit. unde et ipse ait: deus, deus meus, respice me! quare me dereliquisti? pulchre ascensurus crucem regalia vestimenta deposuit, ut scias quasi hominem passum esse, non quasi deum regem, etsi utrumque Christus, quasi hominem tamen, non quasi deum cruci esse suffixum".

252 Vgl. sim 113!

253 Vgl. sim 138!

254 Nach diesen Worten weist die Handschrift eine **lacuna** auf, so daß sich wieder der Rahmen (sim 149–151) anschließt.

255 Zum Exemplum-Begriff siehe oben Teil VI/III!

256   Augustinus, **C. Jul.** V, 15,55 (PL 44, 814–815): "Assumens tamen
ex illa etiam mortalitatis infirmitatem, qualis non erat ante
peccatum in carne hominis primi, ut esset ista quod tunc illa
non fuit, similitudo carnis peccati. Ut ergo nobis patiendi prae-
beret exemplum, non habuit illi mala sua, sed pertulit aliena;
in doloribus pro nobis, non in cupiditatibus fuit". – Vgl. dazu
T. von Bavel, **Recherches** 89.

257   Nicht umsonst kommt Eutropius im sich nun wieder anschließen-
den Rahmen auf Cerasias beeindruckenden Dienst zu sprechen.
Siehe auch oben Teil III/2!

1 Siehe oben die Teile IV/2 und V!

2 Siehe oben die Teile IV/2, V und VI!

3 Vgl. oben die Teile V und VI!

4 Dazu siehe etwa H.-Th. Johann, **Trauer und Trost**; R. Kassel, **Untersuchungen zur griechischen und römischen Konsolations-Literatur**!

5 Dazu siehe Ch. Favez, **La consolation latine chrétienne**, die noch bis heute einzige - obwohl sehr veraltete und mit ausdrücklich "apologetischer" Haltung geschriebene (dazu siehe P. v. Moos, **Consolatio. Darstellungsband** 22f.) - Gesamtdarstellung der christlich lateinischen Trostschriften, - auch wenn das Kapitel über Augustinus fehlt. Dieses will die Studie von M.M. Beyenka, **Consolation in Saint Augustin** nachtragen. Allerdings wuchs diese Arbeit "ins Uferlose (aus, so daß sie zu) eine(r) Sammlung von Präliminarien" wurde (P. v. Moos, **Consolatio. Darstellungsband** 25). Vgl. dazu die Rezension von G. Bardy, in: RHE 46 (1951) 221f.; P. Courcelle, in: REL 28 (1950) 399f.; Ch. Favez, in: Latomus 9 (1950) 473f. und H.I. Marrou, in: AnCl 20 (1951) 200f.! - Betr. der gattungseigenen Topoi im spätantiken (Trost-) Brief siehe außerdem K. Thraede, **Grundzüge griechisch-römischer Brieftopik**, bes. 120-125.162-179!

6 Ch. Favez, **La consolation latine chrétienne** 12.

7 Siehe oben Teil V/7!

8 Vgl. oben Teil V/4-6!

9 Vgl. oben Teil V/2.3.7!

10 Vgl. oben Teil V/8b!

11 Siehe ebd.

12 Siehe oben Teil VI!

13 Das illustriert besonders gut Teil III, indem Eutropius **auch** das Innenleben Jesu voll ernst nimmt. Dadurch führt er den Glauben von Nizäa entscheidend weiter. Dazu vgl. B. Studer, **Soteriologie** 120f.!

14 Siehe besonders oben Teil VI/IV/2!

15 Siehe oben Teil VI/III.IV/2!

16   Das erweist das ganze **corpus**, so daß Eutrops theologische Arbeit in der ersten Hälfte des 5. Jahrhunderts u.a. als Vorgeschichte von Chalkedon betrachtet werden kann. Vgl. auch B. Studer, **Soteriologie** 175–181!

17   Siehe oben Teil VI, Anm. 229!

18   Siehe oben Teil VI/II–IV passim!

19   Siehe oben Teil VI/IV/2a passim!

20   Siehe oben Teil VI/II! – Vgl. auch L. Tria, **De similitudine carnis peccati** 142!

21   Siehe oben Teil IV/2 mit Anm. 6!

22   Siehe oben Teil VI!

23   Siehe oben Teil IV/2 und V; vgl. außerdem Teil III/3!

24   Siehe oben Teil V/8b!

25   Siehe oben Teil VI/Vorb. 4!

26   Vgl. P. v. Moos, **Consolatio. Darstellungsband** 41!

27   Ebd.: "...Trost-Traktate sind vor der Scholastik und namentlich dem **Liber consolatorius** des Vinzens von Beauvais für König Ludwig IX. von Frankreich nicht bekannt...".

28   Dasselbe gilt fürs Mittelalter. Dazu siehe P. v. Moos, **Consolatio. Darstellungsband** 38f!

29   Siehe etwa die pseudohieronymianische **epistula 5: ad amicum aegrotum** (PL 30, 61A–75B). Dazu siehe den Artikel von H. Savon, **Une consolation imitée de Sénèque et de Saint Cyprien**!

30   Dazu siehe P. Winter, **Nekrologe des Hieronymus.** Zittau 1907.

31   Dazu siehe X. Hürth, **De Gregorii Nazianzeni orationibus funebribus.**

32   Dazu siehe A. Spira, **Rhetorik und Theologie in den Grabreden Gregors von Nyssa**!

33   Dazu siehe F. Rozynski, **Die Leichenreden des hl. Ambrosius**!

34   Ebd. 12.

35   Ch. Favez, **La consolation latine chrétienne** 79!

36   So hat etwa die Arbeit von J. Bauer: **Die Trostreden des Gregorius von Nyssa** formal als Trostreden nach den Präzepten des Redners Menander identifiziert. Vgl. dazu J. Soffel, **Die Regeln**

Menanders für die Leichenrede! – Siehe auch A. Spira, **Rhetorik und Theologie in den Grabreden Gregors von Nyssa** 107, der hier darauf hinweist, wie die "für die Erforschung der christlichen Beredsamkeit richtungweisende Arbeit (von J. Bauer)...in förderlicher Weise auch...auf die Erforschung anderer Autoren (ausgestrahlt) und zum formalen Verständnis etwa der Grabreden Gregors von Nazianz und des Ambrosius, ja des Aristides beigetragen" (ebd.) hat. – Zu Gregor von Nazianz und Ambrosius siehe oben die Anm. 30 und 32! Vgl. auch Ch. Favez, **La consolation latine chrétienne** 39–46!

37 So Hier., **ep.** 108, 23–25 (CSEL 55, 339–344). Näheres dazu in Ch. Favez, **La consolation latine chrétienne** 80.

38 So Ambr., **De obitu Theodosii** 41–53 (CSEL 73, 393–399). Näheres dazu in Ch. Favez, **La consolation latine chrétienne** 81.

39 Kritischer Text in CSEL 30, 307–329.

40 Dies ist demonstriert bei Ch. Favez, **La consolation latine chrétienne** 81.

41 Aufgrund dieses gleichsam doppelten **genus litterarium** in "De similitudine carnis peccati" kommen m.E. Vergleiche mit anderen **epistulae ad aegrotas** nur sehr bedingt in Frage, vor allem weil die Krankheit von Eutropius nicht theologisch beantwortet wird.

42 Wie sollte sich sonst erklären, daß Eutropius am Schluß seines Traktates wieder auf Cerasia und ihren (erbaulichen) Dienst zu sprechen kommt (Rahmen). Siehe **sim** 149–151 und dazu oben Teil VI/Schlußbemerkung!

43 Siehe oben Teil IV/3a.4.

LITERATURVERZEICHNIS

I. QUELLEN

1. Eutropius

Epistula de contemnenda hereditate, in: PL 30,45-50   = her

Epistula de vera circumcisione, in: PL 30,188-210   = cir

Epistula de perfecto homine (De viro perfecto), in:
PL 30,75-104 = PL 57,933-958   = perf

De similitudine carnis peccati, in: ETD I, 107-150
= PLS I,529-556   = sim

2. Sonstige Quellen

AGOBARD, Liber adversum dogma Felicis Urgellensis, in: PL 104,29-70.

ALCUIN, Contra epistolam sibi ab Elipando directam Libri Quatuor, in: PL 101,231-300.

AMBROSIUS, De excessu fratris Satyri, in: CSEL 73, 207-325.

– De fide ad Gratianum Augustum, in: CSEL 78.

– De incarnationis dominicae sacramento, in: CSEL 79, 223-281.

– De institutione virginis, in: PL 16,305-334.

– De Isaac vel anima, in: CSEL 32/1, 639-700.

– De obitu Theodosii, in: CSEL 73, 369-401.

– De obitu Valentiniani, in: 73, 327-367.

– De virginibus, ed. I. Cazzaniga, Turin 1948.

– De Virginitate, ed. I. Cazzaniga, Turin 1954.

– Epistulae, in PL 16,876-1286.

– Exhortatio virginitatis, in: PL 16,335-364.

– Explanatio super Psalmos XII, in: CSEL 64.

– Expositio de Psalmo CXVIII, in: CSEL 62.

– Expositio Evangelii secundum Lucam, in: CC 14,1-400.

AUGUSTINUS, Contra Adimantum, in: CSEL 25, 113-190.

–   Contra Faustum Manicheum, in: CSEL 25, 249-797.

–   Contra Julianum libri I–VI, in: PL 44,641-874.

–   Contra secundam Juliani responsionem imperfectum opus libri I–VI, in: PL 45,1049-1608.

–   De diversis quaestionibus LXXXIII liber, in: CC 44A,1-249.

–   De Genesi ad litteram libri 12, in: CSEL 28/1-435.

–   De moribus ecclesiae catholicae et de moribus Manichaeorum, in: PL 32,1309-1378.

–   De perfectione iustitiae hominis, in: CSEL 42, 1-48.

–   Enarrationes in Psalmos, in: CC 38-40.

–   Epistulae 185-270, in: CSEL 57.

–   Expositio quarundam propositionum ex epistola ad Romanos, in: CSEL 84, 1-52.

–   Quaestionum Evangeliorum libri 2, in: PL 35,134-1364.

–   Sermones, 1-50, in: CC 41.

BEATUS, Ad Elipandum epistola, in: PL 96,893-1030.

ELIPANDUS, Epistola IV, ad Albinum, in: PL 96,870-882.

Epistola episcoporum Hispaniae ad episcopos Franciae a. 792-793, in: MGH Conc. II, 111-119.

Epistola episcoporum Franciae, in: MGH Conc. II,142-157.

GENNADIUS, De viris illustribus, ed. E.C. Richardson, in: TU 14,1.

GREGOR VON ELVIRA, De fide orthodoxa, in: CC 69, 221-247.

HIERONYMUS, Commentariorum in Matheum libri 4, in: CC 77.

–   Epistuale, in: CSEL 54-56.

PSEUDO-HIERONYMUS, Epistula 5: ad amicum aegrotum, in: PL 30,61A-75B.

HILARIUS, De trinitate seu de fide libri 12, in: PL 10,25-472.

–   Tractatus mysteriorum, in: CSEL 65,1-38.

IRENAEUS, Adversus haereses, in: PG 7.

OROSIUS, Commonitorium de errore Priscillianistarum et Origenistarum, in: CSEL 18, 149-157.

PACIANUS, opera, ed. L. Rubio Fernàndez, Barcelona 1958.

PAULINUS VON NOLA, Carmina, in: CSEL 30, 1-343.

SEVERUS EPISCOPUS MINORICENSIS, Epistula ad omnem ecclesiam de virtutibus in Minoricensi insula factis per reliquias Sancti Stephani, in: PL 41,821-832.

SULPICIUS SEVERUS, Chronicorum libri 2, in: CSEL 1, 1-105.

TERTULLIAN, Adversus Marcionem, in: CC 1, 437-726.

–   De testimonio animae, in: CC 1, 137-183.

–   De carne Christi, in: CC 2, 871-917.

NB. Das Quellenmaterial aus Cicero, Seneca, Tacitus, Quintilian, Vergil und den übrigen zitierten lateinischen Profanschriftstellern wurde dem Archiv des TLL entnommen.

II. HILFSMITTEL

BLAISE, A., Dictionnaire Latin-Francais des Auteurs Chrétiens. Turnhout 1954.

DU CHANGE, Ch., Glossarium ad scriptores mediae et infimae latinitatis, zuerst 3 Bde (Paris 1678), öfters nachgedruckt und ergänzt, zuletzt durch L. Favre, 10 Bde (Niort 1883/87).

DEKKERS, E., Clavis Patrum Latinorum = SE 3. Steenbrügge ^{2}1961.

FREDE, H.J., Kirchenschriftsteller. Verzeichnis und Sigel = VL 1/1. 3., neubearbeitete und erweiterte Auflage des "Verzeichnis der Sigel für Kirchenschriftsteller" von Bonifatius Fischer. Freiburg 1981.

LAUSBERG, H., Handbuch der literarischen Rhetorik. 2 Bde. München ^{2} 1973.

MERGUET, H., Handlexikon zu Cicero. Leipzig 1905.

III. LITERATUR ZU EUTROPIUS

(Hier wird die Literatur aufgeführt, aus der unten der Forschungsbericht bzw. Teil II und III dieser Studie entstanden sind).

ALAMO, M., Les comptes rendus sur J. Madoz, Herencia literaria del presbitero Eutropio, dans Estudios Eclesiasticos 1942. t. XVI, 27-57, in: RHE 38 (1942) 253f.

ALTANER, B., Der Stand der patrologischen Wissenschaft und das Problem einer neuen altchristlichen Literaturgeschichte, in: Miscellanea Giovanni Mercati I = ST 121. Vaticano 1946, 483-520.

ALTANER, B. / STUIBER, A., Patrologie. Leben, Schriften und Lehre der Kirchenväter. Freiburg [9]1980.

AMANN, E., Art. S. Pacien, in: DThC XI, 1718-1721.

BARAUT, C., Art. Espagne Patristique, in: DSp IV/2, 1098f.

BARBEL, J., Geschichte der frühchristlichen griechischen und lateinischen Literatur II = CiW XIV/1c/d. Aschaffenburg 1969.

BARDY, G., Art. Direction spirituelle en occident, in: DSp III, 1068f.

BELLARMIN, R., De scriptoribus ecclesiasticis liber unus. Colonia 1684.

BORLEFFS, J.W.Ph., Zwei neue Schriften Pacians?, in: Mn 7 (1939) 180-192.

DI CAPUA, F., Ritmo e paronomasia nel trattato "De similitudine carnis peccati" attribuito a Paciano di Barcellona, in: BLCR 1 (1915) 326-339 = Scritti minori a cura di A. Quacquarelli (Roma 1959) I, 419-430.

CAVALLERA, F., L'héritage littéraire et spirituel d'Eutropoe (IVe - Ve s.), in: RAM 24 (1948) 60-71.

- L'épitre pseudohiéronymienne "De viro perfecto" (PL 30, 75-104), in: RAM 25 (1949) 158-167.

CAVE, G., Scriptorum ecclesiasticorum historia literaria. Genf 1705.

COURCELLE, P., Histoire littéraire des grandes invasions germaniques. Paris [3]1964.

CUEVAS, E. / DOMINGUEZ-DEL VAL, U., Patrologia. Madrid [5]1962 (= spanische Ausgabe der Patrologie von B. Altaner).

CZAPLA, B., Gennadius als Litterarhistoriker. Eine quellenkritische Untersuchung der Schrift des Gennadius de viris illustribus = KGS IV/1. Münster 1898.

DALMAU, J.M., La doctrina del pecat original en Sant Pacià, in: AST 4 (1928) 203-210.

DOMÍNGUEZ-DEL VAL, U., Paciano de Barcelona. Escritor, teologo y exegeta, in: Salm. 9 (1962) 53-85.

– Estado actual de la patrología española, in: RET 22 (1962) 409-425.

DREWNIAK, Fr., Die mariologische Deutung von Gen. 3,15 in der Väterzeit. Breslau 1934.

GHELLINCK, J. DE, A propos de quelques collection nouvelle de théologie, in: NRTh 67 (1945) 711-718.

JÜLICHER, A., Art. Eutropius Presbyter, in: PW VI, 1521.

MADOZ, J., Un decenio de estudios patristicos en España (1931-1940), in: RET 1 (1941) 919-962.

– Herencia literaria del presbitero Eutropio, in: EE 16 (1942) 27-54.

– Vestigios de Tertuliano en la doctrina de la virginidad de Maria en la carta "Ad amicum aegrotum, de viro perfecto", in: EE 18 (1944) 187-200.

– La carrera cientifica de dom Germán Morin, O.S.B., in: EE 20 (1946) 487-507.

– Segundo decenio de estudios sobre patristica española (1941-1950), in: EstOn 5 (1951) 83-86.

– El Renacer de la Investigación Patristica en España (1930-1951), in: SE (1952) 355-371.

MERCATI, G., Morin, Études Textes Découvertes, Tome I, in: ThRv 15 (1915) 113-118.

MICHEL, A., Art. Traducianisme, in: DThC 15/1, 1350-1365.

– La culture en Aquitaine au Ve siècle: le témoignage d'Eutrope, in: AM 71 (1959) 115-124.

MORAL, T., Art. Eutrope, prêtre espagnol du Ve siècle, in: DHGE 16, 79-82.

MORIN, G., Un traité inédit de IVe siècle. Le De similitudine carnis peccati de l'evêque s. Pacien de Barcelone, in: ETD I, 81-107.

– 'Stephani essemus virtute, non nomine'. Une critique qui porte a faux, in: RBén 34 (1922) 246-248.

MORIN, G., Brillantes découvertes d'un jésuite espagnol et retractation qui s'ensuit, in: RHE 38 (1942) 411-417.

PLINVAL, G. DE, Recherches sur l'oeuvre littéraire de Pélage, in: RPh 60 (1934) 9-42.

–   Pélage, ses écrits, sa vie et sa réforme. Lausanne 1943.

–   Essai sur le style et la langue de Pélage = Collectanea Friburgensia 31. Fribourg 1947.

–   Vue d'ensemble sur la littérature pélagienne, in: REL 29 (1951) 284-294.

–   Art. Eutrope, prêtre, fin 4e – début 5e siècle, in: DSp IV/2 (1961) 1729ff.

PUIG Y PUIG, S., Episcopologio de la sede Barcinonense = Biblioteca historica de la Biblioteca Balmes I/1. Barcelona 1929.

QUASTEN, J., Patrologia III: hg. von A. di Berardino. Turin 1978 (= Ergänzungsband zur italienischen Übersetzung von J. Quasten, Patrology durch N. Beghin: Turin I ^{3}1975; II ^{2}1973).

RUBIO FERNANDEZ, L., San Paciano obras. Barcelona 1958.

SAVON, H., Le De vera circumcisione du prêtre Eutrope et les premières éditions imprimées des lettres de Saint-Jérômes, in: RHT 10 (1980) 165-197.

–   "Pseudothyrum" et "faeculentia" dans une lettre de prêtre Eutrope (Ps.-Jérôme, Epist. 19), in: RPH 55 (1981) 91-110.

TILLEMONT, S., LENAIN DE, Mémoires pour mieux servir à l'Histoire Ecclésiastique des six premières siècles. Paris 1693-1712.

TRIA, L., De similitudine carnis peccati. Il suo autore e la sua teologia. Roma 1936.

TRITHEMIUS, Liber de scriptoribus ecclesiasticis. Basel 1494.

IV. WEITERFÜHRENDE LITERATUR

(Es werden nur jene Werke verzeichnet, die das Verständnis von sim gefördert haben; Literatur, die nur zu Einzelpunkten herangezogen wurde, ist an den betr. Stellen verzeichnet.)

ADAM, A., Texte zum Manichäismus = KlT 1975. Berlin 1954.

ALTERMATH, F., Du corps psychique au corps spirituel. Interpretation de 1 Cor, 15, 35-49 par les auteurs chrétiens des quatre premiers siècles = BGBE 18. Tübingen 1977.

ANDRESEN, C., Art. Erlösung, in: RAC VI, 54-219.

ATZBERGER, L., Geschichte der christlichen Eschatologie innerhalb der vornizänischen Zeit. Freiburg 1896.

BARDY, G., Art. Manichéisme, in: DThC IX, 1841-1895.

– Art. Priscillien, in: DThC XIII/1, 391-400.

BAUER, J., Die Trostreden des Gregorios von Nyssa in ihrem Verhältnis zur antiken Rhetorik. Diss. Marburg 1892.

BAVEL, T. VAN, Recherches sur la Christologie de S. Augustin. L'humain et le divin dans le Christ d'apres s. Augustin = Par. 10. Fribourg 1954.

BEATO, L., Teologia della malattia in S. Ambrogio. Torino 1968.

BEYENKA, M.M., Consolation in Saint Augustin = PatSt 83. Washington 1950.

BOCHÉNSKI, I.M., Formale Logik = OA III,2. München 1956.

BROX, N., Offenbarung, Gnosis und gnostischer Mythos bei Irenäus von Lyon = SPS 1. Salzburg-München 1966.

– Irenäus, in: H. Fries / G. Kretschmar (Hg.), Klassiker der Theologie I. München 1981, 11-25.

BRUCKNER, A., Faustus von Mileve. Ein Beitrag zur Geschichte des abendländischen Manichäismus. Basel 1901.

CAMPOS, J., La epistola "Ad Romanos" en los escritores Hispanos, in: Helm. 15 (1964) 135-257.

CHADWICK, H., Priscillian of Avila. The occult and the Charismatic in the Early Church. Oxford 1976.

CHADWICK, N.K., Poetry and letters in early christian Gaul. London 1955.

COLPE, C., Die religionsgeschichtliche Schule. Darstellung und Kritik ihres Bildes vom gnostischen Erlösermythus = FRLANT 78. Göttingen 1961.

CONZELMANN, H., Der erste Brief an die Korinther = KEK V [11]. Göttingen 1969.

COYLE, J.K., Augustine's "De moribus ecclesiae catholicae". A Study of the work, its composition and its sources = Par. 25. Fribourg 1978.

CUEVAS, E. / DOMÍNGUEZ-DEL VAL, U., Patrologia española. Madrid [5] 1962 (= Anhang zur spanischen Ausgabe der Patrologie von B. Altaner)

DASSMANN, E., Die Frömmigkeit des Kirchenvaters Ambrosius von Mailand. Quellen und Entfaltung = MBTh 29. Münster 1965.

DECRET, F., Aspects du manichéisme dans l'Afrique romaine. Les controverses de Fortunatus, Faustus et Felix avec saint Augustin. Paris 1970.

EBERT, A., Allgemeine Geschichte der Literatur des Mittelalters im Abendlande bis zum Beginne des XI. Jahrhunderts. Bd. I Graz [2]1971.

ERDT, W., Christentum und heidnisch-antike Bildung bei Paulin von Nola mit Kommentar und Übersetzung des 16. Briefes = BKP 82. Meisenheim 1976.

FAVEZ, Ch., La consolation latine chrétienne. Paris 1937.

FENGER, A.-L., Aspekte der Soteriologie und Ekklesiologie bei Ambrosius von Mailand = EHS.T 149. Frankfurt-Bern 1981.

FLICK, M. / ALSZHEGY, Z., Il peccato originale = BTCon 23. Brescia 1972.

FONTAINE, J., La letteratura latina cristiana = Saggi 127. Bologna 1973.

–   Antike und christliche Werte in der Geistigkeit der Großgrundbesitzer des ausgehenden 4. Jh. im westlichen Römerreich, in: K.S. Frank (Hg.), Askese und Mönchtum in der alten Kirche = WdF 409. Darmstadt 1975, 281-324.

DE FRAINE, J., Adam und seine Nachkommen. Der Begriff der 'korporativen Persönlichkeit' in der heiligen Schrift. Köln 1962 (franz. Paris 1959).

FRANZ, E., Totus Christus. Studien über Christus und die Kirche bei Augustin. Diss. Bonn 1956.

GAUDEL, A., Art. Péché originel, in: DThC 12/1, 275-606.

GEERLINGS, W., Der manichäische "Jesus patibilis" in der Theologie Augustins, in: ThQ 152 (1972) 124-131.

–   Christus Exemplum. Studien zur Christologie und Christusverkündigung Augustins = TTS 13. Mainz 1978.

GROSS, J., Entstehungsgeschichte des Erbsündedogmas. Bd. I. München-Basel 1960.

HAGENDAHL, H., Piscatorie et non Aristotelice. Zu einem Schlagwort bei den Kirchenvätern, in: Septentrionalia et Orientalia. Studia B. Karlgren dedicata = Handlingar 91. Stockholm 1959, 184-193.

HEFELE, C.J. VON, Conciliengeschichte. Bd. III. Freiburg 1858.

HEIL, W., Der Adoptianismus, Alkuin und Spanien, in: Karl der Große, Lebenswerk und Nachleben, hg. von W. Braunfels. Band II. Das geistige Leben, hg. von B. Bischoff. Düsseldorf 1965, 95-155.

–   Alkuinstudien I: Zur Chronologie und Bedeutung des Adoptianismusstreites. Düsseldorf 1970.

HÜRTH, X., De Gregorii Nazianzeni orationibus funebribus = Diss. phil. Argentoratenses selectae XII/1. Straßburg 1907.

JOHANN, H.-Th., Trauer und Trost. Eine quellen- und strukturanalytische Untersuchung der philosophischen Trostschriften über den Tod = StTestAnt 5. München 1968.

KASER, M., Das Römische Privatrecht = HAW III/3/1. München 1955.

KASSEL, R., Untersuchungen zur griechischen und römischen Konsolations-Literatur = Zet. 18. München 1958.

KAUFMANN, G., Rhetorenschulen und Klosterschulen oder heidnische und christliche Kultur in Gallien während des 5. und 6. Jahrhunderts, in: F. v. Raumer (Hg.), Historisches Taschenbuch (4.F.; 10.Jg.) Leipzig 1869, 1-94.

KNOCH, O., Die Botschaft des Matthäusevangeliums über Empfängnis und Geburt Jesu vor dem Hintergrund der Christusverkündigung des neuen Testamentes, in: K.S. Frank u.a., Zum Thema Jungfrauengeburt. Stuttgart 1970.

KÖTTING, B., Art. Christentum I (Ausbreitung), in: RAC 2, 1138-1159.

LENGSFELD, P., Adam und Christus. Die Adam-Christus-Typologie im Neuen Testament und ihre dogmatische Verwendung bei M.J. Scheeben und K. Barth = Koin 9. Essen 1965.

LUKKEN, G.M., Original Sin in the roman liturgy. Leiden 1973.

MADOZ, J., Literatura latinocristiana, in: G. Díaz Plaja, Historia general de las literaturas hispánicas 1. Barcelona 1949, 85-113.

–   Arianism and Priscillianism in Galicia, in: Folia 5 (1951) 5-25.

–   Art. Priscilliano e Priscillianismo, in: ECatt X (1953) 41f.

MAIER, J.-L., Les missions divines selon Saint Augustin = Par. 16. Fribourg 1960.

MAYER, C., Die Zeichen in der geistigen Entwicklung und in der Theologie Augustins I und II = Cass. XXIV/1.2. Würzburg 1969 u. 1974.

– Die antimanichäischen Schriften Augustins. Entstehung, Absicht und kurze Charakteristik der einzelnen Werke unter dem Aspekt der darin verwendeten Zeichentermini, in: Aug. 14 (1974) 277–313.

MESLIN, M., Les ariens d'occident 335–430 = PatSor 8. Paris 1967.

MÖLLER, W., Art. Adoptianismus, in: RE ^{3}I, 180–186.

MOMMSEN, Th., Abriss des römischen Staatsrechts = K. Binding (Hg.) Systematisches Handbuch der deutschen Rechtswissenschaft I/3. Leipzig ^{2}1907.

MONCEAUX, P., Histoire littéraire de l'Afrique chrétienne depuis les origines jusqu'a l'invasion arabe. Bd. VII. Paris 1923.

MOOS, P. VON, Consolatio. Studien zur mittellateinischen Trostliteratur über den Tod und zum Problem der christlichen Trauer = MMS 3/1-4: Darstellungsband; Anmerkungsband; Testimonienband; Indexband. München 1971–1972.

MORICCA, U., Il "votum" di Sulpicio Severo e di S. Paolino da Nola, in: Did 3 (1925) 89–96.

NAUTIN, P., Études de chronologie hiéronymienne, in: REA 19 (1973) 213–239.

NIEDERHUBER, J., Die Lehre des hl. Ambrosius vom Reiche Gottes auf Erden = FChLDG IV/3.4. Mainz 1904.

NORDEN, E., Die antike Kunstprosa vom 6. Jahrhundert v. Chr. bis in die Zeit der Renaissance. Leipzig-Berlin 1909.

NOWAK, E., Le Chrétien devant la souffrance. Étude sur la pensée de Jean Chrysostome = ThH 19. Paris 1972.

OTTO, St., "Natura" und "Dispositio". Untersuchung zum Naturbegriff und zur Denkform Tertullians = MTS II/19. München 1960.

PAREDI, A., S. Ambrogio e la sua età. Mailand ^{2}1960.

POHLENZ, M., Die Stoa. Geschichte einer geistigen Bewegung, 2 Bde. Göttingen ^{4}1970 u. ^{4}1972.

PRANTL, C., Geschichte der Logik im Abendlande. 4 Bde. Leipzig 1855–1870. Nachdruck Berlin 1955.

PUECH, H.-Ch., Le manichéisme. Son Fondateur – sa doctrine. Paris 1948.

–   Die Religion des Mani, in: ChRE II, 499–563.

QUILLIET, H., Art. Adoptianisme au VIIIe siècle, in: DThC I, 404–413.

REINELT, P., Studien über die Briefe des hl. Paulinus von Nola. Breslau 1904.

RIES, J., Jésus-Christ dans la religion de Mani. Quelques éléments d'une confrontation de saint Augustin avec un hymnaire christologique manichéen copte, in: Aug. 14 (1964) 437–454.

ROCHETERIE, M. DE LA, Saint Paulin de Nole et Ausone, in: Correspondant II/44 (1869).

ROSE, E., Die manichäische Christologie = StOR 5. Wiesbaden 1979.

ROZYNSKI, F., Die Leichenreden des hl. Ambrosius insbesondere auf ihr Verhältnis zu der antiken Rhetorik und den antiken Trostschriften untersucht. Diss. Breslau 1910.

SAVON, H., Une consolation imitée de Sénèque et de saint Cyprien (Pseudo-Jérôme, epistula 5, ad amicum aegrotum), in: RechAug 14 (1979) 153–190.

SCHELKLE, K.H., Die Frauen im Stammbaum Jesu, in: BiKi 18 (1963) 113ff.

SCHLIER, H., Über das Hauptanliegen des 1. Briefes an die Korinther, in: ders., Die Zeit der Kirche. Exegetische Aufsätze und Vorträge. Freiburg ^{3}1962, 147–159.

–   Der Römerbrief = HThK VI. Freiburg 1977.

SCHMID, W., Art. Paulinus von Nola, in: Lexikon der alten Welt. Zürich-Stuttgart 1965, 2233f.

SOFFEL, J., Die Regeln Menanders für die Leichenrede in ihrer Tradition dargestellt, herausgegeben, übersetzt und kommentiert = BKP 57. Meisenheim 1974.

SPIRA, A., Rhetorik und Theologie in den Grabreden Gregors von Nyssa = TU 94 (StPatr 9). Berlin 1966, 106–114.

STUDER, B., Zur Theophanie-Exegese Augustins. Untersuchung zu einem Ambrosius-Zitat in der Schrift De videndo Deo (ep. 147) = SA 59. Rom 1971.

–   Soteriologie in der Schrift und Patristik = HDG III/2a. Freiburg 1978.

THEOBALD, M., Die überströmende Gnade = FzB 22. Würzburg 1982.

THRAEDE, K., Grundzüge griechisch-römischer Brieftopik = Zet. 48. München 1970.

VANDERLINDEN, E., Revelatio Sancti Stephani, in: REByz 4 (1946) 176–217.

VANESTE, A., L'histoire du dogme du péché originel, in: EThL 38 (1962) 895–903.

VOGT, J., Kulturwelt und Barbaren. Menschheitsbild der spätantiken Gesellschaft, in: AAWLM.G. Nr. 1 (1967) 1–68.

VOLLMANN, B., Studien zum Priszillianismus. Die Forschung, die Quellen, der fünfzehnte Brief Papst Leos des Grossen = KGQS 7. St. Ottilien 1965.

    –   Art. Priscillianus, in: PW Suppl. XIV, 485–559.

WALDSCHMIDT, E. / LENZ, W., Die Stellung Jesu im Manichäismus = ABAW 1926. Berlin 1926.

WEISS, J., Der erste Korintherbrief = KEK V[10]. Göttingen 1925.

WILKENS, U., Der Brief an die Römer. 1. Teilband Röm 1–5 = EKK VI/I. Zürich Neukirchen 1978.

WINKELMANN, F., Art. Priscillian, in: RGG 5,588.

WINTER, P., Nekrologe des Hieronymus. Zittau 1907.

REGISTER

der

Bibelstellen

Das folgende Schriftstellenverzeichnis soll noch einmal des Eutropius ausführliche Schriftbenutzung in seinem Traktat "De similitudine carnis peccati" demonstrieren. Es gibt zu jeder Bibelstelle den Textabschnitt (sim) wie die dazu korrespondierende Seitenzahl an. Aufgenommen wurden auch alle biblischen Reminiszenzen, die ohnehin den größten Teil des Registers ausmachen.

I. ALTES TESTAMENT

Genesis

1,28	sim	49 / 40
3,14		82 / 54
3,19		85 / 54
		105 / 64
18,1f.		42 / 38
18,32		151 / 94
19,1		42 / 38
27,27		60 / 46
32,25		42 / 38

Richter

6,11	31 / 34

2 Könige

12,13	108 / 66

Tobit

5,4–15	42 / 38

Psalmen

2,7	66 / 48
4,2	150 / 92
4,5	5 / 24
4,8	150 / 92
5,13	7 / 24
8,5	64 / 46
10,3	151 / 94
37,8	148 / 92
44,8	109 / 68
50,12	109 / 68
	111 / 68
57,4	82 / 54
57,5–6	82 / 54
63,5	151 / 94
71,6	100 / 62

117,22	sim	84 / 54
123,5		1 / 24
131,11		96 / 60

Sprichwörter

9,10f.	29 / 32
11,31 (LXX)	3 / 24
18,12	30 / 34

Hohelied

2,10	11 / 26

Weisheit

1,5	38 / 36

Jesaja

53,3	100 / 62
	103 / 64
53,7	139 / 86

Jeremia

17,9	144 / 88

Habakuk

3,2	140 / 86

Matthäus

Ante

I,1	sim 75 / 50		
1,1-17	53 / 42		
1,1-16	75 / 50		
1,2-3 ·	90 / 56		
1,5-6	90 / 56		
3,7	105 / 64		
3,17	66 / 48		
8,27	151 / 96		
9,2	105 / 64		
9,6	66 / 48		
11,30	129 / 80		
12,29	151 / 94		
13,55	96 / 60		
16,23	124 / 74		
	125 / 76		
	126 / 76		
17,5	66 / 48		
17,24-27	101 / 62		
17,25-26	101 / 62		
21,12-13	101 / 62		
22,17.19	101 / 62		
25,8	84 / 54		
26,37par	127 / 78		
26,37	114 / 70		
	116 / 70		
	117 / 72		
	148 / 92		
26,38	114 / 70		
26,39-42	118 / 72		
26,39	117 / 72		
	118 / 72		
	125 / 76		
	126 / 76		
	128 / 78		
	130 / 80		
	131 / 80		
	132 / 82		
	133 / 82		
	134 / 82		
	135 / 82		
	136 / 84		
26,39-42	118 / 72		
26,41	126 / 76		
	128 / 78		
26,42	121 / 74		
26,53	139 / 86		
27,40	142 / 88		

27,42	sim 141 / 86
27,46	145 / 90
	146 / 90
	147 / 90
	148 / 92

Markus

1,11	66 / 48
6,3	96 / 60
7,34	148 / 92
8,12	148 / 92
14,33	114 / 70
	116 / 70
	148 / 92
14,36	118 / 72
15,34	145 / 90
	146 / 90
	147 / 90
	148 / 92

Lukas

2,2	96 / 60
2,19.51	101 / 62
2,34	106 / 66
3,22	66 / 48
3,23-38	53 / 42
	75 / 50
3,23	96 / 60
9,35	66 / 48
10,30.34	150 / 92
13,27	11 / 26
22,44	131 / 80
23,22	140 / 86
23,31	3 / 24

Johannes

1,1	67 / 48
1,11	127 / 78
1,14	68 / 48
1,29	100 / 62
3,13	142 / 88
5,43	127 / 78
6,55	97 / 60
8,23	69 / 48
10,14	127 / 78
10,18	118 / 72
	147 / 90
10,30	105 / 64
12,25	118 / 72
12,27	114 / 70
14,12.28	116 / 70

14,28	**sim**	114 / 70
19,18		140 / 86
21,17		97 / 60

Apostelgeschichte

9,15	40 / 38
	111 / 68
9,40f.	151 / 94
13,33	66 / 48

Römerbrief

1,3	63 / 46
1,12	30 / 34
5,3–5	18 / 30
5,7	139 / 86
5,18	71 / 50
7,24	3 / 24
	15 / 28
	142 / 88
8,3	28 / 32
	29 / 32
	32 / 34
	33 / 34
	35 / 36
	36 / 36
	39 / 36
	40 / 38
	41 / 38
	42 / 38
	87 / 56
	106 / 66
	107 / 66
	113 / 70
	139 / 86
	145 / 90
	148 / 92
8,26	131 / 80
8,32	5 / 24
9,5	52 / 42
	63 / 46
11,21	5 / 24
11,24	5 / 24

1. Korintherbrief

4,7	39 / 36
6,12	137 / 84
10,23	137 / 84
11,7	33 / 34
11,30	8 / 26
12,3	119 / 72
14,18	150 / 92

15,45.47	**sim**	52 / 42
		54 / 42
		55 / 42
		57 / 44
		58 / 44
		61 / 46
		73 / 50
15,45		57 / 44
		58 / 44
		59 / 44
		62 / 46
		63 / 46
		65 / 46
15,47		57 / 44
		58 / 44
		66 / 48
		69 / 48
		70 / 48
		72 / 50

2. Korintherbrief

2,16	32 / 34
4,4	33 / 34
4,8	5 / 24
5,17	111 / 68
5,21	40 / 38
	93 / 58
12,10	18 / 30
12,14	111 / 68
13,3	137 / 84

Galaterbrief

3,13	87 / 56

Epheserbrief

2,14	75 / 50
4,4	109 / 68
4,22.23.24	109 / 68
6,17	7 / 24

Philipperbrief

1,18	8 / 26
1,23	151 / 94
1,24	151 / 94
2,11	8 / 26
2,12	8 / 26
3,1	106 / 66

Kolosserbrief

1,15	sim	33	/	34
2,14		61	/	46
		87	/	56

1. Timotheusbrief

5,23	30	/	34

Hebräerbrief

1,5	66	/	48
1,9	109	/	68
2,6	64	/	46
2,9	146	/	90
4,15	93	/	58

1. Petrusbrief

2,22	93	/	58
	106	/	66
4,18	3	/	24

2. Petrusbrief

1,17	66	/	48

1. Johannesbrief

2,22	119	/	72
	127	/	78
3,5	93	/	58
4,3	119	/	72
	127	/	78

Offenbarung

13,18	84	/	54